Michèle BENOIT

Claude MICHEL

Editions Serpenoise

ISBN 2-87692-485-4

Cette étude, qui présente des traits régionaux du français parlé à Metz et dans ses environs immédiats, s'intéresse à une région peu explorée jusqu'à présent de ce point de vue.

Un tel travail ne peut se faire qu'avec la participation de nombreuses personnes habitant la région messine.

Nous tenons à remercier toutes celles et tous ceux qui ont accepté de collaborer à cette entreprise, en répondant à de longues enquêtes et en nous faisant part de leurs réflexions :

René Bastien, Suzanne Bayerlait, Josette Beck, Jacques Benoit, Gérard Bourguignon, Christophe Bretonnet, René Choisel, Romain Christmann, Lucie Collignon, Marine Dubroux, Marie-Christine Dupont, Jean Emo, Clarisse Ferrand, Andrée Garnier, Alain Génevé, Audrey Génevé, Delphine Génevé, Marie-Jeanne Génevé, Martine Germain, Marcel Gourlot, Edith Hazemann, Jean-Paul Henry, Yvonne Henry, Fernand Henry, Julie Idesheim, Paulette Job, Josseline Koch, Colette Lapaque, Bernadette Laurent, Lucien Laurent, Anne-Marie Leclaire, Monique Leclaire, Bernadette Leclerc, Louis Lorrain, Louise Lorenz, Wolfgang Lorenz, Georgette Le Vergos-Tissier (†), Juliette Maas (†), Marie-Ange Maas, Pierre Maas, Christiane Martin, Jean-Paul Martin, Marie-Thérèse Martin, Colette Maujean, Marcelle Maujean, Paulette Mayot, Marina Pomari, Guillaume Quack, Monique Remlinger, Louise Schenke, Arnaud Schleef, Françoise Schwartz, Gaby Soubrouillard, Denise Stoll (†), Irène Taron, Jean Tessaro, Marie-Thérèse Thiel-Bogenez, Viviane Tosches, Margotte Zumsteeg.

Nous remercions également :

- Alain Litaize, qui nous a permis de consulter l'index étymologique de l'*ALLR*, en cours d'élaboration.

- l'Institut Pierre Gardette (Centre de recherche sur les langues et cultures régionales, Université catholique de Lyon), qui nous a apporté une aide matérielle précieuse.

INTRODUCTION

La notion de régionalisme

Il suffit de se promener à travers les régions françaises pour s'apercevoir que le français n'est pas uniforme. La notion de français "standard" reste donc aujourd'hui une vue de l'esprit, et le restera sans doute longtemps encore, même si l'on peut admettre malgré tout une "norme", celle que nous donnent les dictionnaires et les grammaires pour "le bon langage" écrit, ou les radios, les chaînes de télévision et la presse écrite nationales pour la langue courante. On se comprend sans difficulté du nord au sud, comme de l'est à l'ouest, mais chaque région possède quelques caractères propres que l'oreille du touriste curieux remarque immédiatement.

La première marque régionale que l'on perçoit est l'accent. De ce point de vue, la France du nord se démarque nettement de la France méridionale et avec un peu d'attention, on distingue assez précisément, grâce à son accent, un Marseillais d'un Bordelais, et à plus forte raison d'un Lillois ou d'un Strasbourgeois.

En Lorraine, l'accent se caractérise par un certain allongement de la voyelle accentuée, l'assourdissement des consonnes finales (salade > salâte ; fromage > fromâche) ; la diphtongaison de certaines voyelles finales (deux > deuye ; chanté > chantéye) ; une nasalisation incomplète, que certains écrivains régionalistes notent parfois (F. Rousselot, par exemple, note un *on* semi-nasalisé : *distractieuns* "distractions", *cabaneun* "cabanon", *freunt* "front"[1], etc.) ; la confusion de voyelles ouvertes et fermées ("pot", "mot" prononcés avec un *o* ouvert, comme dans "porc", alors que "mort" sera prononcé avec un *o* fermé comme dans "beau", le *é* de "café" sera prononcé *è* comme dans "fait" et les professeurs connaissent bien les difficultés rencontrées par les écoliers lorrains, qui ont beaucoup de mal du point de vue phonique à faire la différence entre un imparfait et un infinitif ou un participe passé de verbe du premier groupe : *chantait, chanté, chanter*). Ces différences de prononciation, qui trahissent l'origine lorraine d'un locuteur sont immédiatement perceptibles par un auditeur étranger. Ce qu'il est convenu d'appeler "l'accent" n'est cependant pas l'objet de cet ouvrage.

Nous nous intéressons ici à des variations du point de vue phonétique, lorsqu'elles altèrent un mot de manière plus profonde, et surtout aux particularités morpho-syntaxiques, sémantiques et lexicales. Ces marques régionales sont certes moins présentes dans le discours que "l'accent". Elles apparaissent parfois au détour d'une phrase et n'entravent habituellement pas la compréhension, parce que l'auditeur peut imaginer le sens du mot inconnu ou de la tournure particulière de la phrase grâce au contexte. Cependant, il arrive parfois qu'elles créent une ambiguïté ou une certaine incompréhension. Ces marques régionales, ces "écarts de langage"[2] par rapport à la norme que constitue le français de Paris et de l'Ile-de-France, peuvent être plus ou moins connues, dans une région plus ou moins vaste, mais toutes celles que nous avons recensées dans ce recueil apparaissent en Lorraine, dans la région messine. Elles peuvent, comme les mots du français commun, avoir une connotation familière, populaire, vulgaire, péjorative…, mais ne se confondent pas avec ce que l'on appelle le "français populaire", qui appartient à la langue commune, à la "norme" nationale. Celles-ci, quelle que soit leur connotation, sont utilisées dans une aire géographique variable, mais qui exclut toujours Paris et ses alentours, autant que nous ayons pu en juger, puisque dans ce domaine, nous n'avons comme référence que les dictionnaires de langue et les dictionnaires d'argot qui sont souvent imprécis et partiels, malgré les améliorations apportées aux dernières éditions. Seront naturellement retenus pour figurer dans ce dictionnaire les mots présents dans les dictionnaires de la langue française accompagnés de la mention "régional", mais aussi ceux qui, notés comme "archaïques, vieux, vieillis ou littéraires" dans les dictionnaires consultés, sont encore vivaces à Metz et/ou aux alentours, employés par des locuteurs de plusieurs tranches d'âge, car bon nombre de régionalismes sont des archaïsmes du français. Certains, jugés régionaux malgré l'absence de mention, figurent également dans cet ouvrage. En revanche, des mots comme *quiche*, *mirabelle*, *quetsche*, etc. n'apparaîtront pas ici, du moins dans leur sens commun. Ils font désormais partie du français courant, selon les dictionnaires consultés, et y sont notés sans mention.

La langue est un élément fluctuant, vivant, qui s'enrichit de nouveaux mots pendant que d'autres disparaissent de l'usage courant. Aussi notre collecte, malgré le soin que nous avons pu y apporter, reste nécessairement incomplète. Le régionalisme n'apparaît en effet que dans certains contextes, liés au locuteur (âge, sexe, niveau culturel, activité professionnelle), à son interlocuteur, au sujet de la conversation, aux témoins qui pourraient entendre cette conversation, etc. Toutes les circonstances favorables à la production de la marque régionale ne sont pas toujours réunies et l'on peut ainsi ne jamais entendre un mot pourtant usuel, parce que l'occasion de l'utiliser ne s'est jamais présentée. L'essentiel du travail est le fruit de l'écoute des habitants de la région, complété par l'utilisation de travaux antérieurs sur le sujet.

Aperçu historique et géographique

Histoire

La région est habitée depuis l'époque la plus reculée, les objets paléolithiques trouvés sur les bords de la Moselle l'attestent. On sait également qu'une tribu vivait sur le site actuel de la ville à l'âge de bronze, il y a 3 000 ans. Plus près de nous, les Gaulois prennent place au confluent de la Moselle et de la Seille, aux alentours du VIIe siècle av. J.-C. et fondent *Divodurum*, "la citadelle divine" ; elle sera occupée à partir du IVe siècle avant notre ère par une tribu belge qui occupe tout le nord de la Lorraine, les *Mediomatrici*, qui donneront son nom à la ville actuelle, Metz. La colonisation romaine n'intervient qu'à partir de 58 av. J.-C. et le site devient un carrefour routier important. C'est dans cette ville que la voie de Trèves (point avancé de la romanisation vers le nord) à Lyon (et à la Méditerranée) croise la voie de Mayence à Reims (et à l'Atlantique). Les nombreux vestiges romains et les collections du musée de Metz rendent suffisamment compte du rôle important que cette ville et sa région ont joué dans le monde antique, aussi bien du point de vue de la religion que de la politique ou du commerce. La période de prospérité durera jusqu'aux invasions alémaniques du IIIe siècle, époque également de la christianisation par saint Clément, dont le souvenir reste très vivant aujourd'hui pour la plupart des Messins. Après la période troublée des invasions barbares, qui dure jusqu'au Ve siècle, Metz devient capitale d'Austrasie pendant la période mérovingienne. A l'époque carolingienne, elle perd son rôle de capitale, mais reste un lieu culturel important. En 843, au traité de Verdun, la région échoit à Lothaire et sera tantôt très brillante, tantôt très tourmentée. Avec Toul et Verdun, elle est intégrée au Saint-Empire romain germanique au Xe siècle et attirera souvent la convoitise des princes voisins. C'est, au Moyen Age, jusqu'au XIVe siècle, une riche cité commerçante connue jusqu'en Orient, mais les guerres et les épidémies vont l'affaiblir considérablement. Les guerres de religion du XVIe siècle vont finir de la ruiner. La ville veut alors se libérer de l'empire et le roi de France profite de l'occasion pour s'y implanter. L'évêché de Metz, comme ceux de Toul et de Verdun, passe à la couronne de France en 1552. La région connaît ensuite les vicissitudes de la guerre de Trente Ans, particulièrement meurtrière, l'exode des protestants à la révocation de l'édit de Nantes (1685). Le XVIIIe siècle lui permet de rétablir une certaine puissance, puis, avec le XIXe siècle et le développement des industries du fer et de la houille, la ville retrouve une grande activité commerciale. La guerre de 1870 et l'annexion mettront un terme à son essor. Beaucoup de Messins quitteront leur région occupée. La ville est libérée en 1918, mais connaît une annexion plus dure encore en 1940, avec son cortège d'arrestations, d'exécutions sommaires et d'expulsions massives. Cette nouvelle annexion ne dure que quatre ans, et la ville se remet vite des malheurs qu'elle a subis. Depuis cette époque, malgré les aléas de la vie industrielle, Metz a su redevenir une grande cité régionale prospère et active.

Le pays messin suit de près l'histoire de la ville, et il semble bien que, très tôt, il apparaisse comme une entité assez clairement définie. On peut penser que dès l'époque gallo-romaine se crée un *pagus mettensis* (proche, pour ses limites, des archiprêtrés qui constituent la région messine), préfiguration du futur pays messin, dont la naissance peut être datée du XIVe siècle. Au Moyen Age, en effet, le rayonnement de la ville de Metz sur la campagne environnante s'affirme, notamment grâce à la prospérité des fabriques de drap, de l'élevage, de la culture des céréales, du vin, mais aussi de la production de sel et grâce à son rôle de place bancaire importante : les riches bourgeois messins achètent des domaines à proximité de la ville et favorisent ainsi la constitution du pays messin. En 1323, 136 villages de la vallée de la Moselle sont ainsi administrés directement ou indirectement par Metz et bénéficient en retour des retombées économiques de la ville. Mais ce pays riche, enclavé dans les terres du duché de Lorraine, va attirer les convoitises de ses voisins et subira les dévastations des guerres, ce qui l'amènera à se doter d'un réseau défensif dont on voit encore les restes aujourd'hui dans les fermes et églises fortifiées.

De même, pendant la guerre qui oppose René II à Charles le Téméraire, les bourgeois messins vont observer une prudente neutralité, mais l'évêque prendra parti pour la Bourgogne, ce qui entraînera de sérieuses représailles après la victoire des troupes du duc de Lorraine. Par la suite, le pays messin passe, avec la ville, sous le contrôle français et connaîtra des changements importants à la révocation de l'édit de Nantes. La Révolution fait disparaître la notion de pays messin, avec la création des départements, qui vont être modifiés dans leur configuration par l'annexion de 1870. Cependant, le pays messin subsiste malgré tout de nos jours par la création de l'arrondissement de Metz-Campagne, qui compte 143 communes.

Géographie

Le pays messin ne forme pas, du point de vue géographique, une unité : il est constitué de trois types de paysage :
- un paysage de côte, qui culmine à 400 m d'altitude : les côtes de Moselle et une côte double entre Moselle et Seille.
- la vallée de la Moselle, qui forme un étroit couloir d'une dizaine de kilomètres de largeur. Ce sont des terrains limoneux fertiles.
- des plateaux au nord et à l'est.

Ce relief explique la vocation naturelle de passage du nord au sud, chemin emprunté par toutes les voies de communication depuis la plus haute antiquité. Il donne également à la ville sa position, au confluent de la Moselle et de la Seille, point stratégique au cœur d'une campagne fertile. D'ailleurs, on emploie volontiers aujourd'hui l'expression “val de Metz”, au lieu de la traditionnelle appellation “pays messin”, pour désigner le même territoire. Elle fait directement référence à la situation géographique que nous venons de décrire et semble probablement plus claire que l'ancienne notion, dans l'esprit des habitants actuels.

Aujourd'hui, l'emprise de la ville de Metz est très forte sur le pays qui l'environne. Les terres cultivées régressent au profit de l'habitat et des implantations industrielles, mais récemment, les habitants du pays messin ont compris qu'ils pouvaient tirer un avantage nouveau de la campagne par la mise en valeur culturelle des sites de toutes les époques disséminés dans les villages. Le développement touristique se met en place et la situation même de Metz et de sa région, au cœur de l'Europe nouvelle, en fait un lieu de passage du nord vers le sud et un pôle d'attraction culturel incontestable. Cet aspect nouveau apparaît clairement à la lecture des journaux locaux, véritables révélateurs de l'attachement des habitants à leur région. Les articles concernant les traditions locales, la remise à l'honneur de certaines fêtes tombées en désuétude, les questions posées par les lecteurs à propos de tel ou tel témoignage du passé culturel de la région, tout montre un véritable regain d'intérêt pour ce qui, dans un monde en perpétuelle transformation, représente au contraire la permanence et l'âme du pays.

Situation linguistique du pays messin

Du point de vue linguistique et culturel, le pays messin offre, en revanche, la même unité que du point de vue historique : il appartient entièrement au domaine roman (voir la carte). Probablement depuis des temps très anciens, la frontière des langues marque sa limite est. On a coutume, notamment à la suite des travaux de C. This et M. Toussaint, de situer l'établissement de cette frontière à l'époque des invasions germaniques qui ont pénétré en Gaule à la fin de l'Empire romain, mais certains, comme A. Simmer, lui voient aujourd'hui, à la lumière des dernières découvertes archéologiques, une origine bien plus ancienne, correspondant à un peuplement naturel. Cette thèse intéressante demande encore, semble-t-il, des études pluridisciplinaires approfondies avant d'obtenir une réponse définitive.

L'attachement du pays messin à la langue romane est sans faille, puisque même pendant l'annexion de 1871 à 1918, il a affirmé sa tradition francophone en conservant l'enseignement en français dans les écoles. On sait que l'enseignement en allemand imposé par Hitler pendant la seconde annexion n'a laissé aujourd'hui quasiment aucune trace et le français n'a pas reculé après ces quatre années pendant lesquelles tout avait pourtant été orchestré pour l'éradiquer. Certains de nos informateurs rappellent cependant l'implantation de populations au parler germanique, après 1918, à Metz et dans la banlieue, au Sablon et à Montigny-lès-Metz : la compagnie de chemin de fer "AL" (Alsace-Lorraine) avait créé un atelier d'entretien des locomotives à Montigny et un centre de triage au Sablon. Les employés étaient essentiellement recrutés dans la région de Bitche et en Alsace. Ils vivaient dans le vieux Sablon et dans un quartier de Montigny, un peu à l'écart du reste de la population. Ils avaient leur économat et parlaient essentiellement leur patois germanique, car ils connaissaient assez peu le français (voir note 7).

La langue vernaculaire :

Les parlers vernaculaires du pays messin sont donc des patois lorrains romans, bien distincts des patois germaniques, parlés à l'est de la frontière notée sur la carte, même si l'influence germanique apparaît parfois dans le lexique : par exemple, la chèvre est, en domaine roman, la *gaïsse*, ou la *gaïlle* (germ. *Geiß*) et la pomme de terre est la *grombire* (germ. *Grundbirne*). Malgré le développement de quelques traits caractéristiques, ils ne sont qu'une variante de la langue d'oïl parlée en Lorraine et ne constituent qu'une forme particulière des parlers lorrains. Certains phénomènes permettent toutefois de rattacher le sud du pays messin au "noyau dur" des parlers lorrains, le "sanctuaire lorrain"[3], selon la formule de J. Lanher.

C'est en effet en plein cœur du pays messin que passent des limites phonétiques remarquables, comme la réalisation du groupe *-sy-* en *ch,* [¢] au nord, *hh,* [x] au sud (PISCIONE ("poisson") > *p(o)chon* au nord, *p(o)hhon* au sud). "A" latin accentué libre donne ici un *eu* ouvert, alors qu'il donne *é*[i] aux alentours (CANTARE ("chanter") > *chanteu/chanté*[i]). Il faut voir dans l'absence d'opposition entre l'infinitif des verbes du groupe I a (*chanteu* "chanter") et I b (dont la désinence est précédée d'une consonne palatale: *mingeu* "manger") un trait de francisation particulier à cette région, car partout ailleurs en Lorraine, on oppose ces deux séries (*chanté*[i]*/mingi* dans la région voisine). L'absence de désinence à la 6e personne de l'indicatif présent: *ils chantent,* alors que partout ailleurs en Lorraine, on a conservé la désinence: *ils chantont,* trahit également l'influence du français. Le pays messin est aussi partagé entre les réalisations des suffixes diminutifs féminins *-otte* (*coriotte*) au nord et *-atte* (*coriatte*) au sud, la nasalisation des voyelles suivies de consonnes nasales (*chin-ne* "chêne") ou précédées de consonnes nasales (*dreumin* "dormir").

C'est ici aussi que passe une limite "ethnographique": au nord, on brûle le porc, au sud, on l'ébouillante.

A l'extrême sud du pays apparaît la forme spéciale de vouvoiement, marquée par une désinence différente de la forme de 5e personne: *chanté*[i] (vouvoiement, issu de la désinence -ATIS de la première conjugaison latine)/*chanteu*[i] (pluriel, issu de la désinence latine -ETIS).

C'est, enfin, à partir du pays messin au nord qu'apparaît la nasalisation incomplète des voyelles. Elle s'étend sur une grande partie est de la Lorraine. Ici commence l'aire de *i* nasal, de l'emploi de la préposition *de* dans les locutions du type (*c'est*) ***d'à nous***, de l'ordre adjectif + nom ("la neuve robe", "un blanc fromage"), etc.

Certains traits n'apparaissent que dans cette petite région, comme l'emploi du pluriel après le pronom indéfini *on* et la curieuse forme verbale en *-r* de l'impératif présent négatif, à la 5e personne[4].

A ces quelques exemples phonétiques et morpho-syntaxiques, il faudrait ajouter une longue liste d'exemples lexicaux. Signalons simplement que certains types lexicaux apparaissent à partir du pays messin, souvent selon des limites proches de celles des exemples donnés ci-dessus. Les oppositions *chou/jotte, oseille/alhatte, disette/lisette, moineau/mouchot, taureau/ouéré, limace/vermeusson,* etc. apparaissent dans cette région et c'est ici que se rencontrent les aires de *gaïsse/chèvre/bocatte,* ou que la coccinelle se nomme de cinq manières différentes: *chérigogotte, gogotte, augotte, bête à bon dieu, bête du bon dieu.* Nous renvoyons le lecteur curieux à l'*Atlas linguistique de la Lorraine romane*, mine inépuisable de renseignements sur les parlers vernaculaires romans de notre région.

Toutes ces particularités, qui différencient le pays messin et souvent les régions voisines du reste de la Lorraine romane ne constituent donc pas, du point de vue linguistique, des critères de changement de dialecte. Ces variantes phonétiques, morpho-syntaxiques ou lexicales forment un ensemble de traits permettant simplement de situer géographiquement, dans l'ensemble lorrain roman, le locuteur qui les utilise, mais tout lorrain roman dialectophone reconnaîtra dans un tel parler la langue qu'il emploie lui-même, malgré les variantes très sensibles.

C'est sur ce substrat que s'est constitué le français parlé dans le pays messin. Aussi n'est-on pas surpris de rencontrer un bon nombre de mots déjà connus des patois de la région. Ils se sont naturellement transmis au français local, particulièrement lorsqu'ils n'ont pas d'équivalent en français de Paris (voir par exemple *breseuiller, migaine, haltata*, etc.).

La littérature :

Du point de vue littéraire, le patois du pays messin a produit, entre autres, une grande œuvre, *Chan Heurlin*, long poème de 2 500 vers, écrit en partie à la fin du XVIIIe siècle (1785) par Brondex, puis, pour la suite, au début du XIXe siècle (1825 ou 1827) par Mory. Cette œuvre, encore bien connue des Messins, raconte l'aventure survenue en 1712 à Fanchon, jeune paysanne de Vrémy, séduite et délaissée par Maurice. Pour sauver son honneur, son père veut la marier à un homme qu'elle n'aime pas. L'histoire se termine bien et Fanchon épousera finalement Maurice, le père de son enfant. L'argument banal est prétexte à une peinture de la vie rurale particulièrement juste, qui a fait le succès de l'œuvre. Ce poème a une suite : *Lo bètomme don p'tiat fei de Chan Heurlin* (Le baptême du petit-fils de Chan Heurlin), écrit dans la même veine et qui forme un épilogue à *Chan Heurlin*. Bien que la versification impose parfois une francisation du texte et que Mory n'ait pas la même verve que Brondex, ce texte est le plus important témoignage littéraire et linguistique du pays messin. Avec le *Dictionnaire des patois romans de la Moselle* de L. Zéliqzon (1922-1924)[5], il permet d'avoir un aperçu complet sur ces patois de la région messine, particulièrement intéressants par leur position géographique, à la frontière linguistique et à la limite des parlers lorrains les plus originaux, ceux du sud-est.

L'influence germanique et la conscience linguistique :

Le lecteur pourra s'étonner de trouver dans notre corpus un assez grand nombre de mots d'origine germanique. Certains, implantés anciennement (comme *gaïsse*), appartiennent au lexique dialectal roman et sont utilisés couramment par tous. D'autres, plus récents, s'intègrent facilement dans le français utilisé en pays messin. Il s'agit en particulier de noms de mets d'origine alsacienne, allemande ou de Moselle germanophone. La cuisine lorraine semble très influencée par les régions voisines de l'est depuis assez longtemps.

La charcuterie, la pâtisserie et les recettes à base de pomme de terre et de pâtes représentent l'essentiel de ces emprunts. Cependant, ils ne sont pas les seuls et l'on remarque aussi un certain nombre de mots d'origine germanique à valeur péjorative et/ou ironique (*holz, holzkopf, mïnsch, schleppe, schnell-catherine, schnesse...*), d'autres font partie du vocabulaire courant, sans valeur particulière (comme *routcher, roupf salade, schmaquer, schmouse...*).

Toutefois, certains informateurs ont marqué leur réticence à la présence de tels mots dans un ouvrage voulant refléter le vocabulaire messin, alors qu'ils sont largement employés dans cette région. Le dépouillement des enquêtes de vitalité montre que, consciemment ou non, certains ont dit ignorer ces mots, bien qu'ils les connaissent nécessairement, pour les entendre prononcer autour d'eux, dans leur propre famille ou pour les lire dans le quotidien régional.

Cette attitude correspond à une caractéristique du comportement des Messins à l'égard de leur parler et particulièrement de sa germanisation: en dehors de toute considération socioprofessionnelle ou culturelle, on s'aperçoit que, parmi les personnes de plus de 40 ans, et surtout parmi celles qui ont connu la dernière annexion et l'école allemande, le rejet de tout mot reconnu comme d'origine germanique, considéré comme un emprunt récent, est systématique. Les familles qui ont pu quitter la région au moment de la dernière annexion adoptent évidemment la même attitude. En revanche, les mots d'origine dialectale romane sont acceptés par tous. Contrairement aux mots germaniques, ils n'ont généralement pas pris de connotation péjorative, vulgaire ou triviale.

Refus de l'emploi de mots germaniques, acceptation des mots dialectaux romans, c'est aujourd'hui, pour les personnes de plus de 40 ans la manifestation de la résistance à la germanisation imposée lors de la dernière annexion, mais aussi une attitude plus générale et profonde d'affirmation de son appartenance au monde linguistique roman et à la nation française[6]. Beaucoup ont éprouvé le besoin de rappeler, au cours des entretiens que nous avons pu avoir à ce sujet, que les Mosellans (romanophones et germanophones), souvent mal considérés par le reste des Français[7], à cause de l'annexion (et de leur parler germanique, pour les Mosellans de l'est) ont eu pendant les deux périodes d'annexion et particulièrement pendant la dernière guerre un comportement exemplaire. Il est évident aussi que les nouvelles générations ne font pas cette distinction et acceptent volontiers les mots germaniques.

Nous avons également retenu des mots correspondant à des coutumes germaniques, comme l'*osterhase*, mot toutefois moins usité que son adaptation française (*lapin (*ou *lièvre) de Pâques*), Saint Nicolas (qui dépasse largement le domaine germanique vers l'est!), la couronne et le calendrier de l'Avent, etc. Aujourd'hui, ces coutumes, comme Halloween, tendent à se généraliser, en raison des bénéfices commerciaux qu'on peut en tirer, mais leurs noms, leur valeur et leur signification restent encore régionaux.

Il faut enfin signaler le grand attachement des Messins à ce qui fait la spécificité de leur région. *Le Républicain lorrain* fournit, dans le courrier des lecteurs, un grand nombre d'articles concernant la langue, les traditions, l'histoire et nous avons remarqué l'intérêt particulier de nos informateurs pour le travail que nous leur avons proposé. Habituellement, dans ce type d'enquêtes, la coopération des témoins retenus reste essentiellement individuelle et se borne à répondre à nos questions. Ici, nous avons pu recueillir plusieurs centaines de nouveaux mots livrés spontanément, des remarques d'ordre général sur le corpus, sur les particularités du français du pays messin, des groupes se sont formés pour travailler en commun sur notre questionnaire, des enfants de 10 ans se sont intéressés à nos enquêtes, etc. Des enquêtes menées à Nancy (à 60 km au sud de Metz), par exemple, n'ont pas suscité le même enthousiasme général, comme d'ailleurs les enquêtes effectuées dans d'autres régions. Cela montre bien que la région messine reste exceptionnelle du point de vue linguistique. Sa situation géographique, à la frontière des parlers germaniques et les diverses annexions qu'elle a dû subir ont marqué profondément les hommes et les femmes du pays, qui sont aussi viscéralement attachés à leur terre qu'à leur langue, de part et d'autre de la frontière linguistique.

L'enquête

Elle est le fruit de l'écoute attentive des habitants de la région étudiée. Ce long travail de tous les instants a permis de recueillir bon nombre de mots ou expressions qui surgissent au hasard des conversations de la vie de tous les jours. Il est essentiel puisque les marques régionales sont le plus souvent des traits de la langue parlée. Fort peu accèdent au statut de l'écrit, condition indispensable pour espérer dépasser les limites de la petite région ou de la province. Néanmoins, nous avons dû, pour compléter notre collecte, avoir recours à quelques documents écrits, textes français non littéraires publiés en Lorraine, travaux de linguistes qui nous ont précédés.

La source écrite la plus importante est le journal local, *Le Républicain lorrain*, destiné aux lecteurs de la région messine. Au hasard des articles consacrés aux villages de ce pays (manifestations locales, fêtes ou événements de tous ordres), mais aussi grâce aux rubriques régulières consacrées à la langue, à la cuisine ou au courrier des lecteurs et même à la faveur des pages publicitaires, la moisson a pu s'enrichir considérablement.

Nous avons en outre utilisé les publications antérieures sur les régionalismes lorrains :

La Lorraine a connu, comme les autres régions, un certain nombre de recueils pédagogiques destinés à éradiquer les tournures vicieuses et à permettre aux élèves de parler et d'écrire en français correct. Les premiers apparaissent dès le XVIIIe siècle. Le P. H. Dubois de Launay écrit, en 1775, *Remarques sur la langue française à l'usage de la jeunesse de Lorraine*, puis Jean-François Michel, en 1808, *Dictionnaire des expressions vicieuses usitées dans un grand nombre de départements, et notamment dans la ci-devant Province de Lorraine*, enfin F. Munier, *Recueil des locutions vicieuses les plus répandues*, qui connaîtra trois éditions successives en 1812, 1829 et 1832. Nous avons utilisé les travaux de J.-F. Michel et l'édition de 1834 de F. Munier, qui révèlent, au milieu de tournures fautives apparentées plutôt à la langue populaire, un certain nombre d'authentiques lotharingismes de plus ou moins grande extension. Mais ces ouvrages, déjà anciens, ne reflètent sans doute plus l'état de la langue parlée deux siècles plus tard, dans notre région.

C'est pourquoi les contributions récentes ont davantage retenu notre attention. Le travail le plus important est le *Dictionnaire du français régional de Lorraine*, de J. Lanher et A. Litaize, ouvrage récent (1990) portant sur l'ensemble des quatre départements lorrains (Meurthe-et-Moselle, Meuse, Vosges, et partie romane de la Moselle). Il a l'avantage de donner quelques précisions géographiques sur les mots retenus (environ 800). Il reste à ce jour le seul ouvrage sérieux sur la question.

Parmi les autres recueils de régionalismes, nous avons consulté les ouvrages de F. Martin, qui mêlent le plus souvent régionalismes et mots ou expressions argotiques ou populaires, et quelques articles qui traitent essentiellement de Nancy et de sa région. Signalons aussi *Variétés géographiques du français de France aujourd'hui*, volume “annonciateur” du *Dictionnaire des régionalismes de France*, qui sera bientôt publié, sous la direction de P. Rézeau. Dans ce volume préparatoire, déjà publié, figurent quelques termes lorrains, accompagnés d'une notice lexicographique complète.

Les travaux spécialisés sur la cuisine messine (Auricoste de Lazarque) ou l'ethnologie (l'important dictionnaire de Westphalen), ont fourni quelques mots anciens, liés souvent à des coutumes en voie de disparition ou réintroduites depuis peu à la faveur du regain d'intérêt pour les choses du passé.

Toutes ces sources nous ont permis de rédiger un premier lexique de 2 500 mots environ, qui a été soumis à un échantillon d'une vingtaine de personnes nées et habitant dans la région. Ce premier travail, composé comme un dictionnaire, présente les mots retenus selon l'ordre alphabétique et donne pour chacun le (ou les) sens, accompagné(s) de la (ou les) définition(s) illustrée(s) d'exemples.

Mais notre entreprise n'a pas pour but de présenter un “conservatoire” de mots aujourd'hui inusités pour la plupart. Elle veut au contraire donner un aperçu des marques diatopiques encore en usage dans cette région. C'est pourquoi, pour apprécier plus justement la vitalité réelle de ces mots, dans l'agglomération comme dans la campagne messine et pour obtenir une image aussi fidèle que possible de la situation linguistique actuelle du pays messin, nous avons choisi quatre régions d'enquête: environs d'Hagondange, au nord de Metz, Gorze, à l'ouest, région au sud-est de Metz (Vigny-Rémilly) et naturellement Metz et sa banlieue. Pour les trois premières zones, un échantillon de quatre témoins par zone (deux hommes et deux femmes), appartenant à des tranches d'âge différentes (un âgé de moins de 20 ans, un de 20 à 39 ans, un de 40 à 59 ans et un de plus de 60 ans) et de milieux socioprofessionnels différents, représentatifs des activités locales (collégiens, lycéens, étudiants, agriculteurs, ouvriers de l'industrie, artisans, employés et commerçants, cadres et professeurs, pharmaciens et médecins). Pour ne pas trop exagérer l'importance de la campagne, traditionnellement plus conservatrice dans ses habitudes linguistiques, par rapport à l'agglomération messine, nous avons choisi de retenir 8 témoins à Metz et dans sa banlieue, 2 hommes et 2 femmes dans chaque tranche d'âge, en respectant les mêmes critères socioculturels que dans le pays messin.

Il était demandé à chaque personne de noter par une lettre en marge de chaque mot ou de chaque sens si elle l'employait elle-même (E), si elle le connaissait pour l'avoir entendu employer par un interlocuteur, sans toutefois l'employer personnellement (C) ou si le mot lui était totalement inconnu (X). Chaque témoin pouvait en outre modifier une définition qui lui semblait inexacte, rectifier une graphie ne correspondant pas à sa propre prononciation, ajouter des sens oubliés, rectifier des exemples d'utilisation trop maladroits ou impropres. Le dépouillement des réponses à ce lexique-questionnaire a permis de rédiger le dictionnaire définitif que nous présentons aujourd'hui. Nous n'avons retenu que les mots suffisamment vivants pour être reconnus actuellement encore par une part significative de la population du pays messin. Les mots les moins vivants, ceux dont la vitalité très faible montre qu'ils vont disparaître bientôt, n'étant plus reconnus que par une petite partie des témoins (et généralement appartenant à la tranche d'âge la plus élevée), ont été regroupés en une liste à la fin de l'ouvrage.

Ces tests de vitalité, mis au point par Jean-Baptiste Martin pour les enquêtes réalisées dans la région Rhône-Alpes par les chercheurs de l'Institut Pierre Gardette de Lyon[8], restent aujourd'hui le moyen le plus simple, le plus rapide et le plus efficace pour apprécier de manière chiffrée la vitalité d'un mot. Même si le fait de résider dans le pays messin et d'être linguiste peut paraître suffisant pour apprécier la vitalité d'un lexique, il nous semble préférable d'obtenir une image concrète, chiffrée, qui corrige d'ailleurs assez souvent l'optimisme du linguiste ! Malgré leurs imperfections et approximations, ces tests sont aujourd'hui encore le moyen objectif le plus propre à donner une image proche de la réalité linguistique du domaine étudié. S'ils ont été critiqués, très rarement, personne n'a encore fourni de méthode aussi pratique pour apprécier la vitalité d'un corpus de cette importance[9].

Les résultats de ces tests ont permis d'éliminer près de la moitié des mots du premier questionnaire, mais la qualité du travail fourni par nos témoins l'a enrichi d'environ 400 mots nouveaux, qui ont fait l'objet, dans un deuxième temps, du même test de vitalité. C'est donc, dans l'état définitif, un glossaire de près de 1600 mots qui est présenté, accompagné d'une annexe de 350 mots environ, regroupant les termes très peu vivants. Ce nombre correspond à ce que l'on peut trouver habituellement dans les dictionnaires de régionalismes des autres régions (*cf.* note 8).

Présentation des matériaux

Cet ouvrage présente le résultat de nos recherches sous la forme d'un dictionnaire, selon l'ordre alphabétique. Il s'agit des régionalismes les plus vivants, aussi bien du point de vue phonétique, que grammatical, sémantique ou lexical, utilisés encore de nos jours par l'ensemble de la population, ou une fraction significative, suffisamment importante pour que nous les ayons retenus.

On entend par régionalisme phonétique une variante affectant la prononciation d'un mot, en dehors de celles que nous avons notées au début de cette introduction : *cueuiller* "cuillère", *bévard* "bavard", etc.

Un régionalisme grammatical peut être constitué par un trait morphologique : un changement de genre (*la colchique, le dent, une étang,* etc.), une mécoupure, une agglutination de l'article, ou un trait syntaxique : une construction originale (*Qu'est-ce que c'est du gars-là ? Qu'est-ce que c'est pour un chapeau ? J'ai mal les pieds. Elle a mis ses neuves chaussures,* etc.).

Un régionalisme lexical est un mot inconnu du français de Paris : *clarteux, meurotte, migaine*, etc.

Un régionalisme sémantique est l'utilisation d'un mot du français commun dans un sens régional : *escargot, gouttière, quetsche*, etc.

Même si certains peuvent parfois paraître peu messins pour quelques lecteurs, qui les entendent dans d'autres régions, ils ont à notre sens leur place dans cet ouvrage, puisqu'ils sont aussi employés à Metz (comme nous l'avons signalé, les régionalismes peuvent concerner une aire plus ou moins vaste, allant du canton à une large moitié de la France, voire plus) : le critère retenu pour la détermination du régionalisme est l'emploi dans le pays messin, et non la naissance du mot dans le pays messin. Chaque mot est présenté sous une vedette, suivie de la nature grammaticale, puis de la (ou des) définition(s), d'un (ou plusieurs) exemple(s) d'utilisation et éventuellement de remarques succinctes concernant la mention du mot dans les dictionnaires de langue, d'argot, de patois ou dans l'*ALLR*. Une rubrique étymologique très sommaire n'est ajoutée que lorsque le mot est absent des dictionnaires français consultés (*Rob. 89* et *TLF*). Enfin les articles se terminent par des indications sur la vitalité des mots ou des sens, selon les principes exposés plus loin.

Vedettes, définitions, exemples

Chaque vedette est présentée en caractères gras. Pour les mots relevés par les dictionnaires français ou mots régionaux employés par la presse (comme les noms de mets ou des mots comme *schoutt*), nous nous conformons à l'usage graphique. Lorsqu'il n'y a pas de tradition orthographique, la graphie peut s'inspirer de l'étymologie, ou essayer de reproduire la prononciation le plus simplement possible. Pour les mots germaniques, nous avons noté la prononciation de la manière approximative la plus simple, lorsque le mot s'éloigne de son correspondant germanique (p. ex. *couatcher*, germ. *quatschen*). Parfois, nous avons suivi l'orthographe germanique, même lorsqu'elle ne permet pas de lire le mot tel qu'il est prononcé. Ainsi, certains groupes initiaux *sp-, st-* doivent se prononcer *chp-, cht-* (p. ex. *spatz, spritz* se lisent *chpatz, chpritz, stollen, stempel* se lisent *chtollen, chtèmpel*). La prononciation est alors notée en caractères phonétiques, après la vedette et la nature.

Ensuite apparaît la définition (ou, le cas échéant, le mot équivalent du français commun) suivie d'un exemple qui peut être donné par un informateur, entendu dans la région, au cours de conversations, lu dans la presse régionale, ou éventuellement trouvé dans des ouvrages portant sur des régions voisines. Dans tous les cas, ces exemples ont été soumis aux informateurs qui les ont acceptés tels quels ou modifiés. Nous n'avons pas cherché à reproduire dans la graphie de nos exemples le style relâché de la conversation, ni l'accent. Lorsqu'un mot comporte plusieurs sens, ils sont numérotés.

Remarques

Sous cette rubrique, nous porterons les mentions des dictionnaires consultés, lorsque le mot étudié y apparaît. Nous utilisons les abréviations *Rob. 89* (*Grand Robert de la langue française*, édition de 1989) et *TLF* (*Trésor de la langue française*). On pourra parfois noter qu'un mot considéré comme un régionalisme du Canada ou de l'Ouest de la France est bien connu aussi en Lorraine. Comme nous l'avons signalé, certains régionalismes, qui sont des archaïsmes du français, connaissent une grande extension, puisqu'ils sont également connus de pays francophones parfois très éloignés.

Lorsqu'un mot existe dans le substrat dialectal, nous l'avons également signalé à partir de deux sources: le dictionnaire de Zeliqzon (abrégé en Z. suivi, le cas échéant, de la graphie du mot, tel qu'il y apparaît) et l'*Atlas linguistique de la Lorraine romane* (abrégé en *ALLR* suivi du numéro (et éventuellement de l'intitulé) de la carte où le mot figure). Le lecteur curieux pourra remarquer, en se reportant à l'*ALLR*, que, parfois, l'aire dialectale est assez éloignée de la zone messine, où le mot a été recensé dans un discours français. Pour les patois mosellans germaniques, notre référence est le dictionnaire de M. F. Follmann.

Nous renvoyons aussi le lecteur à d'autres ouvrages, lorsque le mot figurant dans le présent lexique a été traité antérieurement. Les abréviations utilisées pour ces références se trouvent dans la liste des ouvrages cités, en fin de volume.

Enfin, les mots de sens voisins sont aussi répertoriés dans cette rubrique.

Etymologie

Les dimensions de cet ouvrage ne permettent pas de donner une rubrique étymologique complète. Notre but est simplement d'apporter au lecteur intéressé par l'origine de sa langue des éléments lui permettant de poursuivre la recherche dans les ouvrages spécialisés, qui sont d'ailleurs nos propres sources (voir la liste des ouvrages cités en fin de volume). Les bases étymologiques proposées sont le plus souvent extraites du *Französisches Etymologisches Wörterbuch* de W. von Wartburg, dont chaque article donne une histoire sémantique et une localisation géographique assez précise des mots (ou des emplois). En outre, pour les mots figurant dans les dictionnaires de langue consultés (*Rob. 89* et *TLF*), nous renvoyons le lecteur aux rubriques étymologiques des articles de ces dictionnaires[10]. Pour certains mots, enfin, nous nous bornerons à un aveu d'ignorance.

Vitalité

Il ne s'agit évidemment pas de mesurer avec une extrême précision la vitalité de chaque mot ou sens. Le nombre de témoins ne le permet pas et il est bien difficile de prétendre à une précision très fine dans ce domaine. Seule une enquête auprès de l'ensemble de la population permettrait éventuellement des résultats plus précis. Néanmoins, la façon dont nous procédons pour obtenir un échantillon représentatif de la population (âge, sexe, implantation géographique, critères socioprofessionnels, linguistiques (dialectophone ou non), etc.) est probablement, comme nous l'avons souligné, le moyen le plus rapide et le plus fiable pour obtenir une tendance, un ordre de grandeur, correspondant assez bien à la réalité des faits appréhendés de manière "empirique" par le linguiste habitué à quitter son bureau pour se confronter aux réalités du "terrain".

Ces tendances sont rendues selon un code qui peut paraître un peu compliqué au premier abord, mais qui se lit assez aisément avec un peu de pratique. Nous avons adopté les codes: *usuel, bien connu, connu, attesté, peu attesté*, qui correspondent chacun à un pourcentage de réponses de nos témoins (E: mot employé personnellement, C: mot connu, mais pas employé personnellement, X: mot inconnu). Est considéré comme:
Usuel: tout mot employé ou connu par au moins 75 % des informateurs, avec au moins 50 % de réponses "E".
Bien connu: tout mot employé ou connu par au moins 75 % des informateurs, mais avec moins de 50 % de réponses "E".
Connu: tout mot employé ou connu par 50 % à 75 % des informateurs.
Attesté: tout mot employé ou connu par 25 % à 50 % des informateurs.
Peu attesté: tout mot employé ou connu par 15 % à 25 % des informateurs.
Voici, empruntés à cet ouvrage, quelques exemples permettant de comprendre la lecture de la rubrique "vitalité":
accoupler: Bien connu:
Au moins 75 % des informateurs, quel que soit leur âge, connaissent ce mot, mais moins de 50 % l'emploient.
bassiner: Attesté au-dessus de 40 ans:
25 % à 50 % des informateurs âgés de 40 ans et plus emploient ou connaissent ce mot. Au-dessous de 40 ans, ce mot est inconnu (c'est-à-dire que tous nos informateurs de moins de 40 ans ont dit l'ignorer, mais il se peut évidemment que des habitants du pays messin, âgés de moins de 40 ans, le connaissent). Cela montre essentiellement un déclin très rapide.
battoir: Bien connu au-dessus de 40 ans, attesté au-dessous:
75 % au moins des personnes de plus de 40 ans le connaissent, mais moins de 50 % l'emploient. Au-dessous de 40 ans, 25 % à 50 % des personnes l'emploient ou le connaissent. Mot en déclin assez rapide.

accouver (s') : Attesté au-dessus de 60 ans > peu attesté > inconnu :
25 % à 50 % des personnes de plus de 60 ans l'emploient ou le connaissent, 15 % à 25 % des informateurs âgés de 40 à 60 ans l'emploient ou le connaissent, mais il est inconnu au-dessous de 40 ans. Déclin régulier d'un mot, qui risque de disparaître assez rapidement.
brecaille : Connu au-dessus de 60 ans > attesté > peu attesté > inconnu :
50 % à 75 % des personnes de plus de 60 ans le connaissent ou l'emploient, 25 % à 50 % des personnes ayant entre 40 et 60 ans, et 15 % à 25 % des personnes ayant entre 20 et 40 ans. Au-dessous de 20 ans, il est inconnu. Déclin lent et régulier.
attelée : Connu au-dessus de 60 ans > attesté >> inconnu :
50 % à 75 % des informateurs de plus de 60 ans emploient ou connaissent ce mot, 25 % à 50 % des personnes qui ont entre 20 et 60 ans (lorsque la vitalité est la même pour deux tranches d'âge consécutives, on répète le signe (>)), alors qu'il est inconnu des informateurs les plus jeunes (moins de 20 ans). Déclin assez rapide et récent.
beugnet : Usuel au-dessus de 60 ans > bien connu >> inconnu :
Mot connu d'au moins 75 % des informateurs de plus de 60 ans, et employé par au moins 50 % d'entre eux, alors que moins de 50 % de ceux qui ont entre 20 et 60 ans l'emploient. Au-dessous de 20 ans, il est inconnu. Ce régionalisme phonétique se maintient bien jusqu'à la dernière génération exclusivement. Ce fait se reproduit très souvent : on remarque que les informateurs les plus jeunes (une dizaine d'années) connaissent un nombre assez faible des régionalismes qui leur ont été proposés, ce qui n'est pas étonnant, dans un monde submergé par les moyens de diffusion et d'information nationaux et internationaux. Cependant, certains mots, qui appartiennent au langage des jeunes, entrent dans cet ouvrage, et présentent naturellement une configuration inverse, en ce qui concerne la vitalité :
mïnsch : Usuel au-dessous de 40 ans, attesté au-dessus :
Mot de l'argot régional des jeunes, semble-t-il, connu par au moins 75 % des moins de 40 ans et employé par au moins 50 % d'entre eux. Au-dessus de 40 ans, seules 25 % à 50 % des personnes disent le connaître ou l'employer.
schleppe : Peu attesté au-dessus de 60 ans > attesté > connu :
Même type de mot que le précédent : 15 % à 25 % des personnes de plus de 60 ans le connaissent ou l'emploient, 25 % à 50 % des personnes ayant entre 40 et 60 ans, mais 50 % à 75 % des personnes de moins de 40 ans le connaissent ou l'emploient.
Ces deux derniers cas sont rares.

Remarques

- L'astérisque (*) placé devant une forme (dans la rubrique étymologique) indique qu'il s'agit d'une forme supposée, non attestée.

Lorsqu'il suit un mot, il indique que ce mot est étudié dans cet ouvrage.

- Pour éviter certaines ambiguïtés, nous avons systématiquement fait précéder chaque rubrique de son titre: Rem. (= remarque(s) Etym. (= étymologie), Vitalité.

- Pour certains mots d'origine germanique, dont la graphie s'éloigne de la prononciation, nous avons noté, immédiatement après la vedette et la nature, la prononciation dans un alphabet proche de celui utilisé par les romanistes dans les travaux de dialectologie et les atlas linguistiques. La base est l'alphabet de Gilliéron-Rousselot, que nous avons dû adapter aux possibilités de l'ordinateur. Ainsi, certains caractères ne correspondent pas à ceux habituellement utilisés dans cette transcription phonétique:

[e]: *e* "muet" du fr. *le.*
[ø] : *eu* du fr. *peu.*
[u]: *ou* du fr. *pou.*
[ü]: *u* de *but.*
[:] : signale que la voyelle précédente est longue.
Certains signes peuvent dérouter le lecteur:
[à]: *a* antérieur du fr. *patte.*
[á]: *a* postérieur du fr. *pâte.*
[a]: correspond à un *a* moyen, entre [à] et [á].
[è]: *è* du fr. *père.*
[é]: *é* du fr. *pré.*
[ò]: *o* du fr. *porc.*
[ó]: *o* du fr. *pot.*
[¢] : *ch* du fr. *chat.*
[x]: *ch* de l'allemand *Buch.*
[ç]: *ch* de l'allemand *Bücher.*

Notes

1 Ces exemples sont extraits de l'œuvre de Fernand ROUSSELOT, *A l'ombre du mirabellier*, pp. 54-55.

2 Gaston TUAILLON, *Les régionalismes du français parlé à Vourey, village dauphinois*, p. 2.

3 Voir l'*Encyclopédie illustrée de la Lorraine, la vie traditionnelle,* volume publié sous la direction de J. Lanher, pp. 17-27 et carte p. 20.

4 Par exemple : "N'*écouteur* met les gens" (n'écoutez pas les gens), dit Fanchon à Marice dans le premier chant de *Chan Heurlin* (I, v. 91), ou : "Po l'èmor don bwin Dieu, manman, ne v'*faucheur* mè" (pour l'amour du bon Dieu, maman, ne vous fâchez pas), dit Nanète à Guiaude dans *La famille ridicule* (I, 1, v. 11).

5 Précédé par le *Glossaire du patois messin*, opuscule de D. Lorrain, publié en 1876 à Nancy.

6 Récemment encore (octobre 2000), un lecteur du *Républicain lorrain* habitant Philadelphie (USA) écrivait : "Au hasard d'un courrier, j'ai reçu un catalogue consacré aux Journées du patrimoine à Metz organisées en septembre dernier. Quelque chose m'a profondément choqué dans le choix des édifices proposés. Hormis l'admirable Temple neuf de l'architecte M. Wahn, dont d'ailleurs le catalogue prend prétexte pour "égratigner" la présence allemande, l'architecture germanique si florissante dans la ville est sciemment passée sous silence". Ce sentiment, exprimé par un lecteur lointain, correspond effectivement à celui que nous avons pu éprouver "sur le terrain", en ce qui concerne la langue.

7 Il suffit de voir les difficultés qu'ont pu rencontrer les "malgré-nous" pour obtenir une certaine reconnaissance. On se rend compte également de ces difficultés par les remarques d'un rapport de la direction régionale de l'est de la S.N.C.F. : "*Ainsi on ne saurait reprocher* à un Mosellan ou à un Alsacien une *connaissance insuffisante de la langue française*, on ne saurait tolérer à leur égard des épithètes malsonnantes : toute attitude contraire qui pourrait être dans le service reprochée à un agent S.N.C.F., vis-à-vis d'un Mosellan ou d'un Alsacien serait sévèrement réprimée. On n'a pas le droit de faire grief à un agent S.N.C.F. de plus de 35 ans, de sa faible pratique du français : ce serait une injustice que d'en tenir compte pour ralentir l'évolution de sa carrière". (*Etude documentaire concernant quelques problèmes relatifs à la Lorraine mosellane et à l'Alsace*, Imprimerie des dernières nouvelles de Strasbourg, 1945, p. 54, les passages en italiques dans la citation sont soulignés par l'auteur du rapport). Cette remarque concerne naturellement les germanophones, mais on peut penser que tout Mosellan devait souffrir de ces discriminations. Il suffit de voir, aujourd'hui encore, l'étonnement de beaucoup de Lyonnais ou de Normands cultivés, lorsqu'ils s'aperçoivent, en arrivant à Metz ou à Nancy, que les gens parlent un français tout à fait correct.

8 Voir les introductions aux ouvrages consacrés à la région Rhône-Alpes et à ses confins : Ain, Rhône (Beaujolais, Lyonnais), Loire (Roannais, Pilat), Haute-Loire (Velay), Ardèche (Annonay), Drôme, publiés par C. Fréchet, J.-B. Martin, C. Michel et A.-M. Vurpas.

9 On peut noter que P. Rézeau utilise le même type d'enquête pour ses tests de vitalité, à raison de "quatre points d'enquête au moins par département" en veillant à diversifier les classes d'âge et les milieux socioprofessionnels (*Variétés géographiques du Français de France aujourd'hui*, p. 4.). Les dimensions du territoire exploré ne permettent évidemment pas la précision que nous obtenons pour le pays messin, excepté pour la région Rhône-Alpes qui possède de nombreux travaux circonscrits à de petites régions, du même type que le présent ouvrage.

10 Les notices de *Rob. 89* peuvent être complétées par le *Dictionnaire historique de la langue française*.

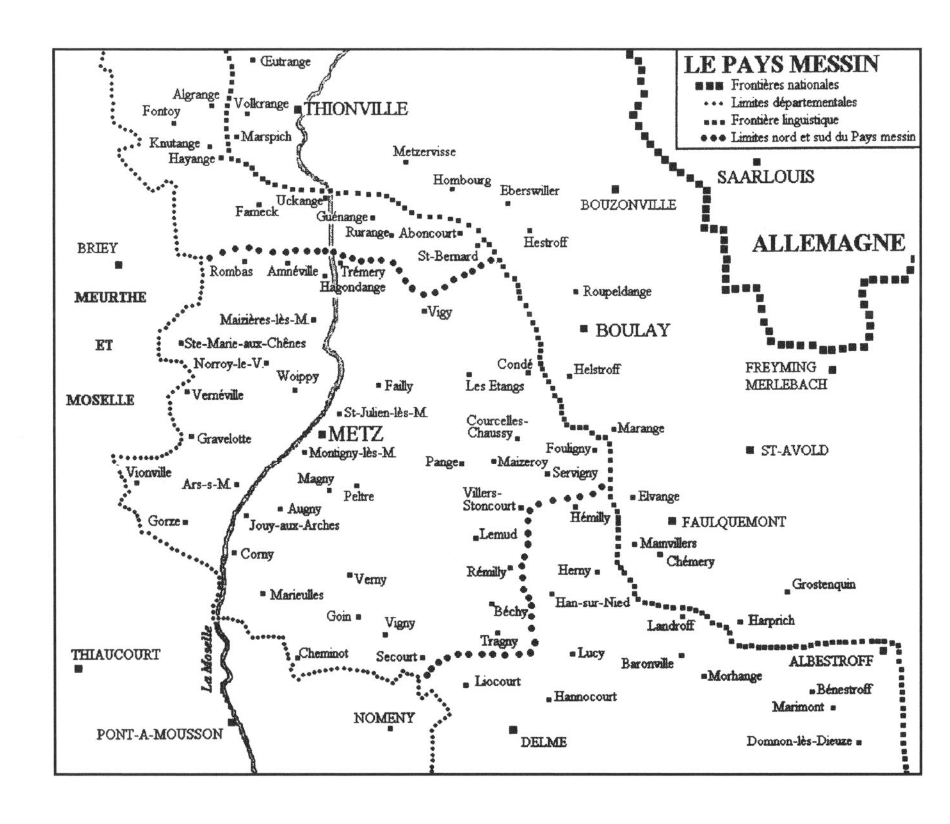
LE PAYS MESSIN
Frontières nationales
Limites départementales
Frontière linguistique
Limites nord et sud du Pays messin
Œutrange
Algrange
Fontoy
Volkrange
THIONVILLE
Knutange
Marspich
Hayange
Metzervisse
Hombourg
Eberswiller
SAARLOUIS
BOUZONVILLE
Uckange
Fameck
Guénange
Rurange
Aboncourt
Hestroff
ALLEMAGNE
BRIEY
St-Bernard
Rombas
Amnéville
Trémery
Hagondange
Roupeldange
MEURTHE
ET
MOSELLE
Vigy
Maizières-lès-M.
BOULAY
Ste-Marie-aux-Chênes
Norroy-le-V.
Condé
Helstroff
FREYMING
MERLEBACH
Woippy
Failly
Les Etangs
Vernéville
St-Julien-lès-M.
Courcelles-Chaussy
Marange
METZ
Gravelotte
Fouligny
ST-AVOLD
Montigny-lès-M.
Pange
Maizeroy
Servigny
Vionville
Ars-s-M.
Magny
Peltre
Villers-Stoncourt
Elvange
Hémilly
FAULQUEMONT
Gorze
Augny
Jouy-aux-Arches
Lemud
Mainvillers
Corny
Chémery
Rémilly
Herny
Verny
Grostenquin
Marieulles
Han-sur-Nied
Béchy
Goin
Vigny
Landroff
Harprich
Tragny
THIAUCOURT
Cheminot
Secourt
Lucy
Baronville
ALBESTROFF
La Moselle
Liocourt
Morhange
Bénestroff
Hannocourt
Marimont
NOMENY
PONT-A-MOUSSON
DELME
Domnon-lès-Dieuze

PRINCIPALES ABRÉVIATIONS UTILISÉES

abs. : absolu
adj. : adjectif, adjectival
adv. : adverbe, adverbial
afr. : ancien français
ALLR : *Atlas linguistique de la Lorraine romane*
anc. : ancien
arch. : archaïque
arg. : argot
art. : article
c. : carte
cf. : *confer*
comp. : comparatif
conj. : conjonction, conjonctive
déf. : défini
dér. : dérivé
dial. : dialectal
dim. : diminutif
dir. : direct
en part. : en particulier
étym. : étymologie
excl. : exclamation
f. : féminin
fam. : familier
FEW : *Französisches Eymologisches Wörterbuch*
fr. : français
gaul. : gaulois
germ. : germanique
i. : intransitif
impers. : impersonnel
interj. : interjection
litt. : littéralement
loc. : locution
m. : masculin
mod. : moderne
n. : nom
part. : participe
péj. : péjoratif
pers. : personnel
pl. : pluriel
plais. : plaisant, plaisanterie
pop. : populaire
pr. : pronom, pronominal
prép. : préposition
qqch. : quelque chose
qqn. : quelqu'un
rég. : régional
rem. : remarque
Rob. 89 : *Grand Robert de la langue française*, édition de 1989
s. : singulier
syn. : synonyme
TLF : *Trésor de la langue française*
tr. : transitif
v. : verbe, verbal
Z. : L. Zéliqzon, *Dictionnaire des patois romans de la Moselle*

Les abréviations des autres ouvrages cités se trouvent dans la bibliographie, en fin de volume.

A

à, prép. :
1. Contre, envers : “Je suis fâché à vous”.
2. Pendant : “A l’été, quand il fait bien chaud, on voit des étoiles filantes”.
3. Où : “J’ai plusieurs endroits à aller”.
Rem. : Voir aussi *content à qqn.*
Vitalité : **1. 2.** Peu attesté au-dessus de 20 ans. **3.** Attesté au-dessus de 20 ans.

abaisser (s’), v. pr. :
Se baisser : “Abaissez-vous pour passer sous cet arbre”.
Rem. : Selon *Rob. 89*, ce verbe, utilisé “à propos d’un homme, prend un sens moral en français”.
Vitalité : Usuel.

accoupler, v. tr. :
Assortir : “Ces deux-là, ils sont bien accouplés”.
Rem. : Le français commun emploie ce verbe essentiellement à propos de choses (*TLF*). *Cf. appairer.*
Vitalité : Bien connu.

accouver (s’), v. pr. :
S’accroupir : “Il s’accouve derrière la haie, mais on le voit bien”.
Rem. : Relevé par Z., *acovai. Rob. 89* signale “*accouvé* : accroupi (comme une poule qui couve)”, avec la mention “vieilli, péj.”. *Cf. s’accouvisser* (annexe), *s’accripoter* (annexe).
Vitalité : Attesté au-dessus de 60 ans > peu attesté > inconnu.

aclos, n. m. :
1. Bride servant de boutonnière : “Cette veste n’avait pas de bouton au col et comme j’ai toujours froid, je lui ai fait un aclos”.
2. Petite bande de tissu cousue aux deux extrémités à l’intérieur du col d’un vêtement (manteau, veste) pour former une boucle permettant de le suspendre à un crochet : “Ne mets pas ton manteau au crochet comme ça, tu vas le déformer, suspends-le par l’aclos”.
Etym. : Dérivé du latin *clausus* “fermé”.
Vitalité : Peu attesté.

acraigne 1, n. f. :
Veillée : “Autrefois, on faisait des acraignes pendant tout l’hiver, tantôt chez l’un, tantôt chez l’autre”.
Rem. : Z. ne relève que *crègne* (inconnu en fr. régional). *TLF* signale la variante *acrogne* avec la mention “régionalisme (Est de la France)”. *Cf. couarail 2.*
Etym. : Du germ. *skreunia* “chambre, salle”.
Vitalité : Peu attesté.

acraigne 2, adj. :
De mauvaise humeur : “Je ne sais pas ce qu’il a, mais depuis ce matin il est acraigne”.
Rem. : *Cf. haïant 2.*
Etym. : Peut-être de même origine que le précédent, ou du lat. *crinis* “cheveu”, mais absent de *FEW* dans ce sens.
Vitalité : Attesté.

adjectif antéposé:
L'adjectif épithète se place avant le nom, dans les cas où le français commun le place après: "Elle a mis son neuf habit, sa neuve robe".
Rem.: Régionalisme grammatical d'assez vaste extension, calque de la construction germanique, courante en patois, relevée dans plusieurs cartes de l'*ALLR* (voir p. ex. c. 659, "(le) fromage blanc"). *Cf. p.* ex., plus loin, *blanc fromage, terre (grasse -).*
Vitalité: Bien connu.

affaire, n. f.:
1. Quantité: "Vous n'avez pas eu de fruits chez vous, moi, j'en ai eu une bonne affaire".
2. Dans la loc. v. : *C'est affaire à lui*: C'est son affaire: "Je lui ai dit ce que j'en pensais. Maintenant, il fera ce qu'il voudra, c'est affaire à lui".
3. Dans la loc. v. : *Faire ses affaires*: Avoir des relations sexuelles: "Il paraît qu'elle fait ses affaires avec un gars qui fait son régiment par ici".
Rem.: *Cf.* **1.** *schlague 2.* **3.** *chnâiller 3, fréquenter 2, kèner* (annexe).
Vitalité: Connu.

âge, n. f.:
1. Age: "Elle a déjà une grande âge, mais je ne sais pas bien quand elle est née".
2. Dans la loc. v. : *Il y a bel(le) âge que*: Il y a longtemps que: "Il y a bel(le) âge que le pépère ne fait plus son jardin".
Rem.: **1.** Peut-être plus populaire que régional, les noms commençant par une voyelle étant fréquemment mis au féminin. Walter 98 le note comme régionalisme des Ardennes. **2.** *Age* peut dans ce cas être masculin.
Vitalité: **1.** Attesté. **2.** Bien connu.

agonies (sonner les -), loc. v. :
Sonner le glas: "J'entends qu'ils sonnent les agonies, ça doit être pour la* Marie, elle n'allait pas bien du tout".
Rem.: Relevé par l'*ALLR* 930 (commentaire). *Cf. Sonner en mort.*
Vitalité: Peu attesté.

aider, v. tr. ind.:
Aider (v. tr. dir.): "Il n'arrive plus à se débrouiller seul, mais son fils lui aide".
Rem.: Signalé par *Rob. 89* avec la mention "vieux ou régional" et par *TLF* avec la mention "vieilli".
Vitalité: Bien connu.

aïe donc, interj.: Voir *haye donc.*

aimer de, loc. v. tr.:
Aimer: "J'aime encore bien de lire ou de faire des mots croisés".
Rem.: Signalé par *Rob. 89* avec la mention "vieilli ou littéraire" et *TLF* avec la mention "littéraire".
Vitalité: Bien connu.

ainsi, adv.:
N'est-ce pas: "Ce chien aurait vite fait de nous faire tomber, ainsi".
Rem.: *Cf. nème.*
Vitalité: Attesté.

air, n. f.:
Air: "Ici, ce n'est pas comme à la ville, on respire la bonne air".
Rem.: Comme pour beaucoup de noms commençant par une voyelle, l'emploi du féminin est peut-être plus populaire que régional (noté comme ardennais dans Walter 98).
Vitalité: Bien connu.

aise, adj.:
Content: "C'est qu'il est bien aise de rentrer chez lui pour se mettre les pieds sous la table".

Rem.: Relevé par Z. (*ahhe*). Signalé par *Rob. 89* avec la mention "vieux (langue class.) ou littéraire" et *TLF* sans mention.
Vitalité: Bien connu.

aisé (avoir - à/de), loc. v. :
Avoir toute facilité pour: "Vous avez bien aisé à (de) dire". "Ils ont bien aisé à s'enrichir".
Rem.: *Cf. facile (avoir - (*ou *difficile) à/de).*
Vitalité: Connu.

aises (être à leurs -), loc. v. :
Etre à son aise: "Ils sont à leurs aises, depuis qu'ils ont fait construire".
Rem.: Régionalisme grammatical. *TLF* signale que l'emploi subst. est littéraire et vieilli, dans des loc. comme *aimer ses aises.*
Vitalité: Usuel.

alcôve, n. m.:
Alcôve: "Pendant toute mon enfance, j'ai couché dans un alcôve".
Rem.: Régionalisme grammatical. *TLF* signale l'emploi du masculin chez Richelet et cite Littré: "Quelques gens font mal à propos *alcôve* masculin".
Vitalité: Connu au-dessus de 40 ans > attesté > inconnu.

allant, adj.:
Actif, leste: "Pour ses 80 ans, il est encore allant".
Rem.: Relevé par Z. au sens "avenant". Signalé par *Rob. 89* avec la mention "littéraire".
Vitalité: Attesté au-dessus de 40 ans.

allée, n. f.:
Couloir de la maison: "Quand l'allée est humide, c'est signe d'orage".
Rem.: Relevé par Z (*alaye*) et l'*ALLR* 371. Signalé par *Rob. 89* avec la mention "vieilli" et par *TLF* avec la mention "vieux".
Vitalité: Attesté.

aller, v. :
1. Dans la loc. v. : *Aller à (+ art. + nom)*: Aller récolter, aller chercher (aller au foin, aux fraises, aux jonquilles, aux cerises, etc.): "Je vais à la verdure tous les matins, quand ce n'est pas trop mouillé".
2. Dans la loc. v. : *Aller à la charrue*: Aller labourer: "S'il pleuvait moins, on pourrait aller à la charrue, mais là, c'est trop gras".
3. Dans la loc. v. : *Aller au (+ nom de profession)*: Aller chez: "Je vais au docteur, ça ne va pas".
4. Dans la loc. v. : *Aller pour (+ infinitif)*: Se disposer à, commencer à (faire qqch.), auxiliare indiquant le déroulement d'une action précédant une autre: "J'allais pour sortir quand il a sonné".
5. Dans la loc. v. : *S'en aller*: Se disposer à, commencer à (faire qqch.) (*aller*, en emploi d'auxiliaire de temps): "Je m'en vais chercher un outil chez le voisin".
Rem.: **3.** Régionalisme de grande extension qui signifie "avoir recours à", alors que *aller chez* signifie "rendre visite à qqn., sans intention d'utiliser ses compétences professionnelles". Signalé par *Rob. 89* avec la mention "arch., rég. ou pop." et *TLF* avec la mention "familier". **4.** Signalé par *Rob. 89* avec la mention "pop. ou rég.". **5.** *Rob. 89* signale que "cette construction est plus marquée (arch. ou rég.) que *aller* employé seul, suivi de l'infinitif". *TLF* signale ce tour sans

mention, avec une citation des Goncourt.
Vitalité : **1. 3. 4. 5.** Bien connu. **2.** Connu.

allumer de la lumière, loc. v. :
Allumer la lumière : "Allume donc de la lumière, on ne voit plus rien ici".
Vitalité : Bien connu.

alluré, adj. :
Qui a de l'allure, du chic : "C'est un gaillard bien alluré".
Rem. : Signalé par *Rob. 89* avec la mention "fam." et par *TLF* avec la mention "rare, vieilli en parlant d'une personne". *Cf. madré.*
Vitalité : Peu attesté au-dessus de 20 ans.

ambeuche, n. m. :
Personne maladroite : "Quel ambeuche, on est sûr que s'il touche quelque chose, il va le casser".
Rem. : Relevé par Z. (*ambeuhhe*). *Cf. empoïtau, nice, harta* (annexe).
Etym. : Du gaul. **bascia* "fardeau, équipement".
Vitalité : Peu attesté au-dessus de 20 ans.

âme de la cuite, loc. n. f. :
Premières gouttes sortant de l'alambic, imbuvables, qui servaient pour soigner ou frictionner : "Je récupère toujours l'âme de la cuite, ça sert pour se soigner".
Rem. : Voir aussi *cuite.*
Vitalité : Peu attesté.

amer, n. m. :
Lie de vin : "Ne vide pas cette bouteille, tout le fond, ce n'est que de l'amer".
Rem. : Régionalisme sémantique. Il est impossible de décider s'il s'agit de *(l') amer* ou *(la) mère*, par référence à la *mère* du vinaigre.
Vitalité : Attesté au-dessus de 60 ans.

amer-bière, n. m. ou f. :
Apéritif composé d'un mélange de liqueur amère et de bière : "Tu préfères un pastis ou un(e) amer-bière ?"
Rem. : Le féminin semble plus usité.
Vitalité : Usuel.

amie (bonne -), n. f. :
Fiancée : "Il nous a trouvé une bonne amie dans le pays où il a fait son régiment".
Rem. : Relevé par l'*ALLR* 956. Signalé par *Rob. 89* avec la mention "vieilli ou régional" et par *TLF* avec la mention "régional". *Cf. jeune.*
Vitalité : Usuel.

amos, n. f. :
Bière : "Vous prendrez bien une amos ?"
Rem. : Nom de brasseurs messins et de la bière qui est commercialisée sous ce nom. *Cf. lorraine, mousse, pils.*
Vitalité : Bien connu.

amuser, v. tr. :
Faire perdre son temps (à qqn.) : "Il m'a amusé toute la matinée, si bien que je suis en retard pour mon repas".
Rem. : Signalé par *Rob. 89* avec la mention "vieux" et par *TLF* avec la mention "vieilli ou littéraire".
Vitalité : Connu.

amuseur, n. m. :
Personne qui perd son temps à s'amuser de petites choses : "C'est un amuseur, il ne travaille pas beaucoup".
Vitalité : Régionalisme sémantique attesté.

anche, n. f.:
1. Robinet: “Les anches de cuivre sont dangereuses”.
2. Robinet de bois des tonneaux: “Je vais mettre une anche à mon tonneau”.
Rem.: **2.** Relevé par Z. et l'*ALLR* 640. *TLF* signale le sens 2 avec la mention “rég.” et *Rob. 89* donne, avec la mention “rég. techn.”, un sens différent (“robinet par lequel le vin s'écoule du pressoir dans le baquet”).
Vitalité: Peu attesté.

angélus, n. m. pl.:
Angélus: “Les angélus sonnent le matin et le soir à sept heures”.
Vitalité: Régionalisme grammatical connu.

angoise, n. f.:
Angoisse: “Quelle angoise de penser qu'elle est si loin”.
Vitalité: Régionalisme phonétique attesté au-dessus de 40 ans.

années bissextiles (une fois toutes les -), loc. adv.:
Très rarement ou jamais: “Il vient me voir une fois toutes les années bissextiles”.
Vitalité: Connu.

antichambre, n. m.:
Antichambre: “Quand on entre chez eux, il y a un grand antichambre”.
Rem.: *TLF* cite *Ac. 1798* : “quelques personnes le font mal à propos masculin”.
Vitalité: Attesté.

apahotau, n. m.: Voir *empoïtau.*

appairer, v. tr.:
Apparier, assortir: “Ils sont bien appairés, ces deux-là”.
Rem.: Relevé par Z. Signalé par *TLF* avec la mention “vieux, rare”. *Cf. accoupler.*
Vitalité: Connu au-dessus de 60 ans > attesté > inconnu.

appariteur, n. m.:
Garde champêtre: “L'appariteur l'a surpris en train de voler des pommes”.
Rem.: Relevé par l'*ALLR* 1 028. Signalé par *Rob. 89* avec la mention “vieux ou régional” et *TLF* avec la mention “régional” et une citation de Colette. *Cf. ban-ouâ* (annexe), *champêtre.*
Vitalité: Bien connu au-dessus de 60 ans > attesté > inconnu.

appeler des noms, loc. v. tr.:
Dire des injures, insulter: “Je ne sais pas ce qu'il a, aujourd'hui, il n'arrête pas de m'appeler des noms !”
Rem.: *Cf. traiter.*
Vitalité: Connu au-dessus de 40 ans > peu attesté > inconnu.

apprenti (être en -), loc. v. :
Etre en apprentissage: “Mon fils est en apprenti chez le boulanger”.
Rem.: *Cf. apprentissage (faire ses -).*
Vitalité: Connu.

apprentissages (faire ses -), loc. v.:
Faire son apprentissage: “Quand il aura fait ses apprentissages, j'espère que son patron l'embauchera”.
Rem.: *Cf. apprenti (être en -).*
Vitalité: Attesté.

appris (être -), loc. v. :
Tenir compte de l'expérience: “Il s'est fait voler son argent dans le bus, mais il faut être pris pour être appris, la prochaine fois, il fera plus attention”.

Rem.: Usité uniquement dans cette locution figée. *TLF* note: "emploi passif rare" et signale cette locution.
Vitalité: Usuel.

après, prép.:
1. Dans la loc. v. : *Demander après qqn., chercher après qqn.*: Demander, chercher quelqu'un: "J'ai demandé après le directeur, mais il n'était pas là".
2. Dans la loc. v. : *Mettre les chevaux après la voiture*: Atteler les chevaux.
3. Dans la loc. v. : *Etre après*: Etre sur, être à: "La clef est après la porte". "Ton imperméable est après le porte-manteau". "Ce fruit tient après l'arbre".
Rem.: **1.** Signalé par *Rob. 89* avec la mention "vieux ou (mod.) régional".
2. 3. Signalé par *TLF* avec la mention "archaïque ou populaire".
Vitalité: Bien connu.

araignée, n. f.:
1. Beignet de pomme de terre râpée en forme d'araignée: "Quand les gamins viennent manger, je leur fais toujours des araignées, ils aiment bien".
2. Dispositif de salle de bain, composé de tiges métalliques, servant à accrocher un rideau de douche et pivotant pour l'ouverture et la fermeture: "Il faudra changer l'araignée, il y a une tige qui ne tient plus".
3. Etagère servant à suspendre les ustensiles de cuisine: "Prends la casserole qui est sur l'araignée".
Rem.: *Cf.* **1.** *fanecouhhe, pancoufe, râpé, vaute.*
Vitalité: **1. 3.** Peu attesté. **2.** Attesté.

arbalète, n. f.:
Arc d'enfant confectionné le plus souvent en noisetier: "Mon grand-père me faisait toujours une arbalète quand j'allais en vacances chez lui".
Vitalité: Régionalisme sémantique connu.

armoire à taque, loc. n. f.: Voir *taque*.

arquer, v. i.:
1. Marcher: "Il commence à avoir du mal à arquer, mais il se débrouille encore.
2. Dans la loc.: *Ne plus pouvoir arquer*: Ne plus pouvoir marcher, à cause de la fatigue, de la maladie: "Il est sorti de l'hôpital, mais il ne peut plus arquer".
Rem.: Signalé par *Rob. 89* avec la mention "familier" et *TLF* avec la mention "lang. pop.", ainsi que par Esnault, Caradec et Colin. Le mot, passé à l'argot, semble, malgré l'absence de mention dans les dictionnaires, avoir une connotation régionale (Voir Rézeau).
Vitalité: Connu.

arracher à (ou - **aux**), v. tr. ind.:
Arracher: "Ils ont commencé à arracher aux patates ce matin".
Rem.: Relevé par l'*ALLR* 116. Régionalisme grammatical (voir *cueillir aux, conduire au, mener au, planter aux*). *Cf. tirer 1.*
Vitalité: Connu au-dessus de 60 ans > peu attesté > inconnu.

arranger les bêtes, loc. v. :
Faire la litière des vaches, les traire et leur donner à manger: "Il me faut deux heures tous les matins pour arranger les bêtes".
Rem.: Régionalisme sémantique. *Cf. queuvier.*
Vitalité: Connu.

arrête (être en -), loc. v. :
Etre arrêté, être fermé (en parlant d'une activité commerciale, artisanale ou industrielle) : "Si ça continue, toutes les usines seront en arrête avant cinq ans".
Etym. : Déverbal d'*arrêter*.
Vitalité : Peu attesté.

arrêter, v. i. :
Attendre : "Ça fait trois heures qu'il arrête et elle n'est pas encore venue".
Rem. : Relevé par l'*ALLR* 370. Régionalisme sémantique. *Cf. attendre 2, 3.*
Vitalité : Peu attesté.

arriver (+ verbe à l'infinitif), loc. v. :
Venir de (faire qqch.) : "J'arrive voter et je tombe sur lui".
Vitalité : Régionalisme grammatical attesté.

arrosatte, n. f. :
Arrosoir : "Tu lui donnes une arrosatte d'eau et il s'amuse toute la journée sur le tas de sable".
Rem. : Relevé par Z.
Etym. : Dérivé, comme *arrosoir*, du latin pop. **arrosare*, avec le diminutif fém. *-atte*. La forme *arrosotte* est aussi attestée.
Vitalité : Attesté au-dessus de 60 ans.

arrosoir, n. f. :
Arrosoir : "Va me chercher une arrosoir, les géraniums ont soif".
Vitalité : Régionalisme grammatical bien connu.

article (être à son -), loc. v. :
Etre à son affaire : "Il faut la voir faire du lèche-vitrine ! Là, elle est à son article !"
Rem. : Signalé par *TLF* (*Ac. 1842*).
Vitalité : Connu.

artisan, n. m. :
Mite : "Mon pull est plein de trous d'artisans, mais il me sert encore !".
Rem. : Variante phonétique du fr. *artison* signalé par *Rob. 89* et *TLF* au sens "insecte qui ronge le bois, les étoffes, les pelleteries, etc."
Vitalité : Peu attesté.

artison, n. m. :
Gros acarien qui se dépose sur les jambons, saucissons : "On ne pourra pas manger ce jambon, il est plein d'artisons".
Rem. : Régionalisme sémantique, voir *artisan*. Le part. passé en emploi adj. : *artisonné* "rongé par les mites" est peu attesté. Il est relevé par Z. (*artihoné*).
Vitalité : Attesté au-dessus de 60 ans.

as, n. f. :
As : "Ce gamin, c'est une as".
Vitalité : Attesté.

assez, adv. :
Employé après le nom ou l'adjectif : Assez, beaucoup, trop : "J'ai du travail assez pour ne pas m'ennuyer pendant une paire* de mois !" "Il est riche assez, ce n'est pas la peine de lui donner de l'argent".
Rem. : Calque de la construction allemande (*etwas genug haben ; adj. + genug sein*).
Vitalité : Connu.

assiettes (laver les -), loc. v. :
Faire la vaisselle : "Pendant qu'elle lave les assiettes, je range un peu la salle à manger".

Rem.: Relevé par l'*ALLR* 693 dans son commentaire. *Cf. relaver, ressuyer 2.*
Vitalité: Connu.

assis (se mettre -), loc. v. pr.:
S'asseoir: "Mettez-vous assis sur ce fauteuil, vous serez mieux".
Rem.: Z. note, sous *èhhieute (so mate -)*: "est plus usité que *s'èssieuter*" (s'asseoir). Cette locution, comme *se mettre debout* "se lever" (voir plus loin) est évidemment connue du français commun. Le caractère régional tient ici à la fréquence d'emploi; c'est très souvent l'unique locution utilisée pour exprimer l'action de s'asseoir.
Vitalité: Usuel.

âties (faire des -), loc. v. :
Faire des manières, des simagrées: "Arrête donc de faire des âties, on est entre nous".
Rem.: Relevé par Z. : *faire des ateyes (*ou *atiyes).*
Etym.: Du germ. *etia* "agacer, irriter".
Vitalité: Usuel au-dessus de 60 ans > attesté > inconnu.

atout, n. m.:
1. Coup: "Il lui a donné un de ces atouts, il a eu la marque longtemps".
2. Malheur, accident: "Décidément, il n'a eu que des atouts dans sa vie".
Rem.: **1.** Relevé par Z. (*ètote*, n. m. et f., "volée de coups"). **1.** Signalé par *Rob. 89* avec la mention "populaire, vieux".
Vitalité: Peu attesté.

attelée, n. f.:
1. Demi-journée de travail: "J'ai fait une attelée dans la terre du haut, encore deux ou trois comme ça en bas et j'aurai fini de labourer".
2. Travail effectué au cours d'une période continue: "On a fait une bonne attelée, ce matin".
Rem.: A l'origine, désigne le temps pendant lequel les bêtes restaient attelées sans discontinuer.
Vitalité: Connu au-dessus de 60 ans > attesté >> inconnu.

attendre, v. i.:
1. Attendre un enfant (en parlant d'une femme): "Ma fille attend pour le mois d'avril".
2. *Attendre sur qqn.*, loc. v. : Attendre qqn.: "J'attends sur l'autobus, mais il ne vient pas". "Ça fait un bout de temps que j'attends sur ma femme".
3. *Attendre après qqn.*, loc. v. : Attendre impatiemment qqn.: "Ça fait plus d'une heure qu'il attend après vous".
Rem.: **1.** Signalé par *Rob 89* avec la mention "régional". **2.** Calque de l'allemand (*warten auf*). **3.** Signalé par *Rob. 89* avec la mention "vieux ou régional" et *TLF* avec la mention "fam. pop.". *Cf.* **1.** *comme ça (être -), position (être en -), embarrassée (être -)* (annexe). **2. 3.** *arrêter.*
Vitalité: **1. 3.** Usuel. **2.** Bien connu.

atticher (s'), v. pr.:
S'éprendre: "Elle s'est attichée d'un gars qui n'est pas fait pour elle".
Rem.: Régionalisme phonétique (fr. *s'enticher*).
Etym.: Enrigistré par *FEW* sous le germ. *taikns* "marque".
Vitalité: Bien connu.

attrape, n. f.:
1. Piège (pour prendre des animaux): "J'ai mis une attrape derrière chez nous et j'ai pris une fouine".
2. Dans la loc. v. : *Jouer à l'attrape*: Jouer à la tape*: "On jouait à l'at-

trape ou à la cachette* avec nos cousins".
Rem.: Relevé par Z. et l'*ALLR.* 1249. Signalé par *Rob. 89* avec la mention "vieux" et *TLF* sans mention.
Vitalité: **1.** Bien connu. **2.** Usuel au-dessus de 20 ans.

augotte, n. f: Voir *gogotte.*

auguent, n. m.:
Onguent: "Elle lui a passé une espèce d'auguent sur le genou et il ne s'est plus jamais ressenti de son coup".
Vitalité: Régionalisme phonétique peu attesté au-dessus de 20 ans.

aussi... comme, loc. comp.:
Aussi... que: "Mon fils est aussi grand comme le vôtre".
Rem.: Calque de l'allemand *so... wie.*
Vitalité: Connu au-dessus de 20 ans.

autant (avoir - + infinitif), loc. v.:
Etre égal, être préférable: "Avec la grève des postes, ce n'est pas la peine de lui écrire, on aurait autant aller" (= "ce serait préférable d'y aller").
Vitalité: Usuel.

aute(s) de fois (l' -; les -), loc. adv.:
1. Au s. : L'autre jour, il y a quelque temps: "L'aute de fois, je l'ai rencontré au marché".
2. Loc. adv.: *A une aute de fois*: A un de ces jours: "Allez, je m'en vais, à une aute de fois!"
3. Au pl.: Autrefois: "Les autes de fois, il ne m'aurait jamais parlé comme ça".
Rem.: **3.** *Cf. autrefois (les), temps 3.*
Vitalité: **1.** Attesté. **2. 3.** Connu.

autrefois (les), loc. adv.:
Autrefois: "Les autrefois, on s'amusait quand même mieux, pourtant, la vie était plus dure".
Rem.: *Rob. 89* signale que "l'emploi régional de *les autrefois* pour *autrefois* [...] est encore vivant dans le Sud-Ouest". *TLF* le signale avec la mention "régional" et une citation de G. Sand. *Cf. aute(s) de fois (l'; les), temps 3.*
Vitalité: Attesté.

avaler, v. tr.:
Disputer: "Je ne lui parle pas de l'accident que j'ai eu avec sa voiture, il m'avalerait".
Rem.: *Rob. 89* donne à ce verbe le sens "regarder avec des yeux furieux". *TLF* relève la loc. fam. *s'avaler le nez* "se disputer". *Cf. crier 2, harpouiller1, 2, rebiffer, rouspéter, grises (en faire voir des -)* (annexe).
Vitalité: Attesté.

avoir, v.:
Auxiliaire employé avec les verbes pronominaux et des verbes demandant l'auxiliaire *être*: "Il s'a lavé en vitesse et il a parti". "Ils ont venu nous voir hier!"
Rem.: Relevé par l'*ALLR* 1073-1075.
Vitalité: Attesté.

avoir eu (+ part. passé): temps surcomposé:
1. En principale ou indépendante: "Autrefois, j'ai eu travaillé à l'usine".
2. En subordonnée temporelle: "Après qu'on a eu fait les commissions, il est arrivé à la maison".
Rem.: Le passé surcomposé marque le fait accompli et la double antériorité (voir Walter 88).

Vitalité: **1.** Attesté. **2.** Bien connu au-dessus de 20 ans.

avoir chaud (ou **froid,** ou **mal) + nom d'une partie du corps**, loc. v. :
Avoir chaud (froid, mal) à: "J'ai chaud les pieds, maintenant, dans ces patins*". "J'ai froid les mains, j'aurais dû prendre mes gants". "Depuis ce matin, j'ai mal la tête".
Rem.: Relevé, par exemple, par l'*ALLR* 52 "(j'ai l') onglée" ou 918 "(il a) mal aux reins". C'est l'accusatif de relation latin.
Vitalité: Bien connu.

avoir facile à/de (ou **difficile -) + inf.**, loc. v. :
1. Avoir des facilités (ou des difficultés) pour: "Tu as facile à (de) dire, toi, ça ne te concerne pas!"
2. Loc. v. : *Avoir plus facile*: Etre plus à son aise: "Si tu prenais ton stylo de la main droite, tu aurais quand même plus facile!"
3. Loc. v. : *Avoir plus facile à/pour + prop inf.*: Avoir plus de facilité pour: "Si tu te mettais sous la lampe, tu aurais plus facile pour enfiler ton aiguille".
4. Loc. v. : *Avoir plus facile que qqn.*: Avoir la vie plus facile que qqn.: "Vous avez plus facile que moi, vous, vous avez une bonne place".
Rem.: **1.** Signalé par *Rob. 89* avec la mention "régional (Belgique, Nord de la France)". *Cf. aisé (avoir - à/de).*
Vitalité: **1. 3. 4.** Usuel. **2.** Usuel au-dessus de 20 ans.

avoir peur qqn, loc. v. tr.:
Avoir peur de qqn., craindre qqn.: "Il a peur l'instituteur, c'est une bonne chose".
Rem.: Régionalisme grammatical. *Cf. douter.*
Vitalité: Attesté.

B

bâbette, n. f. :
1. Jeune fille bavarde : “Il a cinq filles, toutes des bâbettes, il n’a rien à dire chez lui”.
2. Bonne de curé : “Le nouveau curé est venu avec sa bâbette”.
Rem. : **2.** Relevé par Z. et l’*ALLR* 991. *Cf.* **1.** *bégueule, câcatte 1, couariousse, tétrelle 2, couariatte* (annexe), *mille-gueule* (annexe).
Etym. : Formé sur le radical expressif *bab-*.
Vitalité : **1.** Attesté. **2.** Connu au-dessus de 60 ans.

babil, n. f. :
Langue, bagout : “Elle a une bonne babil, cette gamine”.
Rem. : Semble plutôt s’appliquer à un enfant. Les dictionnaires ne notent que le masculin.
Vitalité : Peu attesté.

bac à ordures, loc. n. m. :
Poubelle : “Descends le bac à ordures”.
Rem. : Peut-être usité ici sous l’influence du germ. *Mülleimer, Müllkasten* de même sens.
Vitalité : Connu.

bacelle, baicelle, n. f. :
Jeune fille : “La fille du voisin, ça fait une belle bacelle”.
Rem. : Relevé par Z. et l’*ALLR* 874.
Etym. : Issu du lat. **bacassa* “servante, jeune fille”.
Vitalité : Peu attesté au-dessus de 40 ans.

bâche, n. f. :
Serpillière : “J’ai passé la bâche, ne rentrez pas ici”.
Rem. : Mot champenois (absent de Walter 1988, mais noté dans Walter 1998), dont l’aire s’étend jusqu’à la Moselle. Régionalisme sémantique. *Cf. torchon de plancher, wassingue.*
Vitalité : Peu attesté au-dessus de 20 ans.

bacon, n. m. :
1. Lard : “Il préfère un morceau de pain et une tranche de bacon à un grand repas”.
2. Lard salé : “Il ne reste plus grand-chose du cochon qu’on a tué cet hiver, juste un peu de bacon”.
Rem. : Relevé par Z. et l’*ALLR* 307. Signalé par *TLF* avec la mention “régional (rare)”. *Cf.* **1.** *speck 1.* **2.** *lard 2.*
Vitalité : Connu.

baeckeofe, bäckehof, baekenhof, backhöffe, n. m. : [bèkeóf; bèkenóf; bàkøfe]
Ragoût de viandes marinées, qui cuit à l’étouffée avec des pommes de terre et des oignons : “Voilà l’hiver, l’époque des potées, des choucroutes, des pot-au-feu et des baeckeofes”.
Rem. : Emprunt non adapté à l’alsacien de même sens (sens premier : “four de boulanger”). Signalé par *Rob. 89* avec la mention “régional”. Voir Höfler-Rézeau.
Vitalité : Usuel.

baigner, v. i. :
Se baigner : “Tous les jours, pendant les vacances, on allait baigner dans la mer”.

Rem. : Certains verbes pronominaux en français commun sont intransitifs dans la région. Cette construction subit l'influence de l'allemand *baden*, v. i. (voir p. ex. *balancer, coucher, promener*).
Vitalité : Bien connu.

baks, n. f. :
Grosse bille de verre contenant des filaments colorés : "J'ai échangé une baks contre cinq chiques*".
Rem. : *Cf. biscaïen 1, chique, toc 5.*
Etym. : Origine obscure, peut-être à rattacher au germ. *bache* "porc gras".
Vitalité : Peu attesté au-dessus de 40 ans.

balan (être sur le -), loc. v. :
Etre dans l'incertitude : "Ça fait plusieurs mois qu'il est sur le balan. Il ne sait pas si son usine va continuer ou fermer".
Rem. : Relevé par Z. Signalé par *Rob. 89* avec la mention "régional, Suisse". *TLF* enregistre *avoir du balant* (sous *ballant*) sans mention.
Vitalité : Attesté au-dessus de 60 ans.

balancer, v. i. :
Se balancer : "Les gamins vont balancer dans le parc".
Rem. : Relevé par l'*ALLR* 881. Influence, pour la construction, de l'allemand *schaukeln*, v. i. (voir *baigner*).
Vitalité : Attesté.

Balla Balla, n. m. :
Carnaval : "Samedi prochain, on ira au Balla Balla".
Rem. : Ce mot ne s'emploie que pour parler du carnaval de Sarreguemines.
Etym. : Probablement issu du lat. *ballare* "danser".
Vitalité : Bien connu.

balustre 1, n. f. :
Balustre : "Il a une terrasse avec une balustre en marbre".
Rem. : Régionalisme grammatical.
Vitalité : Connu.

balustre 2, n. f. :
Lance-pierre : "Il s'est fait une balustre avec une branche fourchue".
Rem. : *Cf. lance-caille.*
Etym. : Du lat. *ballista* "machine de jet".
Vitalité : Peu attesté.

bamboches, n. f. pl. :
Dans la loc. v. : *Faire ses bamboches* : Faire la fête : "Quand il est revenu du régiment, il a fait ses bamboches pendant trois jours".
Rem. : *Rob. 89* signale *faire bamboche* et *TLF faire ses bamboches* avec la mention "fam.". *Cf. bomboche (faire la -).*
Vitalité : Connu au-dessus de 60 > attesté > inconnu.

ban, n. m. :
Etendue du territoire d'une commune : "La mégazone* de Moselle-Est occupe une partie des bans de Farébersviller, Henriville et Seingbouse".
Rem. : Relevé par Z. Signalé par *TLF* avec la mention "régional (Alsace, Lorraine, principalement pentes des Vosges)". Présent également en toponymie (Le Ban-Saint-Martin).
Vitalité : Usuel.

bande de lard, n. f. :
Couche de lard, prélevée sur les côtés du porc : "Ce cochon avait de sacrées bandes de lard".
Rem. : Relevé par Z.
Vitalité : Connu.

banette, n. f.:
1. Tablier à bavette, tablier de plastique: "Mets ta banette pour faire la cuisine, tu vas te salir".
2. Sorte de capuche de plastique servant à protéger de la pluie: "J'ai toujours ma banette dans mon sac, je ne risque rien".
Rem.: **1.** Z. note ce mot au sens "gros tablier de travail" ou "tablier à coins ronds à l'usage des vignerons". Relevé par l'*ALLR* 792. *Cf.* **1.** *ventrier* (annexe), *ventrin* (annexe). **2.** *saucisse 2.*
Etym.: Selon *FEW*, dérivé de *benna* "véhicule", mais peut-être à rattacher au germ. **bindo* "bande".
Vitalité: **1.** Usuel au-dessus de 60 ans. **2.** Attesté. La forme *benette* est peu attestée.

baoué, n. m.:
1. Paysan, cultivateur: "Son père est un baoué de Vigny".
2. Niais, simple d'esprit: "Qu'est-ce que vous voulez qu'elle fasse de ce baoué?"
Rem.: Au sens 1, le mot a parfois une connotation péjorative. *Cf.* **1.** *laborou.* **2.** *béné, beubeu, dâbo 1, fin (ne pas être bien -), fini, frais, goliot, nice 4.*
Etym.: Peut-être du germ. *Bauer* "paysan".
Vitalité: **1.** Connu. **2.** Connu au-dessus de 60 ans, peu attesté au-dessous.

baraque, n. f.:
Clapier: "J'ai acheté trois baraques pour les lapins".
Vitalité: Usuel.

barbonzer, v. t.: Voir *barbouser.*

barboser, v. t.: Voir *barbouser.*

barbouiller, v. i.:
Bavarder: "Arrête donc de barbouiller sans arrêt, tu ne sais pas ce que tu dis".
Rem.: Relevé par Z. (*bèrboyeu* "marmonner, parler à tort et à travers") et l'*ALLR* 886. Régionalisme sémantique, le verbe ayant le sens "bredouiller, bafouiller" dans *Rob. 89* (avec la mention "vieux") et *TLF. Cf. câcailler, câcatter 2, couarailler 2, couarail 3 (faire le -), couatcher 1, hâbler, marner 2, ratcher 1, babler* (annexe), *schnabeler* (annexe).
Vitalité: Peu attesté au-dessus de 40 ans.

barbouilleur, berboillat, n. m.:
Bavard: "C'est un barbouilleur, il en dit tellement qu'il finit par endormir tout le monde".
Rem.: Relevé par Z. et l'*ALLR* 887. *Rob. 89* signale le sens "bavard dont les paroles sont confuses, inintelligibles (*Ac.* 1835-78)". *Cf. bévard, boguiat, couatcheur 1.*
Etym.: Les deux mots sont dérivés de *barbouiller*, seul le suffixe diffère.
Vitalité: Attesté au-dessus de 20 ans.

barbouser, v. t.:
1. Barbouiller: "Il a barbousé sa chemise en cueillant des mûres".
2. Emploi pr.: Se barbouiller: "Il s'est barbousé la figure pour le mardi-gras".
3. Part. passé en emploi adj.: *Barbousé, barbosé*: Mâchuré: "Tu as la figure toute barbousée".
Rem.: Relevé par Z. (*berboser, barboser*) et l'*ALLR* 424. *Cf. mâchurer (se), marmouser (se) 1, schmirer 1.*
Etym.: Formé sur **bovacea* "bouse". Le premier élément est le même que dans *barbouiller*, d'origine incertaine.

Vitalité: **1. 2.** Attesté. Les variantes *barbonzer, barboser* sont peu attestées. **3.** Connu.

basse, adv.:
Bas: "Ta gamine est assise trop basse, elle ne dépasse pas de la table!"
Rem.: Cet adverbe s'accorde avec le nom. On rencontre le même accord avec *sentir bon*: "Cette fleur sent bonne". Marque grammaticale peut-être plus populaire que régionale.
Vitalité: Bien connu.

bassine, n. f.:
Bassinoire: "Les bassines en cuivre des grands parents servent à décorer la maison".
Rem.: Relevé par l'*ALLR* 390. Régionalisme sémantique.
Vitalité: Usuel.

bassiner, v. tr.:
Faire le charivari* (à l'occasion du remariage d'un veuf ou d'une veuve): "Si vous vous remariez, on vous bassinera".
Rem.: Relevé par Z. (*bèssener*). Régionalisme sémantique. *Cf. brindezingue 1, charivari.*
Vitalité: Attesté au-dessus de 40 ans.

bataclan, n. m.:
Bien, fortune: "Il a mangé tout le bataclan".
Vitalité: Connu.

bat-beurre, n. m.:
Baratte: "Chez nous, le bat-beurre a servi jusqu'après la guerre".
Rem.: Relevé par l'*ALLR* 653.
Etym.: Littéralement: instrument qui *bat* le *beurre.*
Vitalité: Connu au-dessus de 40 ans > attesté > inconnu.

battoire, n. f.:
Battoir à linge: "La battoire est tombée à l'eau, elle a couru pour la rattraper".
Rem.: Relevé par Z. (*bature*) et l'*ALLR* 705. Régionalisme grammatical.
Vitalité: Bien connu au-dessus de 40 ans, attesté au-dessous.

bec, n. m.:
Baiser: "Fais un bec à la Mamie".
Rem.: Relevé par l'*ALLR* 859. Signalé par *Rob. 89* avec la mention "régional (Suisse), fam., enfantin" et *TLF* avec la mention "régional, Suisse romande et français de Pontarlier, fam. et enfantin". *Cf. biche, schmouse 1, bâ* (annexe)*, coco* (annexe).
Vitalité: Connu.

bec à bec, loc. adv.:
Face à face, nez à nez: "Ils se sont retrouvés bec à bec, ils ont été tellement étonnés qu'ils ne se sont rien dit".
Rem.: Signalé par *TLF* avec la mention "régional, Belgique".
Vitalité: Connu.

becquée, n. f.:
Petit morceau: "Vous mettez une becquée de beurre au fond de votre poêle et vous la faites fondre".
Vitalité: Attesté.

bégueule, n. f.:
Personne bavarde, médisante: "Sa voisine est une bégueule, quand elle la voit, elle l'évite".
Rem.: Régionalisme sémantique. L'adj. et n. f. du français commun signifie selon *Rob. 89*, "d'une pruderie affectée". Il conserve, en pays messin, son sens étymologique - *bée-*

gueule "bouche ouverte" - caractéristique de "celui qui fait l'étonné à tout propos", mais aussi du "bavard". *Cf. bâbette 1, câcatte 1, couariousse, tétrelle 2, couariatte* (annexe), *mille-gueule* (annexe).
Vitalité: Connu.

béhard de jeune, béhard de toré, interj.:
Sale jeune: "Ah, le béhard de jeune, il nous a bien eus!" "Béhard de toré, tu vas venir, oui?"
Rem.: Locutions empruntées au patois: *béhard* (et sa variante *beillard, beuillard*, parfois signalée) est un des noms patois du bouc ou du verrat (*cf. ALLR* 291) et Z. relève *beuyard, beyar* "porc mâle, débauché". Voir *beuillard. Toré* est le nom patois du taureau.
Etym.: Peut-être dérivé péj. du lat. *buculus* "jeune bœuf".
Vitalité: Peu attesté.

belle de Woippy, loc. n. f.:
Variété de fraise (madame Moutot): "La belle de Woippy apparaît peu avant la dernière guerre grâce à Henry de Ladonchamp".
Rem.: Woippy, dans la banlieue messine, est renommé pour ses fraises, dont la culture tend à disparaître, à cause de la proximité de Metz et de l'extension de l'urbanisme. *Cf. tomate.*
Vitalité: Connu.

bémi, adj.:
Moisi (en parlant du linge, des meubles): "Pendant l'hiver, on n'a pas chauffé la pièce, le linge était tout bémi".
Rem.: Z. relève le verbe *bemi* "moisir".
Etym.: Origine inconnue.
Vitalité: Attesté au-dessus de 20 ans.

ben, adv.:
Bien: "Il a ben fallu que j'aille le chercher".
Rem.: Relevé par Z. Signalé par *Rob. 89* avec la mention "familier, rural" et *TLF* avec la mention "dans la langue pop., dial.".
Vitalité: Bien connu.

béné, adj. et n. m.:
Benet: "Quel béné, il ne dit que des bêtises".
Rem.: Régionalisme phonétique. *Rob. 89* note comme régionale la prononciation *bénet. Cf. baoué 2, beubeu, dâbo 1, fin (ne pas être bien -), fini, frais, goliot, nice 4.*
Vitalité: Bien connu.

benette, n. f.: Voir *banette.*

bénisse (ou: **bénisse saint Jean**), interj.:
Réponse traditionnelle à un éternuement: "(Saint Jean vous) bénisse!"
Rem.: Z. relève *bénisse*, n. f.: "souhait que l'on exprime à qqn. qui vient d'éternuer". Subjonctif présent de *bénir. Cf. santé.*
Vitalité: Connu.

berce, n. m.:
1. Berceau (le plus souvent en osier): "Le gamin dort bien dans son berce".
2. Table à claire-voie sur laquelle on découpe le porc: "Le cochon était tellement gros qu'on a eu du mal à le porter sur le berce".
Rem.: Relevé par Z. *behhe* et l'*ALLR* 850 et 301. **1.** Signalé par *Rob. 89* avec la mention "régional (notamment Belgique)". Noté dans la

rubrique étymologique de *TLF. Cf. beuté* (annexe).
Vitalité : Attesté au-dessus de 60 ans > peu attesté > inconnu.

bérègne, n. f. :
Vache : "Il lui reste deux bérègnes qui l'occupent pendant sa retraite".
Rem. : Relevé par Z. : *berègne* "jument inféconde" et l'*ALLR* 219 "(la) vieille vache". *Cf. vayotte.*
Etym. : Variante phonétique du français *bréhaigne* "stérile".
Vitalité : Attesté au-dessus de 60 ans > peu attesté > inconnu. On note les variantes peu attestées *bérène, béreugne.*

berloque, n. f. :
Breloque : "J'ai acheté une berloque pour le gosse, il avait demandé que je lui rapporte un souvenir du voyage".
Rem. : Variante phonétique, avec métathèse, du fr. *breloque*, signalée par *TLF. Rob. 89* enregistre le mot avec la mention "vieux ou régional".
Vitalité : Bien connu au-dessus de 60 ans, peu attesté au-dessous.

berne, berme, n. f. :
Talus ou fossé bordant une route : "Il s'est endormi au volant, sa voiture a mordu sur la berne et il a fait un tonneau".
Rem. : Relevé par Z. Signalé par *Rob. 89* et *TLF* (*berme* : Techn. : "chemin entre une levée et un canal ou un rempart et un fossé").
Vitalité : Attesté au-dessus de 20 ans.

bertelle, n. f. :
Bretelle : "Tu ne vas pas sortir ainsi, les bertelles pas mises !"
Rem. : Métathèse de *bretelle,* régionalisme phonétique.
Vitalité : Bien connu au-dessus de 60 ans > peu attesté > inconnu.

besoin (mais de -), loc. adv. :
C'est nécessaire : "Il est quand même allé au* docteur, mais de besoin !"
Rem. : *Cf. gloire (ce n'est pas de -).*
Etym. : *Mais* est issu du lat. *magis* "davantage".
Vitalité : Attesté au-dessus de 20 ans.

bête, n. f. :
Oiseau de proie, buse ou milan : "A la chasse, il a tué une bête. C'est interdit, mais il y en a de trop par ici".
Rem. : L'*ALLR* 180 "(l')oiseau de proie" relève *bête aux poules, bête des gelines. Cf. halère.*
Vitalité : Peu attesté.

bête au bon dieu, bête du bon dieu, loc. n. f. :
1. Scarabée doré : "J'ai vu une bête au bon dieu sur le chemin".
2. Coccinelle : "Tu as une bête du bon dieu sur l'épaule".
Rem. : Variante du fr. "bête *à* bon dieu". Relevé par Z. (*bête au bwin Dieu* : 1. espèce de punaise rouge. 2. coccinelle.) et par l'*ALLR* 1247 et 195. *Cf.* **2.** *augotte, cherigogotte, gogotte, gotte à bon dieu.*
Vitalité : **1.** Attesté. **2.** Usuel.

bête aux doigts (avoir la -), loc. v. :
Avoir l'onglée : "Avec ce vent froid, j'ai la bête aux doigts, je ne peux plus rien faire".
Rem. : Relevé par l'*ALLR* 52. *Cf. pinçon(s) (avoir le(s) -).*
Vitalité : Attesté au-dessus de 60 ans > peu attesté >> inconnu.

beubeu, adj. et n. m.:
Idiot, niais: "Il est un peu beubeu, mais il n'est pas méchant". "Je me suis demandé qui était ce beubeu qui venait me voir, je ne l'avais pas reconnu sous son déguisement".
Rem.: A rapprocher de Z. *bebant* "sot, niais". *Cf. baoué 2, béné, dâbo 1, fin (ne pas être bien -), fini, frais, goliot, nice 4.*
Etym.: Peut-être formé par redoublement sur une base *bau* exprimant l'effroi, avec influence de *bœuf.*
Vitalité: Usuel.

beuchté, beujté, n. m.:
1. Bol ou récipient: "Passe-moi un beuchté, je vais y mettre le reste des radis".
2. Coffre à vaisselle: "Autrefois, on n'avait pas autant de meubles que maintenant. On avait un beuchté pour la vaisselle et une armoire pour le linge".
Rem.: Relevé par Z. dans les mêmes sens. *Cf.* **1.** *bock, pot de camp 1, tepin, toté, verrine.*
Etym.: Dérivé du lat. *pyxis* "petite boîte, coffret".
Vitalité: **1.** Attesté au-dessus de 40 ans. **2.** Attesté au-dessus de 60 ans.

beûge, n. f.:
Bassine, bac utilisé pour laver le linge: "Mets ton pantalon dans la beûge, je vais le laver".
Rem.: Relevé par Z. au sens "réservoir où l'on amasse l'eau. Il se trouve près des fontaines". *Cf. cuvelle* (annexe).
Etym.: Du gaul. *bulga* "sac de cuir".
Vitalité: Attesté.

beugne, n. f.:
Bosse occasionnée par un coup: "Il a une beugne sur le front".
Rem.: Relevé par Z. *TLF* signale cette prononciation sous *beigne. Cf. beuille, bugne 1, pète, gueugne* (annexe), *pec* (annexe).
Vitalité: Usuel.

beugner, v. tr.:
1. Heurter, frapper, faire une bosse: "Il a beugné sa voiture".
2. Emploi pr.: Se faire une ecchymose: "Je me suis beugné en tombant".
Rem.: Relevé par Z. Voir *beugne. Cf.* **1.** *beuiller, bugner, plier.*
Vitalité: Usuel.

beugnet, n. m.:
Beignet: "Pour mardi gras on mange toujours des beugnets".
Rem.: Régionalisme phonétique. Correspond à *beugnat*, relevé par Z. ou l'*ALLR* 680 "crêpe". *Cf. bugne 2, crêpé, dampfnuedle, pancoufe 1, vaute 1.*
Vitalité: Usuel au-dessus de 60 ans > bien connu >> inconnu.

beuillard, n. m.:
Bouc: "Je n'ai plus qu'une douzaine de gaïsses* et un beuillard".
Rem.: On note la variante *beillard.* Relevé par Z. au sens "porc mâle" et l'*ALLR* 291 "verrat".
Etym.: Peut-être dérivé du lat. *buculus* "jeune bœuf". Voir *béhard.*
Vitalité: Attesté au-dessus de 40 ans.

beuille, n. f.:
Bosse, voir *beugne.*
Rem.: *Cf. bugne, pète, gueugne* (annexe), *pec* (annexe).
Etym.: Du germ. *beule* "bosse".
Vitalité: Attesté au-dessus de 20 ans.

beuiller, v. tr.:
Voir *beugner*
Rem.: *Cf. bugner, plier.*

Etym. : Voir *beuille.*
Vitalité : Attesté au-dessus de 20 ans.

beuillot, n. m. :
Bâton : “Le chien s’est attaqué aux moutons, j’ai dû le sortir avec un beuillot”.
Rem. : Z. note *beuye, beuyat* “petit morceau de bois”, *beuyu* “gourdin”. Relevé par l’*ALLR* 248 “bâton entrave”. *Cf. bille 2, bracot* (annexe).
Etym. : Variante phonétique de *billot* (du gaul. **bilia* “tronc d’arbre”).
Vitalité : Attesté au-dessus de 60 ans > peu attesté > inconnu.

beûloux, adj. et n. :
(Celui) qui voit mal, aveugle : “Tu es beûloux ou quoi ? C’est sous tes yeux et tu ne le vois pas ?”
Rem. : Relevé par Z. et l’*ALLR* 738 “loucheur”.
Etym. : Du grec *pompholyx* “cloque, fumée”, mais classé aussi dans les origines inconnues (*FEW*).
Vitalité : Usuel.

beurriauder, v. tr. : Voir *bourreauder.*

bévard, n. et adj. :
Bavard : “Qu’est-ce qu’il est bévard, on n’entend que lui”.
Rem. : Relevé par Z. et l’*ALLR* 887. Régionalisme phonétique issu du patois. *Cf. barbouilleur, boguiat, couatcheur 1.*
Vitalité : Attesté au-dessus de 40 ans.

bévotte, n. f. :
Bavoir : “J’ai retrouvé au grenier des bévottes en lin blanc toutes brodées, elles ont dû servir à la grand-mère quand elle était bébé”.
Rem. : Relevé par Z. Forme dialectale correspondant au français *bavette.*
Vitalité : Attesté au-dessus de 20 ans.

bibbelskaese, n. m. : [bibelskèz(e)]
Fromage frais blanc de lait de vache, persillé, poivré, salé, et additionné de raifort râpé : “Le bibbelskaese est rafraîchissant, mais on n’en mangerait pas tous les jours”.
Rem. : Emprunt non adapté au patois germ. mosellan (*biblekäs*) et à l’alsacien de même sens (de *bibbele* “poussin” et *käse* “fromage”).
Vitalité : Attesté au-dessus de 60 ans, peu attesté au-dessous.

biche, n. f. :
Baiser : “Fais une biche à Maman”.
Rem. : Relevé par l’*ALLR* 859. Z. note *bichat* dans ce sens. *Cf. bec, schmouse 1, bâ* (annexe)*, coco* (annexe).
Etym. : Déverbal du français pop. *bicher*, issu du latin *beccus* “bec”.
Vitalité : Attesté.

bière de Noël, loc. n. f. :
Bière nouvelle qu’on vend pour Noël : “La bière de Noël est mise à fermenter début octobre et on la vend à partir du 23 décembre”.
Vitalité : Connu.

bière d’octobre, loc. n. f. :
Bière fermentée en octobre, qui donnera la *bière de Noël** : “Le 4 octobre commence la fermentation de la bière d’octobre. Elle devient brune et est très aromatisée”.
Vitalité : Attesté au-dessus de 20 ans.

bierstub, n. f. [bi:r¢tu:b] : Voir *winstub.*

bille, n. f.:
1. Morceau du fût d'un arbre abattu: "On a débité le gros chêne en billes".
2. Gros bâton: "Depuis qu'elle a été cambriolée, elle dort avec une bille près de son lit".
Rem.: Signalé par *TLF* "techn. Morceau de bois façonné ou de fer servant à divers usages" et par *Rob 89* "techn. Rouleau, pièce de bois servant à biller, à serrer des ballots". *Cf.* **2.** *beuillot, bracot* (annexe).
Vitalité: **1.** Bien connu au-dessus de 40 ans. **2.** Connu au-dessus de 60 ans.

binoques, n. m. pl.:
Lunettes: "Qu'est-ce que j'ai encore fait de mes binoques?"
Vitalité: Régionalisme phonétique connu.

bique, n. f.:
1. Chèvre (sans nuance péjorative): "Elle a encore une dizaine de vaches et trois biques".
2. Chevalet: "Prends la bique pour scier ces bûches, ça ira mieux".
Rem.: Relevé par Z. et l'*ALLR* 287 et 619. Signalé par *Rob. 89* avec la mention "fam. (vieux ou rég.)" et *TLF* avec la mention "fam.". *Cf.* **1. 2.** *bocatte, gaille, gaïsse.* **2.** *bourguignette* (annexe).
Vitalité: **1.** Usuel. **2.** Attesté.

bique et boc, adj. et n. m.:
1. Hermaphrodite: "Dans les chevreaux, je crois bien qu'il y a un bique et boc".
2. Homme efféminé ou femme hommasse: "Qu'est-ce que c'est que ce bique et boc? On ne saurait pas dire si c'est une fille ou un garçon".
Rem.: Z. relève *bic et boc* avec un sens différent: "A Metz, on se sert de cette expression lorsqu'on est incertain sur le choix de deux choses presque semblables".
Etym.: Littéralement "chèvre et bouc", issu des formes dialectales en usage dans la région.
Vitalité: **1.** Usuel. **2.** Usuel au-dessus de 20 ans.

biqui, n. m.:
Chevreau: "La chèvre a fait deux beaux biquis".
Rem.: Relevé par Z. et l'*ALLR* 288. *Cf. gaillot, bouquin* (annexe).
Etym.: Dérivé de *bique.*
Vitalité: Attesté au-dessus de 40 ans.

biscaïen, n. m.:
1. Grosse bille: "Il a perdu tous ses biscaïens en jouant contre un grand".
2. Gros grain de haricot: "Ces haricots font de sacrés biscaïens".
Rem.: Signalé au sens 1 par *Rob. 89* avec la mention "fam., vieux" et dans d'autres sens par *TLF.* Esnault note *caïen* (sens 1), "apocope de *biscaïen* « boulet »". *Cf.* **1.** *baks, chique, toc 5.*
Vitalité: **1.** Connu au-dessus de 60 ans. **2.** Peu attesté au-dessus de 60 ans.

biscailler, v. tr.:
Chercher querelle: "Elle passe son temps à nous biscailler. Si tu la vois, ne lui parle pas".
Rem.: *Cf. raison (chercher -).*
Etym.: Issu, comme le précédent, de *Biscaye*, province basque espagnole.
Vitalité: Attesté.

bise, n. f.:
Vent du nord, du nord-est ou de l'est: "La bise va encore nous apporter la neige".

Rem.: Relevé par Z. et l'*ALLR* 13 "(le) vent du nord", 14 "(le) vent d'est". On dit aussi *froide bise* et *noire bise* (présent chez Z. et dans l'*ALLR* 13, 14). Signalé sans mention par *Rob. 89* et *TLF.*
Vitalité: Usuel.

Bitcherland, n. m.:
Pays de Bitche: "Il a acheté une vieille ferme dans le Bitcherland et il la retape les dimanches".
Etym.: Emprunt au patois germ. (et à l'allemand) de même sens (*Land* "pays").
Vitalité: Usuel.

bitcherlaender, n. m.:
[bit¢erlènder]
Habitant du pays de Bitche: "Les bitcherlaender descendent tous les samedis à Metz".
Rem.: Dérivé du précédent.
Vitalité: Bien connu.

blâmer (ne pas se -), v. pr.:
Uniquement employé avec la négation: Faire bien les choses: "J'ai fait du foie gras au dîner, je ne me blâme pas".
Vitalité: Peu attesté.

blanc fromage, loc. v.:
Fromage blanc: "Une fermière du village voisin nous apporte toutes les semaines des blancs fromages et des œufs".
Rem.: Relevé par l'*ALLR* 659. *Cf. adjectif antéposé.*
Vitalité: Connu au-dessus de 60 ans.

bobochon, n. m.:
Bouchon de carafe en verre ou cristal: "J'ai une carafe en cristal déjà ancienne, mais je n'ai pas son bobochon".
Etym.: Comme le fr. *bobéchon*, issu d'une racine onomatopéique *bob*, avec une influence probable de *bouchon.*
Vitalité: Attesté au-dessus de 60 ans.

bocatte, bocotte, n. f.:
1. Chèvre: "Rentre les bocattes".
2. Chevalet: "Scie ces bûches sur la bocatte".
3. Tas d'herbe, de foin: "J'ai fait des bocottes de regain, il n'y a plus qu'à le rentrer".
Rem.: Relevé dans les trois sens par Z. et l'*ALLR* 287, 619, 530, 531. *Cf.* **1. 2.** *bique, gaille, gaïsse.* **2.** *bourguignette* (annexe). **3.** *cabossé* (annexe).
Etym.: Diminutif formé sur **bucco* "bouc".
Vitalité: **1.** Connu au-dessus de 60 ans > attesté > inconnu. **2. 3.** Peu attesté au-dessus de 40 ans.

bock, n. m.:
Pot à bière en grès (parfois en verre) de contenance variable (le plus souvent 25 cl.): "On a l'habitude de boire un bock tous les samedis après-midi entre copains".
Rem.: Signalé par *Rob. 89* ("pot à bière") avec la mention "vieux" et *TLF* ("verre à bière") sans mention. *Cf. beuchté, pot de camp, tepin, toté, verrine.*
Vitalité: Usuel.

bodatte, bodotte, n. f.:
1. Nombril: "Maintenant, la mode, pour les filles, c'est des petits polos qui laissent voir la bodatte".
2. Ventre: "Rhabille-toi, on voit ta bodatte".
Rem.: Relevé par Z. et l'*ALLR* 747. *Cf.* **1.** *bondon* (annexe).
Etym.: D'une racine **bod-* exprimant l'enflure *(cf.* fr. *boudin*).

Vitalité : **1.** Bien connu au-dessus de 60 ans, attesté au-dessous. **2.** Connu.

boguiat, adj. et n. m. :
Bavard, (personne) qui parle pour ne rien dire : “Quel boguiat, celui-là, si on ne l’arrête pas, il peut tenir la journée sans arrêt !”
Rem. : Relevé par Z. au sens “bègue”. *Cf. barbouilleur, bévard, couatcheur 1.*
Etym. : Formé sur *boguier* (voir ce mot).
Vitalité : Peu attesté au-dessus de 20 ans.

boguier, v. i. :
Parler pour ne rien dire : “Il n’arrête pas de boguier, il est assommant”.
Rem. : Relevé par Z. et l’*ALLR* 889 au sens “bégayer”. *Cf. bouche (avoir une grande -), hâbler, marner 2, déparler* (annexe).
Etym. : Comme le français *bégayer*, issu du néerlandais *beggen* “bavarder”.
Vitalité : Peu attesté au-dessus de 20 ans.

bois de curé, loc. n. m. :
Charme : “J’ai rentré un bon tas de bois de curé pour l’hiver”.
Rem. : Relevé par l’*ALLR* 147. *Cf. charmille.*
Vitalité : Peu attesté.

bôle, n. f. :
1. Bol à punch (sorte de soupière en faïence ou porcelaine servant à préparer le punch) : “J’ai fait une bôle en apéritif”.
2. Sorte de punch (vin blanc, sucre, feuilles et fleurs de reine-des-bois) : “A l’apéritif, on aura de la bôle”.
Rem. : Régionalisme phonétique et grammatical. *Rob. 89* signale que le premier emploi du mot *bol* apparaît en parlant du punch (1790) “contenu d’un bol”. (voir aussi *FEW bowl*).
Vitalité : **1.** Peu attesté au-dessus de 40 ans. **2.** Attesté au-dessus de 20 ans.

bolet, n. m. :
Champignon (terme générique) : “S’il continue à faire ce temps, on va pouvoir aller aux bolets”.
Rem. : Le latin impérial *boletus* avait le sens générique de “champignon”.
Vitalité : Connu.

bomboche (faire la -), n. f. :
Nocer, faire la fête : “Il fait la bomboche toute la nuit et il s’étonne d’être fatigué ?”
Rem. : Le vocalisme initial provient d’un rapprochement avec *bombe*, abréviation de *bombance (faire la bombe). Cf. bamboches.*
Vitalité : Régionalisme phonétique connu au-dessus de 60 ans > attesté > peu attesté.

bon (et), adv. :
Bien, agréablement : “J’ai bon (et) chaud”. “Cette étoffe est bonne (et) forte”.
Rem. : Relevé par Z. (sous *bwin*). Signalé par *Rob. 89* avec la mention “régional (Suisse, etc.) avec quelques adjectifs monosyllabiques. *Bon chaud, bon frais*” et, peut-être, par *TLF* : “*faire bon (chaud)*” (?) sans mention.
Vitalité : Bien connu au-dessus de 40 ans > attesté > inconnu.

bonhomme, n. m. :
Brioche en forme de bonhomme (confectionnée à l’origine pour la fête de saint Nicolas) : “Je lui ai

acheté un bonhomme avec du chocolat pour son goûter".
Rem.: *Cf. boudique 1.*
Etym.: Adaptation de l'alsacien *maennele* "petit homme", inconnu en pays messin.
Vitalité: Attesté au-dessous de 40 ans, peu attesté au-dessus.

bonnes (être dans ses -), loc. v. :
Etre de bonne humeur, dans de bonnes dispositions: "Si tu as quelque chose à lui demander, c'est le moment, elle est dans ses bonnes".
Rem.: Relevé par Z. *FEW* signale cette loc. (sous *bonus*) à Blois, Metz, Lyon, Clermont-Ferrand.
Vitalité: Connu au-dessus de 20 ans.

bonnette, bonnatte, n. f.:
1. Bonnet: "Au grenier, j'ai retrouvé les bonnattes de la grand-mère".
2. En part. petit bonnet d'enfant: "Mets-lui sa bonnette, il y a du vent, ici".
Rem.: Relevé par Z. et l'*ALLR* 794. Signalé par *Rob. 89* avec la mention "vieux ou régional".
Vitalité: Connu au-dessus de 60 ans > attesté >> inconnu. La forme *bonnette* semble plus vivante.

boquillon, boquion, n. m.:
Bûcheron: "Son fils faisait le boquillon dans les Vosges".
Rem.: Signalé par *Rob. 89* et *TLF* avec la mention "vieux (attesté jusqu'au XVIIIe s.)".
Vitalité: Connu au-dessus de 60 ans.

borgne d'un œil, loc. adj.:
Borgne: "Il est borgne d'un œil, mais il conduit toujours".
Vitalité: Connu.

boseré, adj. et n. m.:
1. Petit garçon (terme d'affection): "Il est à qui ce petit boseré?"
2. Petit enfant barbouillé: "Va te laver, boseré, tu as du chocolat partout".
3. Adj.: Barbouillé: "Leurs gamins étaient mal tenus, tout boserés du matin au soir".
Rem.: Relevé par Z. et l'*ALLR* 727 "sale". *Cf.* **1.** *boudique, schnesse 2, spatz.* **2. 3.** *marmouser 2.*
Etym.: Dérivé de **bovacea* "bouse".
Vitalité: **1.** Bien connu au-dessus de 40 ans. **2.** Bien connu au-dessus de 60 ans > attesté > inconnu. **3.** Attesté au-dessus de 40 ans.

bossatte, n. f.:
Côte: "Il habite juste en haut de la bossatte, la première maison du village".
Etym.: Dim. de *bosse*, avec le suffixe *-atte*, fréquent en patois.
Vitalité: Peu attesté au-dessus de 20 ans.

botte, n. f.:
Fourrage vert pour les vaches ou les lapins: "Passe-moi la faux, je vais à la botte".
Vitalité: Attesté au-dessus de 60 ans, peu attesté au-dessous.

boube, n. m.:
Gamin: "Il est à qui ce boube, là-bas? Il a l'air perdu".
Rem.: *Cf. drôle 1, minot, piat, râce, ratz, spatz.*
Etym.: Relevé par Z. (*bwobe*). Du patois mosellan germ. (*cf.* l'allemand *Bub(e)* "garçon").
Vitalité: Attesté au-dessus de 20 ans.

bouc, n. m.:
1. Mâle en général: "Il y a la mère et les boucs".

2. Loc. n. : *Bouc de (+ nom d'animal)* : Mâle : *Bouc de chèvre* "bouc" ; *bouc de lapin* "lapin mâle" ; *bouc de mouton* "bélier".
3. Banc de sabotier : "Il travaillait sur son bouc du matin au soir".
Rem. : Relevé par Z. (*boc*) et l'*ALLR* 619. **2.** On dit aussi *père de* (voir sous *mère*).
Vitalité : **1. 2.** Attesté. **3.** Peu attesté au-dessus de 20 ans.

bouche (avoir une grande -), loc. v. :
Parler beaucoup : "Il a une grande bouche, alors ça lui a attiré des ennuis".
Rem. : *Cf. barbouiller, boguier, câcailler, câcatter, couarailler, hâbler, marner 2, ratcher 1, déparler 2* (annexe)*, schnabeler* (annexe).
Vitalité : Bien connu.

bouche-cul, n. m. :
1. Nèfle : "Aujourd'hui, on ne récolte même plus les bouche-culs".
2. Gratte-cul, fruit de l'églantier : "Ma mère fait encore de la confiture de bouche-cul".
Rem. : Relevé par Z. et l'*ALLR* 88 (sens 2).
Vitalité : **1.** Attesté au-dessus de 20 ans. **2.** Attesté au-dessus de 40 ans.

boudique, n. m. :
1. Petite brioche en forme de bonhomme : "J'ai acheté un boudique pour le gamin".
2. Terme affectueux pour désigner un petit enfant : "Elle est venue avec son gentil petit boudique de 3 ans".
Rem. : Z. note les sens "nabot, magot, personnage grotesque". *Cf.* **1.** *bonhomme.* **2.** *boseré, schnesse, spatz.*
Etym. : D'une racine **bod-* exprimant l'enflure (*cf. bodatte*).
Vitalité : **1.** Peu attesté. **2.** Attesté au-dessus de 20 ans.

bouillir, v. tr. et i. :
Distiller : "On va bouillir notre mirabelle".
Rem. : Régionalisme sémantique. Le verbe donne *bouille* à la 3e pers. du s. du présent de l'indicatif : "Le café bouille."
Vitalité : Connu.

boulet, n. m. :
1. Boule de neige : "Les gosses sont heureux quand la neige arrive, ils se lancent des boulets".
2. Crottin de cheval : "Il y a un cheval qui est passé par là, il y a des boulets".
3. Loc. n. m. : *Boulet de Metz* : Friandise mi-bonbon, mi-gâteau : "On a refait récemment des boulets de Metz dans une pâtisserie et ça se vend bien".
Rem. : **1.** Relevé par Z. et l'*ALLR* 49. *Cf.* **1.** *pelote.*
Vitalité : **1.** Attesté au-dessus de 60 ans > peu attesté >> inconnu. **2.** Connu au-dessus de 60 ans > attesté >> inconnu. **3.** Connu.

boulette de foie, loc. n. f. :
Préparation composée de foie de porc, d'œufs et d'épices accompagnant la choucroute : "Une choucroute sans boulettes de foie, ce n'est plus vraiment une choucroute".
Rem. : *Cf. leberkleus, quenelle de foie.*
Vitalité : Connu au-dessus de 40 ans > attesté > inconnu.

boulie, n. f. :
Bouillie : "Les bébés mangent de la viande presque dès qu'ils sont nés. Autrefois, c'était la

boulie pendant des mois et des mois".
Rem.: Relevé par Z. Prononc. ancienne de *bouillie* signalée par les dictionnaires.
Vitalité: Bien connu au-dessus de 60 ans > attesté > inconnu.

boulimatch, n. f.:
Boue, gadoue: "Ne marche donc pas dans la boulimatch!"
Rem.: *Cf. marais, schlamm.*
Etym.: Association du fr. *boulie* "bouillie" (voir le précédent), usité également au sens "boue" en patois mosellan germ. et roman (*ALLR* 33 "(la) boue (de pluie)"), et du patois germ. (et de l'allemand) *Matsch* "bouillasse, bouillie".
Vitalité: Bien connu.

boumleur, n. m.:
Clochard: "Il y a toujours un boumleur à l'entrée de la cathédrale".
Rem.: *Cf. charpagnate 2.*
Etym.: Emprunt au patois mosellan germ. de même sens (*cf.* l'allemand *Bummler* "flâneur", dérivé de *bummeln* "faire du lèche-vitrine, traîner").
Vitalité: Usuel.

bourg, n. m.:
Centre d'une commune (où se trouvent la mairie, l'église, l'école, les commerces): "Il habite au bourg, à côté de la mairie, moi, je suis dans un village*".
Rem.: Signalé par *Rob. 89* sans mention et *TLF*: "Dans l'Ouest et le Centre de la France: centre administratif et commercial groupant les habitations d'une commune". Malgré un habitat assez groupé en pays messin, il semble que l'opposition *bourg / village* existe comme dans les régions traditionnellement d'habitat dispersé.
Vitalité: Usuel.

bouri, excl.:
Cri pour appeler les canards: "Bouri, bouri! qu'est-ce qu'ils vont loin, ces canards! Bouri, bouri!"
Rem.: Relevé par Z. et l'*ALLR* 328 "caneton".
Etym.: D'une racine onomatopéique **burr-*
Vitalité: Attesté au-dessus de 40 ans.

bouriffer, v. tr.:
Mal coiffer, ébouriffer: "Qui vous a bouriffé comme cela?"
Etym.: Du lat. *burra* "toison".
Vitalité: Attesté au-dessus de 60 ans, peu attesté au-dessous.

bourreauder, bourriauder, v. tr.:
1. Maltraiter, martyriser: "Arrête de bourreauder ce pauvre chien, tu vas finir par le rendre méchant".
2. Tripoter, mélanger, mettre sens dessus dessous: "Arrête de bourriauder les affaires de ton frère".
Rem.: **1.** Relevé par Z. Signalé par *TLF (bouriauder)* avec la mention "régional". *Cf.* **2.** *débattre, graouiller 2, râouenner, tripoter.*
Vitalité: **1.** Connu au-dessus de 20 ans. **2.** Peu attesté au-dessus de 20 ans. *Bourriauder* est moins usité. La variante *beurriauder* est peu attestée.

bourrer, v. i.:
Donner des coups de tête (en parlant du veau, de la chèvre, du mouton): "La vache n'aime pas quand le veau bourre, elle lui donne des coups de pied".

Rem. : Relevé par l'*ALLR* 237, dont le titre est : « (le veau) "bourre" ».
Etym. : Du lat. *burra* "toison".
Vitalité : Attesté.

bout, n. m. :
1. Tétine, sucette en caoutchouc : "Il a fait tomber son bout, lave-le".
2. Biberon : "Donne-lui son bout, il arrêtera peut-être de pleurer".
Rem. : Relevé par Z. Régionalisme sémantique. *Cf.* **1.** *loutche, tette, tosse, tossatte 3, tossotte 3, totosse.* **2.** *bouteille 1, tossatte 2, tossotte 2.*
Vitalité : Attesté au-dessous de 40 ans.

bouteille, n. f. :
1. Biberon : "C'est qu'il l'aime, sa bouteille".
2. Ampoule : "J'ai pris une bouteille en bêchant les patates".
Rem. : Relevé par Z. et l'*ALLR* 905 au sens 2. Régionalisme sémantique. *Cf.* **1.** *bout, tossotte, tossatte 2, totosse.*
Vitalité : **1.** Connu. **2.** Peu attesté au-dessus de 20 ans.

boutique, interj. :
Interjection marquant l'énervement : "Boutique ! vous allez arrêter de faire du bruit ?"
Rem. : Z. relève le juron *botique dé sékéle !*
Etym. : Du grec *apothêkê* "entrepôt".
Vitalité : Attesté au-dessus de 20 ans.

bouton de guêtre, n. m. :
1. Dans la loc. v. : *Travailler pour des boutons de guêtre* : Travailler pour rien : "Il devrait le payer un peu mieux, parce qu'il commence à en avoir assez de travailler pour des boutons de guêtre".
2. Capitule de la bardane : "Brosse-toi, tu es plein de boutons de guêtre".
3. Variété de champignon : "J'ai ramassé un panier de boutons de guêtre".
Rem. : Relevé par l'*ALLR* 78 au sens 2. *Cf.* **2.** *gratton* (annexe), *kneton* (annexe), *peigne de loup* (annexe).
Vitalité : **1.** Bien connu au-dessus de 20 ans. **2.** Peu attesté. **3.** Attesté.

braillotte, n. f. :
Braguette : "La tirette* de sa braillotte est cassée".
Rem. : Relevé par Z. (*brayate*).
Etym. : Dérivé du latin *braca* "pantalon".
Vitalité : Usuel.

brandevin, n. m. :
Eau-de-vie : "Vous prendrez bien un petit verre de brandevin ?"
Rem. : Relevé par Z. et l'*ALLR* 643. Signalé par *Rob. 89* et *TLF* au sens "eau-de-vie de vin", le mot a ici le sens générique d'"eau-de-vie", généralement produite à partir des mirabelles, quetsches, poires, cerises. *Cf. cheule, doux, eaux bleues, fort, liche 1* (annexe), *schnaps, schnick.*
Vitalité : Attesté au-dessus de 60 ans.

brandon, n. m. :
1. Torche de paille : "J'ai allumé un brandon pour faire prendre le feu".
2. Au pl. : Feu en plein air allumé à l'occasion du premier dimanche de Carême : "On dansait autour des brandons et les jeunes s'amusaient à sauter par-dessus".
Rem. : Relevé par Z. au sens 2. *Rob. 89* et *TLF* signalent *brandon* "torche de paille" et *dimanche des brandons* "premier dimanche de Carême" avec la mention "vieux". *Cf.* **2.** *bulle.*

Vitalité : **1.** Connu au-dessus de 60 ans. **2.** Peu attesté au-dessus de 60 ans.

brandouiller, v. i. :
Avoir du jeu : “Le manche du râteau brandouille”.
Rem. : Z. relève *brandoyeu* “balancer, hésiter, être en suspens”. *Rob. 89* signale *brandiller* avec la mention “rare ou littéraire” et en remarque : “on trouve aussi *brandouiller*”. *Cf. hocher.*
Vitalité : Attesté au-dessus de 40 ans.

branle de Metz, loc. n. m. :
Danse messine : “Tout bal commençait par le branle de Metz”.
Vitalité : Peu attesté au-dessus de 20 ans.

brebis, n. f. :
Mouton : “Il a quelques brebis pour la viande”.
Rem. : Continue le sens du lat. *vervex* “mouton, bélier”.
Vitalité : Attesté.

brecaille, brocaille, n. f. (s. collectif) :
1. Petites pierres, gravillons : “Ces chemins en brocaille vont mieux que les chemins boueux d’autrefois”.
2. Petites pièces de monnaie : “Ne me rendez pas de brecaille, ça encombre mon porte-monnaie et ça alourdit mon sac”.
Rem. : **1.** Relevé par Z. **2.** Signalé par Esnault (*broquaille* “monnaie”, 1911, voleurs à la tire) sous *broque.*
Etym. : Dérivé de l’arg. anc. *broque* “menue pièce de monnaie” et mod. “chose de peu de valeur”. Serait issu d’une variante dial. de l’ouest de *broche* “morceau de métal” passée dans le liégeois *broke* (+ suf. *-aille*).
Vitalité : **1.** Connu au-dessus de 20 ans. **2.** Connu au-dessus de 60 ans > attesté > peu attesté > inconnu.

bred(e)le 1, n. m. : [bréd(e)le]
Biscuit sec de Noël (préparé avec de l’anis, du miel, du chocolat, etc.) : “En décembre, la grande activité, c’est la confection des bred(e)les”.
Rem. : Ces biscuits sont découpés à l’emporte-pièce, de différentes formes (animaux, figures de cartes à jouer, sapin, croissant de lune, étoile, etc.). Le nom est parfois précisé par l’ingrédient qui entre dans sa fabrication. On a ainsi noté *butterbredele*, n. m. (de l’allemand *Butter* “beurre”), peu attesté. On rencontre aussi dans les boulangeries *anisbredele, honigbredele*, au miel, *schwowbredele*, à la cannelle et au citron, avec des amandes pilées, etc. Ces derniers mots sont très peu attestés. *Cf. spritz, brünsli* (annexe), *burchifele* (annexe), *lekerlis* (annexe).
Etym. : Emprunt non adapté au patois germanique (alsacien et mosellan), dim. de *Brot* “pain”.
Vitalité : Attesté au-dessus de 20 ans.

bred(e)le 2, n. m. : [bréd(e)le]
Ragoût fait avec le foie, le poumon, le cœur du porc, auxquels on ajoute la cervelle à la fin de la préparation : “Quand on tue le cochon, on a toujours l’habitude de faire un bredele”.
Etym. : Peut-être dérivé du patois germ. mosellan *braddelen* “bouillonner” ou *broden* “cuire, rôtir” (allemand *braten* “cuire, rôtir”).
Vitalité : Peu attesté au-dessus de 20 ans.

brelotte (avoir la -), loc. v. :
Trembler: "Dès qu'il doit parler en public, il a la brelotte et il perd tous ses moyens".
Rem.: Z. relève *beurlate* "petite cloche".
Etym.: Peut-être de la même famille que le fr. *branler* (du germ. *brand* "épée").
Vitalité: Peu attesté au-dessus de 20 ans.

breseuiller, breseuler, breseiller, v.:
1. V. i.: S'occuper à des riens, mal travailler: "Il y a longtemps qu'il ne peut plus travailler, il breseuille".
2. V. tr.: Casser: "Tout ce qu'il touche, il le breseuille".
Rem.: Relevé par Z. (*bresieu*). *Cf.* **1.** *broiller, mamailler 1, trôler 1, trôyer, bassoter 2* (annexe), *boutiquer* (annexe). **2.** *broiller, bringue (mettre en -)* (annexe), *fin (faire la -)* (annexe), *frâler 1* (annexe).
Etym.: Dérivé du germ. **bras-* "braise".
Vitalité: **1.** Attesté au-dessus de 20 ans. **2.** Attesté au-dessus de 60 ans.

bretzel, n. m. et f. :
Sorte de pâtisserie en forme de noeud, couverte de grains de sel et de cumin, servie dans les brasseries pour accompagner la bière: "Tu veux une bretzel avec ta bière?"
Rem.: Relevé par Z. au f. Signalé par *Rob. 89* et *TLF* au masculin. On entend les deux genres dans la région. Voir Höfler-Rézeau.
Vitalité: Usuel.

breusiâ, n. m.:
Mauvais travailleur: "Il cherche un apprenti, mais il ne trouve que des breusiâs".
Rem.: Relevé par Z. (*bresiad* "qui fait son ouvrage à la hâte") et l'*ALLR* 502 "mauvais laboureur". *Cf. broillâ 1, feugnâ, mamaillou 1, queuviâ, crafia* (annexe), *hâbloux* (annexe), *harta 1* (annexe).
Etym.: De la famille de *breseuiller* (du germ. **bras-* "braise").
Vitalité: Peu attesté.

breutche, britche, brutche (faire la -), loc. v.:
Faire la moue, la grimace: "Arrête de faire la breutche et dis-moi ce qui ne va pas".
Rem.: Relevé par Z. (*faire la brètche*). *Cf. pote, poute 2, preutche, tougner, troutche.*
Etym.: Emprunt au patois mosellan germ. *Brutzkopf, Prutzkopf* "mauvaise tête" (*cf.* l'allemand *Brutsch* "moue, grimace").
Vitalité: Attesté. La variante *faire la preutche* est peu attestée.

brimbelle, n. f.:
Myrtille: "On va aux brimbelles tous les ans dans les Vosges".
Rem.: Relevé par Z. et l'*ALLR* 121. Signalé par *Rob. 89* et *TLF* avec la mention "régional". Le mot, contrairement à ce qu'on pourrait croire (Walter 98), dépasse largement son aire dialectale (voir Litaize).
Vitalité: Usuel au-dessus de 20 ans.

brimbellier, n. m.:
Arbrisseau produisant les myrtilles: "Par ici, il y a plein de brimbelliers, mais il n'y a plus une brimbelle*, elles ont déjà été ramassées".
Rem.: Cité par *TLF* sous *brimbelle.*
Etym.: Dérivé de *brimbelle.*
Vitalité: Connu.

brindezingue, adj. et n. m. :
1. Tapage (organisé à l'occasion du remariage d'un veuf ou d'une veuve) : "On leur a fait un de ces brindezingues, ils ne sont pas près de l'oublier".
2. Chahut, désordre : "Qu'est-ce que c'est que ce brindezingue, on ne va pas pouvoir dormir s'ils continuent".
3. Adj. : Un peu fou : "Il est brindezingue, ce gars-là, il fait n'importe quoi".
Rem. : **3.** Signalé par *Rob. 89* sans mention et *TLF* avec la mention "rare". *Cf.* **1.** *charivari.* **2.** *câillon 2, 3, capharnaüm 1, fouchtrâ, labouré 2, quicaille 2, saint-frusquin 2.* **3.** *évaltonné, haltata, chtarb, neuneu, zoné 2.*
Vitalité : **1.** Connu. **2.** Bien connu. **3.** Usuel.

briquet, n. m. :
Casse-croûte du mineur : "Je lui préparais le soir son briquet, car le matin, quand il partait, je n'étais pas levée".
Rem. : Signalé par *Rob. 89* avec la mention "régional (Nord de la France, Belgique)" et *TLF* avec la mention "dans les mines du Nord. Terme wallon".
Vitalité : Attesté au-dessus de 40 ans.

brisaque, adj. et n. :
(Personne) maladroite qui casse tout ce qu'elle touche : "Ne lui confie pas d'objets fragiles, c'est un brisaque" (ou "il est brisaque").
Rem. : Relevé par Z. et l'*ALLR* 953 "turbulent". *Cf. broillâ.*
Etym. : Dérivé de *briser.*
Vitalité : Attesté.

brisebille, n. f. :
Querelle pour un motif futile : "Ils sont toujours en brisebille".
Rem. : Régionalisme phonétique, peut-être influencé par le verbe *briser.*
Vitalité : Attesté au-dessus de 20 ans.

brocante, n. f. :
Travail de peu de valeur, qu'on fait à ses moments perdus : "Il ne travaille plus, juste de la brocante, pour s'occuper".
Rem. : Relevé par Z. Signalé par *Rob. 89* avec la mention "familier, vieux" et par *TLF* avec la mention "familier".
Vitalité : Peu attesté.

brockels, n. m. pl. :
Miettes de pain : "Jette les brockels par la fenêtre, ce sera pour les oiseaux".
Etym. : Du patois mosellan germ. (*cf.* l'allemand *bröckeln* "émietter", *Brocken* "morceau, parcelle, fragment, éclat").
Vitalité : Attesté au-dessous de 60 ans.

broillâ, broillard, broille-tout, n. m. :
1. Bricoleur sans valeur : "Si on l'écoute, il sait tout faire, en réalité, c'est un broillard".
2. Personne qui casse tout : "Avec ce broillâ, je passe mon temps à réparer ce qu'il casse".
Rem. : Z. relève *broyâd* "qui travaille sans ordre" et l'*ALLR* 502 relève le même mot au sens "mauvais laboureur". *Cf.* **1.** *breusiâ, feugnâ, mamaillou 1, queuviâ, crafia* (annexe). **2.** *brisaque.*
Etym. : Dérivé du germ. **brekan* "casser".
Vitalité : Peu attesté.

broiller, v. tr. :
1. Travailler grossièrement : "Qu'est-ce qu'il broille donc ?"

2. Casser : "Il a broillé l'horloge en croyant la réparer".
Rem. : Z. relève ce mot au sens "broyer" et il apparaît dans l'*ALLR* 517 "fouler (l'herbe)". *Cf.* **1.** *breseuiller, mamailler 1, trôler 1, trôyer, bassoter 2* (annexe), *boutiquer* (annexe). **2.** *breseuiller, bringue (mettre en -)* (annexe), *fin (faire la -)* (annexe), *frâler 1* (annexe).
Etym. : Issu du germ. **brekan* "casser".
Vitalité : **1.** Attesté au-dessus de 20 ans. **2.** Attesté.

brousiner, v. impers. :
Bruiner (voir le suivant).
Rem. : *Cf. broussailler, brussiotter, mousiner* (annexe), *poussiotter.*
Etym. : Dérivé du germ. *brod-* "bouillon, sauce".
Vitalité : Attesté au-dessus de 20 ans.

broussailler, broussiner, broussiller, broussiotter, v. impers.
Bruiner : Ça a broussaillé toute la journée.
Rem. : Relevé par Z. et l'*ALLR* 29. *Cf. brousiner, brussiotter, mousiner* (annexe), *poussiotter.*
Etym. : Origine inconnue, selon *FEW*, mais probablement à rattacher au germ. **brod-* "bouillon, sauce".
Vitalité : Connu.

brûle, n. m. :
1. Odeur ou goût de brûlé : "Ça sent le brûle quand on rentre ici". "Cette fricassée sent le brûle".
2. Loc. n. m. : *Bois de brûle* : Bois de chauffage : "Ces taillis n'ont pas de valeur, on en fera du bois de brûle".
Rem. : **1.** Relevé par Z. (*breule*) et par l'*ALLR* 688. *Cf.* **1.** *roux.* **2.** *charbon, charbonnette.*
Etym. : Déverbal de *brûler.*
Vitalité : **1.** Connu. **2.** Peu attesté.

brûler de chaud, loc. v. :
Brûler, être bouillant : "Il brûle de chaud, ce gamin, il doit avoir de la fièvre".
Vitalité : Attesté.

brûlot, n. m. :
Morceaux de sucre empilés, imbibés d'eau-de-vie et qu'on fait flamber : "Un brûlot, c'est bon, mais il ne faut pas en abuser".
Rem. : *TLF* signale : "eau de vie mélangée avec du sucre que l'on fait flamber".
Vitalité : Attesté au-dessus de 20 ans.

brussiotter, brussotter, brusser, v. impers. :
Bruiner : "Il brussiotte depuis ce matin".
Rem. : Z. relève la plupart des ces verbes avec des variantes phonétiques. L'*ALLR* 29 enregistre *brussiotter, brusser. Cf. brousiner, broussailler, mousiner* (annexe), *poussiotter.*
Etym. : Dérivé du germ. **brod-* "bouillon, sauce".
Vitalité : Connu. *Brussiotter* semble le plus usité.

buanderie, n. f. :
Local où l'on prépare la nourriture des porcs : "Les patates des cochons sont cuites, elles sont encore à la buanderie".
Rem. : Régionalisme sémantique. *Cf. chaudière.*
Vitalité : Connu.

bûche de bois, loc. n. f. :
Bûche : "Mets donc une bûche de bois dans le feu".

Rem.: *Cf. toc 2.*
Vitalité: Connu.

bûcherie, n. f.:
Bûcher, remise à bois: "La bûcherie est presque vide, il faudra me la regarnir".
Rem.: Relevé par l'*ALLR* 629.
Etym.: Formé sur *bûche.*
Vitalité: Attesté au-dessus de 60 ans.

buckling, n. m.: [bükling]
Hareng fumé, salé ou non salé. "Il mange un buckling avec du pain, il aime ça!"
Etym.: De l'allemand *Bückling* "hareng".
Vitalité: Connu.

bufteck, n. m.:
Bifteck: "Les gamins de ma fille ne veulent manger que du bufteck haché".
Vitalité: Régionalisme phonétique connu au-dessus de 60 ans > attesté >> inconnu.

bugne, n. f.:
1. Bosse: "J'ai fait une bugne à ma voiture".
2. Beignet de Carnaval: "On a acheté des bugnes comme tous les ans pour le Carnaval".
Rem.: **1.** Sous *beigne*, signalé par *Rob. 89* avec la mention "mod. familier" et *TLF* avec la mention "argot, pop. vieilli". **2.** Signalé par *Rob. 89* avec la mention "régional" et *TLF* sans mention, mais avec la précision "spécialité lyonnaise, forme francoprovençale pour *beigne*". Ce mot d'origine francoprovençale est en train de perdre son caractère régional. *Cf.* **1.** *beugne, beuille, pète, gueugne* (annexe), *pec* (annexe). **2.** *beugnet, crêpé, dampfnuedle, pancoufe 1, vaute 1.*
Vitalité: **1.** Connu. **2.** Attesté.

bugner, v. tr.:
Cabosser: "Il a bugné sa voiture en rentrant dans le garage".
Rem.: Voir *bugne. Cf. beugner 1, beuiller, plier.*
Vitalité: Connu.

bulle, n. f.:
Feu de la Saint-Jean, puis feu en plein air: "Le 24 juin, on va aller sur le plateau, voir brûler la bulle". "Il a fait une bulle avec tout ce qu'il a élagué après la tempête, ça a brûlé pendant huit jours".
Rem.: Relevé par Z. *Cf. brandon 2.*
Etym.: Du germ. **bur-* "hutte".
Vitalité: Connu au-dessus de 60 ans > attesté >> inconnu.

C

cabochon, n. m.:
Dans la loc. v.: *Etre dur du cabochon*: "Etre têtu, avoir la tête dure": "Il est gentil quand il veut, mais il est quand même dur du cabochon, parfois".
Rem.: Le mot est signalé par *Rob. 89* dans d'autres sens. *Cf. hans (tête de -), heursu, holz 1, holzkopf 1, taugnat 1, ânichon 2* (annexe).
Vitalité: Usuel.

câcailler, v. i.:
Bavarder: "Elle n'arrête pas de câcailler toute la journée".
Rem.: Relevé par l'*ALLR* 323 "caqueter". *Cf. barbouiller, câcatter 2, couarailler 2, couarail 3 (faire le -), couatcher 1, hâbler, marner 2, ratcher 1, babler* (annexe), *schnabeler* (annexe).
Etym.: Formé sur une base onomatopéique *kak-*.
Vitalité: Peu attesté.

câcatte, n. f.:
1. Bavarde: "Quelle câcatte, cette bonne femme!"
2. Femme bigote: "Le curé n'a plus que quelques vieilles câcattes à la messe".
3. Religieuse: "Autrefois, c'était les câcattes qui nous faisaient le catéchisme".
Rem.: Relevé par Z. et l'*ALLR* 888. *Cf.* **1.** *bâbette 1, bégueule, couariousse, tétrelle 2, couariatte* (annexe), *mille-gueule* (annexe). **3.** *chère sœur.*
Etym.: Formé sur une base onomatopéique *kak-*.
Vitalité: **1.** Attesté au-dessus de 40 ans. **2. 3.** Peu attesté.

câcatter, v. tr.:
1. Caqueter (en parlant des poules): "On entend câcatter ses poules toute la journée".
2. Bavarder: "Elles câcattent depuis une heure au coin de la rue".
Rem.: Relevé par Z. et l'*ALLR* 323, 886. *Cf.* **2.** *barbouiller, câcailler, couarailler 2, couarail 3 (faire le -), couatcher 1, hâbler, marner 2, ratcher 1, babler* (annexe)*, schnabeler* (annexe).
Etym.: Voir *câcatte.*
Vitalité: Attesté.

cache, n. f.:
Endroit tenu secret où poussent les champignons: "Il revient tous les jours avec un panier de jaunottes*, il a une bonne cache".
Vitalité: Régionalisme sémantique connu au-dessus de 60 ans > attesté > inconnu.

cache-torchon, n. m.:
Petit séchoir (formé d'un cadre à barreaux) muni d'un rideau, souvent brodé, accroché au mur de la cuisine, destiné à faire sécher les torchons de vaisselle: "Tire le rideau du cache-torchon, ce sera plus joli!"
Vitalité: Usuel.

cachette, n. f.:
1. Jeu de cache-cache: "Ils jouent à la cachette dans le bois".
2. *Cachette délivrante*, loc. n. f.: Variante du jeu de cache-cache, où les enfants prisonniers forment une chaîne et peuvent être délivrés si un autre les atteint sans se faire prendre:

"Pour jouer à la cachette délivrante, il faut être nombreux, c'est plus drôle".
Rem.: **1.** Relevé par Z. (*cwèchate*) et l'*ALLR* 878. **1.** Noté sans mention particulière (au singulier) par les dictionnaires consultés, mais semble ne pas faire partie du vocabulaire courant du français commun.
Vitalité: **1.** Usuel. **2.** Peu attesté.

cachilome, n. m.: Voir *gachilome.*

cachotter, v. i.:
Faire des cachotteries: "Elle ne fait que cachotter, si bien que je ne lui dis plus rien non plus".
Rem.: Signalé par *Rob. 89* avec la mention "classique (et rare) « cacher des petites choses sans importance »".
Vitalité: Attesté.

cadoche, n. f.:
Jeu de galets ou de palets (qui consiste à faire tomber une pierre placée sur un monticule à coups de galets ou de palets): "On jouait souvent à la cadoche, quand on revenait de l'école".
Rem.: On entend aussi la variante *gadoche.* On connaît mieux ce jeu sous le nom plus répandu de *galiche* (inconnu en fr. de Metz), mais il porte aussi, selon les régions de Lorraine, le nom de *camouille* ou de *ganache.*
Etym.: Probablement issu de la rencontre de *galiche, galoche* (du gaul. **gallos* "pierre"), désignant ce jeu et de *gadiche*, n. f.: "jeu de bouchon", dér. de *gadin* "caillou, but au jeu de bouchon", ou de *godiche*, n. f.: "palet placé debout qu'il faut abattre (enfants, 1893)", signalés par Esnault.
Vitalité: Attesté au-dessus de 40 ans.

cadre, n. m.:
Tableau, reproduction encadrée: "J'ai acheté deux beaux cadres".
Vitalité: Régionalisme sémantique usuel.

café-clache, café-clatche, loc. n. m.:
Réunion féminine, goûter où l'on bavarde: "Tous les mardis, elle organise un café-cla(t)che avec ses amies".
Rem.: On signale également la variante *café-tiatche. Cf. couarail 1, couatche 1.*
Etym.: Le deuxième élément vient du patois mosellan germ. *Klatsch* "bavarde" (*cf.* l'allemand *Klatsche* "commère" et le verbe *klatschen* "faire des cancans, bavarder").
Vitalité: Usuel.

café-va-vite, n. m.:
Café en poudre soluble: "Tu veux un café-va-vite ou un vrai ?".
Vitalité: Connu au-dessus de 40 ans.

câgner, v. i:
Boiter, marcher difficilement: "Il câgne bien depuis qu'il a eu sa sciatique".
Rem.: Relevé par Z. et l'*ALLR* 898. Signalé par *TLF* avec la mention "régional, rare". *Cf. baquesser* (annexe), *boqueiller* (annexe).
Vitalité: Attesté.

caguer, v. i.:
1. Déféquer: "Je vais caguer".
2. Au fig., en emploi factitif: Ennuyer: "Ces démarches inutiles me font caguer".
Rem.: Signalé par *Rob. 89* avec la mention "argot" (absent d'Esnault mais relevé par Colin). Ressenti comme une atténuation de *chier. Cf. caquer.*
Vitalité: Bien connu au-dessous de 60 ans.

câiller, v. tr. et i. :
1. Epier, regarder en cachette : "Elle passe son temps à câiller derrière les carreaux".
2. Loc. v. : *Câiller la lune* : Loucher : "Son gamin câille la lune, mais elle va le faire opérer".
Rem. : Relevé par Z. (*câyeu* "loucher, regarder en dessous"). L'*ALLR* 738 "loucheur" relève *câyâ*. *Cf.* **1.** *rouater, schmirer 3, louxer* (annexe).
Etym. : Origine inconnue.
Vitalité : **1.** Usuel. **2.** Attesté.

câillon, n. m. :
1. Réduit à cochon : "Je vais faire sortir le cochon pour nettoyer le câillon".
2. Désordre : "Quel câillon, son bureau, il n'a même pas la place pour écrire !"
3. Chahut : "Il s'est fait punir à l'école parce qu'il a fait le câillon".
Rem. : **2. 3.** Peut-être à rattacher à *caillon, cayon, caïon* "porc", bien connu des patois de Bourgogne du sud et du francoprovençal, ainsi que du français de la région Rhône-Alpes et de Suisse (voir Rézeau). Le sens 1 est plus nettement apparenté à ce mot. Les sens 2 et 3 en sont peut-être dérivés (*cf.* le fr. *porcherie* : 1. local des porcs. 2. lieu très sale et désordonné.). *Cf.* **2.** *brindezingue 2, capharnaüm 1, fouchtrâ, labouré 2, quicaille 2, saint-frusquin 2.* **3.** *brindezingue 2.*
Etym. : Origine inconnue selon *FEW*, peut-être à rattacher au germ. *Geiß* "chèvre", selon Taverdet.
Vitalité : **1. 2.** Usuel. **3.** Attesté au-dessus de 20 ans.

câillonner, v. i. :
Chahuter : "Son copain n'arrête pas de câillonner et c'est lui qui se fait punir".
Etym. : Formé sur *câillon.*
Vitalité : Peu attesté.

câillonneur, adj. et n. m. :
Chahuteur : "C'est un bon élève, il a de bonnes notes, mais c'est un sacré câillonneur".
Etym. : Formé sur *câillon.*
Vitalité : Peu attesté.

caisse à laver, loc. n. f. :
Caisse où prend place la lavandière pour laver le linge : "Les femmes s'agenouillaient chacune dans sa caisse à laver et les langues se mettaient à fonctionner".
Rem. : Relevé par l'*ALLR* 706. *Cf. chiratte 3.*
Vitalité : Peu attesté au-dessus de 20 ans.

cale (à fond de -), loc. adv. :
A toute vitesse : "Quand il a vu arriver son père avec la trique, il s'est sauvé à fond de cale !"
Rem. : *Cf. daille-daille.*
Vitalité : Bien connu.

calende, n. f. :
Averse courte et violente (caractéristique du mois d'avril) : "Quel temps ! Ce sont les calendes d'avril".
Rem. : Relevé par l'*ALLR* 24. *Cf. châouée 1, gaouée, haouée, holée, rosée 2, trempée, trellée* (annexe).
Etym. : Issu du lat. *calendae* "premier jour du mois".
Vitalité : Attesté au-dessus de 20 ans.

calendrier de l'Avent, loc. n. m. :
Calendrier composé d'une feuille cartonnée sur laquelle figure habituellement un paysage de neige. Dans ce paysage ont été aménagées vingt-quatre fenêtres numérotées qu'on

ouvre successivement, du 1er au 24 décembre. Derrière chaque fenêtre apparaît un dessin évoquant la fête de Noël (bougie, boule décorative, sapin, ange, santon, cadeau...). La dernière fenêtre s'ouvre sur la crèche : "Tous les ans, la grand-mère offre des calendriers de l'Avent aux enfants".
Rem. : On trouve aujourd'hui de tels calendriers renfermant derrière chaque fenêtre un bonbon, un chocolat ou une figurine. D'autres sont en tissu et comportent 24 pochettes dans lesquelles sont cachés des bonbons ou différents petits jouets. Coutume des pays germaniques, *cf. couronne de l'Avent.*
Vitalité : Usuel.

calotte du genou, loc. n. f. :
Rotule : "Il s'est cassé la calotte du genou, il est bien handicapé pour un moment".
Rem. : Relevé par l'*ALLR* 755.
Vitalité : Connu au-dessus de 60 ans > peu attesté > inconnu.

calougeatte, calougeotte, caligeotte, caligeatte, calogeatte, n. f. :
Recoin, cagibi, petite cabane : "Il range ses outils dans sa calougeatte, au fond du jardin".
Rem. : Relevé par Z. (*caloujate* "loge, logette, maisonnette"). *Cf. hallier.*
Etym. : Issu du germ. *laubja* "feuillage".
Vitalité : Usuel au-dessus de 60 ans > attesté >> inconnu. Les formes *calougeatte* et *caligeotte* sont les plus usitées.

camisole, n. f. :
1. Chemise qui descend jusqu'aux genoux, qu'on porte jour et nuit : "Vous le reconnaîtrez facilement, il a toujours une camisole bleue".
2. Gilet, veston : "Mets ta camisole, tu vas avoir froid".
Rem. : Relevé par Z. au sens 2 (*kemisoule*). L'*ALLR* relève le mot dans la c. 790 "corsage". *Rob. 89* signale "vêtement à manches [...] porté sur la chemise (par les hommes)" avec la mention "vieux" et "vêtement de femme porté sur la chemise pour la nuit, ou comme vêtement négligé de travail, etc." avec la mention "vieux ou régional". *TLF* signale les mêmes sens, sans mention pour le vêtement masculin, avec la mention "vieux" pour le vêtement féminin.
Vitalité : **1.** Connu au-dessus de 40 ans > attesté > inconnu. **2.** Connu au-dessus de 60 ans > attesté >> inconnu.

camp-volant, n. m. :
1. Bohémien : "Avec tous ces camps-volants qui rôdent, on n'est pas tranquille".
2. Individu louche, peu recommandable : "Il fréquente des camps-volants, il va mal tourner, celui-là".
3. Loc. : *Habillé comme un camp-volant* : Mal habillé, sale et débraillé : "Tu ne vas pas sortir comme ça, tu es habillé comme un camp-volant !"
Rem. : Relevé par Z. au sens "qui n'a pas de domicile, vagabond, mendiant, saltimbanque" et par l'*ALLR* 1018 "vannier" (voir le commentaire). *Rob. 89* signale le sens militaire, la loc. v. : *vivre en camp-volant* ("de manière instable") et "par métonymie : bohémien, nomade". *TLF* signale le sens "nomade" avec une citation de Moselly. *Cf.* **1.** *carafouchtra, caramougna 2.* **2.** *carafouchtra, caramougna 3, frapouille 3, mamaillou 2, mandrin, rien-qui-vaille.*
Vitalité : Usuel.

canardé, adj. :
Trempé par la pluie : "Quand je rentrais, il a fait une giboulée et je suis toute canardée".
Rem. : Relevé par l'*ALLR* 31. *Rob. 89* ne signale que le sens "plonger de l'avant et embarquer de l'eau, en parlant d'un navire". *Cf. nassgeschwitz, trempé-mouillé, fraîche* (annexe).
Vitalité : Peu attesté.

cancoillotte, n. f. :
Fromage semi-liquide, à tartiner ou qui sert dans diverses préparations : "Le pot de cancoillotte est vide, il va falloir en racheter quand les enfants vont venir".
Rem. : Relevé par l'*ALLR* 661. Signalé par *Rob. 89* ("fromage de Franche-Comté") et *TLF* ("fromage du Jura ou de Franche-Comté"). *Cf. fromage (fort -), fromgéye.*
Vitalité : Connu.

caneçon, n. m. :
Caleçon : "L'hiver revient, on va ressortir les pulls et les caneçons".
Rem. : Relevé par l'*ALLR* 1263. Peut-être plus populaire que régional. *TLF* signale que cette prononciation est considérée comme vicieuse par Littré.
Vitalité : Bien connu au-dessus de 60 ans > connu > inconnu.

caouatte, n. f. : Voir *couette, caouette.*

capable à, loc. adj. :
Capable de : "Il ne faut pas lui dire n'importe quoi, parce que si vous lui dites une bêtise, il est capable à la faire".
Rem. : On entend également *incapable à* "incapable de".
Vitalité : Attesté. Le contraire *incapable à* est connu au-dessus de 40 ans, attesté au-dessous.

capharnaüm, n. m. :
1. Lieu désordonné : "Sa maison est un vrai capharnaüm, on ne sait plus où mettre les pieds".
2. Débarras : "Il met toutes ses affaires dans son capharnaüm. Ce n'est pas plus rangé, mais au moins, on ne les voit plus !"
Rem. : Signalé par *Rob. 89* avec la mention "familier, vieux" au sens 1, "régional" au sens 2. et *TLF* avec la mention "fam." au sens 1, "vieux" au sens 2. *Cf.* **1.** *brindezingue 2, câillon 2, fouchtrâ, labouré 2, quicaille 2, saint-frusquin 2.*
Vitalité : Usuel.

caquelon, n. m. :
Petite casserole en terre ou en fonte : "Les patates sont meilleures quand elles ont cuit dans ce caquelon".
Rem. Z. relève *coclon.* Signalé par *Rob 89* et *TLF* avec la mention "régional (Suisse et Est de la France)". *Cf. coquelle* (annexe).
Vitalité : Bien connu.

caquer, v. tr. :
1. Déféquer : "Il est parti caquer".
2. Au fig., en emploi factitif: Ennuyer : "Cela me ferait caquer d'être obligé de lui devoir quelque chose".
Rem. : Signalé par *Rob. 89* avec la mention "régional (Est, Bourgogne, Wallonie, Suisse)". *Cf. caguer.*
Vitalité : Connu.

carabistouille, n. f. :
1. Histoire, mensonge plaisant : "Il passe son temps à raconter des carabistouilles".

2. Au pl. : Chatouilles, prélude amoureux : "Il me fait des carabistouilles".
Rem. : Signalé par *TLF* avec la mention "Belgicisme. Français régional de Bruxelles". Noté par Colin au sens "sottise, petite escroquerie". *Cf.* **1.** *corne-cul (histoires de -), fiauve, couatche 2, diseries, ramages 1, apoloche* (annexe), *barbouillerie* (annexe).
Vitalité : **1.** Attesté. **2.** Attesté au-dessus de 20 ans.

carafouchtra, n. m. :
Voir *caramougna.*
Rem. : **1.** Signalé par l'*ALLR* 1015. *Cf. caramougna.*
Etym. : La 1re partie du mot correspond à *cara-* de *caramougna* (préfixe dépréciatif *ca-* + *ra* probablement issu de *ramoner).* La 2e partie, *fouchtra,* est le juron attribué aux Auvergnats (équivalent de *fichtre*, issu de *foutre*). Les rétameurs, chaudronniers ambulants, ramoneurs étaient souvent auvergnats.
Vitalité : **1.** Attesté au-dessus de 40 ans. **2. 3.** Attesté.

caramougna, caramagna, caramogna, n. m. :
1. Rétameur, chaudronnier ambulant : "Le caramougna va passer, je lui donnerai la bassine à réparer".
2. Bohémien : "Il y a une bande de caramougnas qui s'est installée à l'entrée du village".
3. Bon à rien : "Elle a épousé un caramougna, elle n'est vraiment pas aidée".
Rem. : **1.** Relevé par Z. et l'*ALLR* 1015. Le mot a désigné, de manière péjorative, les émigrés polonais. *Cf.* **3.** *camp volant 2, carafouchtra, frapouille 3, mamaillou 2, mandrin, rien-qui-vaille.*
Etym. : Formé sur le lat. **manianus* "travailleur manuel", avec l'influence de *ramoner (cara-)*, voir le précédent.
Vitalité : Bien connu. La forme la plus usitée est *caramougna.*

carême, n. m. :
1. Dans la loc. v. : *Faire le carême* : Faire les semailles de printemps : "Voilà le printemps, il va falloir faire le carême".
2. Dans la loc. v. : *Faire carême* : Se passer de qqch. : "Quand on ne peut pas se payer ce qu'on veut, eh bien, on fait carême, et c'est tout !"
Rem. : **2.** Signalé par *Rob. 89* avec la mention "fam. et vieux". *Cf.* **1.** *mars (faire le -)* (annexe).
Vitalité : **1.** Peu attesté. **2.** Connu au-dessus de 20 ans.

carte, n. f. :
Cartable : "Sa carte est encore toute déchirée, il n'en prend aucun soin".
Etym. : Du latin *charta* "papier".
Vitalité : Connu au-dessus de 60 ans > attesté > peu attesté > inconnu.

cartoufle, n. f. :
Pomme de terre : "Cette année, les cartoufles sont petites et ne se conservent pas".
Rem. : *Cf. grombire.*
Etym. : Altération de l'allemand *Kartoffel*, également usité en patois mosellan germ.
Vitalité : Attesté.

casemate, n. f. :
W.C. : "Chez nous, on va toujours dans la casemate qui est au fond du jardin".
Etym. : De l'allemand *käsbrett* "égouttoir à fromages", avec l'influence du fr. *casemate.*

Vitalité: Régionalisme sémantique attesté au-dessus de 20 ans.

casse-lunettes, n. f.:
Euphraise officinale ou centaurée-bleuet, dont on fait une lotion, nommée "eau de bleuet", réputée efficace contre la faiblesse de la vue: "Il a été chercher un panier de casse-lunettes; il ne se soigne qu'avec ça".
Rem.: Z. relève *casse linète* "bluet". Noté par Bonnier. Signalé par *Rob. 89* avec la mention "vieux ou régional" et *TLF* avec la mention "pop., fam.".
Vitalité: Peu attesté au-dessus de 20 ans.

cassissier, n. m.:
Plant de cassis: "J'ai remis de nouveaux cassissiers dans le jardin".
Rem.: Signalé par *Rob. 89* sous *cassis* avec la mention "syn. rare de *cassis*" et *TLF* (sous *cassis*) avec une citation de Colette.
Vitalité: Connu au-dessus de 40 ans > attesté > inconnu.

casuel, adj.:
Fragile, cassant: "La porcelaine est casuelle".
Rem.: Relevé par Z. *TLF* note en remarque: "appliqué à un animé ou à un inanimé, a, dans la langue pop. de certaines régions de France ainsi qu'en Belgique (du moins en Flandre) et au Canada, le sens de « fragile » et de « hasardeux »".
Vitalité: Connu au-dessus de 60 ans.

catiche, n. f.:
Poupée: "Tu n'as plus l'âge de jouer avec tes catiches!"
Rem.: Relevé par l'*ALLR* 885. *Cf. fanchon, gueniche, guenon, tontiche 1, chonchon* (annexe).
Etym.: Diminutif de *Catherine*.
Vitalité: Connu au-dessus de 40 ans. La variante phonétique *quétiche* est peu attestée au-dessus de 20 ans.

cause (à - que), loc. conj.:
Parce que : "Il n'est pas venu à cause que sa voiture était en panne".
Rem.: Archaïsme du français.
Vitalité: Bien connu.

causer, v.:
1. V. tr.: Etre en bons rapports avec qqn.: "Le voisin? je ne le cause plus depuis qu'il a déplacé la borne de son terrain".
2. Emploi pr.: Se fréquenter, avoir des rapports amoureux: "Ça fait deux ans qu'ils se causent, mais il n'est toujours pas question de mariage".
Rem.: Relevé par l'*ALLR* 957. Régionalisme sémantique. *Cf.* **2.** *fréquenter 1, parler 1, schmouse 3 (faire du -), schmouser 2, chnâiller 2.*
Vitalité: Bien connu.

cautériser (se), v. pr.:
Se cicatriser: "Je me suis blessé avec un clou et c'est long à se cautériser".
Vitalité: Régionalisme sémantique connu.

célibataire, n. m.:
Sanglier solitaire: "J'étais à mon poste quand j'ai vu passer à cinq mètres un célibataire qui ne m'a même pas remarqué".
Rem.: *Cf. souillot 1, watz.*
Vitalité: Bien connu des chasseurs.

cervelas, n. m.:
Grosse saucisse conservée dans la saumure: "Chez les cousins, à la campagne, on mangeait du cervelas, j'avais du mal à l'avaler".

Rem. : Z. relève *cervelès* "cervelas", sans précision supplémentaire. La définition donnée par *TLF* ne correspond pas à celle du mot tel qu'il est usité ici.
Vitalité : Régionalisme sémantique attesté.

ch- : Voir aussi **sch-**.

chabraque, adj. :
Fantasque, bizarre : "Il est gentil, mais chabraque. Quand on ne le connaît pas, ça surprend un peu".
Rem. : Z. relève "*chabraque*, s. f. : gourgandine, rosse, coquin, terme d'injure". Signalé comme n. f. par *Rob. 89* "femme, fille (laide, de mauvaise vie, étourdie, selon les régions)", avec la mention "régional" et *TLF* "femme de mœurs légères", avec la mention "régional (Orléanais, Beauce, etc.)".
Vitalité : Attesté au-dessus de 40 ans.

chabrot, chabrol, chaprot, n. m. :
1. Mélange de vin et de soupe : "Il prend son chabrot tous les soirs".
2. Loc. v. : *Faire chabrot* : Ajouter du vin à un reste de soupe : "Les vieux avaient l'habitude de faire chabrot".
Rem. : Signalé par *Rob. 89* et *TLF* avec la mention "régional (Sud-Ouest)".
Vitalité : Bien connu au-dessus de 20 ans.

chache crepé, loc. n. m. : Voir *crêpé*.

chairotte, n. f. : Voir *chirotte*.

chagriner (se), v. pr. :
Se couvrir (en parlant du temps) : "Depuis midi, le temps se chagrine, on ne va tarder à avoir la pluie".
Rem. : *Rob. 89* ne signale que le sens moral ("s'inquiéter, se tourmenter").
Vitalité : Connu.

chambouler, chamboler, v. i. :
Tituber : "Il a encore bu un sacré coup pour chambouler comme ça !"
Rem. : Signalé par *TLF* "*chambouler* : rég. Lorraine, emploi intransitif régional, « tituber comme un homme ivre »".
Vitalité : Connu au-dessus de 60 ans > attesté >> inconnu.

chamboule-tout, n. m. :
Jeu de kermesse ou de foire, jeu de massacre (empilement de boîtes à faire tomber à l'aide de balles) : "A la fête, il aimait surtout le chamboule-tout car il était assez adroit".
Etym. : De *chambouler*.
Vitalité : Connu.

chambre, n. f. :
Pièce d'un appartement, d'une maison, quelle que soit sa fonction : "Il vient d'acheter un appartement de cinq chambres".
Rem. : Signalé par *Rob. 89* avec la mention "régional (Suisse)" et *TLF* avec la mention "vieux".
Vitalité : Bien connu au-dessus de 20 ans.

chambre (belle -), chambre de devant, loc. n. f. :
Pièce donnant sur la rue, chauffée, servant de pièce de réception, dans la maison lorraine traditionnelle : "La belle chambre, on la réserve aux invités".
Rem. : Relevé par l'*ALLR* 379 "(le) poêle" (mot inconnu en français local).

Vitalité: *Belle chambre*: Bien connu au-dessus de 60 ans > attesté > inconnu. *Chambre de devant*: Bien connu au-dessus de 20 ans.

chambre à four, n. f.:

Fournil: "On a conservé la chambre à four comme quand on faisait le pain".
Vitalité: Connu au-dessus de 40 ans > attesté > inconnu.

champêtre, n. m.:

Garde champêtre: "Fais attention, si le champêtre te voit, tu auras un procès".
Rem.: Relevé par l'*ALLR* 1028. *Cf. appariteur, ban-ouâ* (annexe).
Vitalité: Attesté.

chânette, chânotte, chânatte, n. f.:

Chéneau, gouttière: "Il faudra bientôt changer les chânettes, il y a une gouttière*".
Rem.: Relevé par Z. et l'*ALLR* 357, 358. *Cf. chanlatte, cheneau.*
Etym.: Dérivé dim. du latin *canalis* "tube, tuyau".
Vitalité: Peu attesté au-dessus de 40 ans.

change, n. m.:

Vêtement(s) de rechange: "Il est parti comme il était, il n'a même pas emporté un change".
Rem.: Variante sémantique du français commun. *Cf. rechange.*
Vitalité: Usuel.

chanlatte, n. f.:

Chéneau, gouttière: "Les chanlattes en plastique sont pratiques, mais fragiles".
Rem.: Régionalisme sémantique. *Rob. 89* et *TLF* signalent le mot avec la mention: "Techn. Charpenterie: chevron taillé en biseau pour soutenir les dernières tuiles et l'égout de la toiture". *Cf. chânette, cheneau.*
Vitalité: Connu au-dessus de 60 ans > peu attesté >> inconnu. La variante *chaulatte* est peu attestée.

chanveux, chanvreux, adj.:

Sec et filandreux: "La viande du pot-au-feu est trop chanveuse, on en a plein les dents".
Rem.: Relevé par Z. et l'*ALLR* 110 "(carottes) molles".
Etym.: Dérivé du fr. *chanvre.*
Vitalité: Attesté au-dessus de 40 ans.

châouée, n. f.:

1. Grosse averse: "Il est tombé une châouée juste quand je sortais, je suis trempé".
2. Inondation: "Le tuyau de l'évier a lâché à la soudure, ça a fait une châouée dans la cuisine".
3. En part.: Incontinence nocturne: "Il a encore fait une châouée dans son lit, cette nuit".
Rem.: Relevé aux trois sens par Z. L'*ALLR* 24 le relève au sens 1. *Cf.* **1.** *calende, gaouée, haouée, holée, rosée 2, trempée, trellée* (annexe).
Etym.: Dér. du lat. *exaquare* "drainer, rincer, sortir de l'eau".
Vitalité: **1.** Attesté. **2. 3.** Attesté au-dessus de 60 ans. La variante *choouée* est peu attestée au-dessus de 40 ans.

chapeau, n. m.:

Masse de grappes et d'écume flottant à la surface de la cuve: "Le chapeau est monté jusqu'en haut de la cuve".
Rem.: *TLF* signale: "Technologie: couche d'écume surmontant un liquide en fermentation".
Vitalité: Connu au-dessus de 40 ans.

chapelle, n. f. :
Reposoir : “A la Fête-Dieu, on faisait des chapelles dans tous les villages*, c’était à celui qui ferait la plus belle”.
Rem. : Relevé par l’*ALLR* 969, dans le commentaire. Régionalisme sémantique.
Vitalité : Attesté au-dessus de 60 ans > peu attesté > inconnu.

chapouiller (se), v. pr. :
Se quereller : “Ils passent leur temps à se chapouiller, mais dans le fond, ils s’aiment bien”.
Rem. : *Cf. chicailler (se), harpouiller (se) 2.*
Etym. : Formé sur le lat. *peduculus* “pou”. Le 1er élément est peut-être le fr. *chat* ou une influence du lat. **cappare* “châtrer”.
Vitalité : Connu au-dessus de 40 ans, peu attesté au-dessous.

char, n. m. :
1. Véhicule de transport agricole à quatre roues : “Le char a glissé dans le pré et tout le chargement s’est renversé”.
2. Chargement de ce véhicule : “On a rentré cinq chars de paille avant l’orage”.
Rem. : Relevé par Z. (*ché*). Signalé par *Rob. 89* “(surtout dans quelques syntagmes) *char à foin, char de vendange, char à bœufs*” et *TLF* avec la mention “vieilli”.
Vitalité : Connu au-dessus de 20 ans.

charbon (petit -), loc. n. m. :
Bois de chauffage : “Mon fils me fait mon petit charbon, je ne m’en occupe plus”.
Rem. : *Cf. brûle (bois de -), charbonnette.*
Vitalité : Peu attesté.

charbonnette, n. f. :
Bois de chauffage de taille moyenne : “Sur le fagot, on met la charbonnette et quand ça a pris, on met du bois plus gros ou du charbon”.
Rem. : *Rob. 89* signale le sens “bois préparé, coupé pour faire du charbon”, avec la mention “vieux, techn.” et *TLF* le sens “bois de même calibre” avec une citation des Goncourt. (voir Rézeau). *Cf. brûle (bois de -), charbon.*
Vitalité : Connu au-dessus de 20 ans.

charge (avoir une bonne -), loc. v. :
Etre ivre : “Regarde comme il chamboule*, il a une bonne charge !”
Rem. : *TLF* signale “*En avoir sa charge* “être ivre” avec la mention “vieilli”. *Cf. : chnoboloï (être -), être en train, hotte (avoir une bonne -), hottée (avoir une bonne -), schwipse* (annexe).
Vitalité : Attesté.

charger (les tonneaux), v. tr. :
Remplir : “On charge les tonneaux et on les roule sur les chantiers”.
Rem. : Régionalisme sémantique, peut-être attiré par le sens arg. de *charger* : “enivrer”.
Vitalité : Connu en milieu viticole.

charivari, n. m. :
Tapage à l’occasion du remariage d’un veuf ou d’une veuve : “Quand le* René s’est remarié, on lui a fait un sacré charivari”.
Rem. : Signalé par *Rob. 89* avec la mention “vieilli ou éthnol.” et *TLF* avec la mention “vieilli”.
Vitalité : Connu au-dessus de 20 ans.

charmille, n. f. :
Charme : “C’est de la charmille, ce bois-là, il est dur et il chauffe”.

Rem.: *Rob. 89* ne signale que les sens "petits charmes, allée ou haie de charmes" et *TLF* "pépinière de petits charmes" avec la mention "vieux". *Cf. bois de curé.*
Vitalité: Connu au-dessus de 20 ans.

charpagnate, n. m.:

1. Vannier: "Son père était charpagnate, ses paniers étaient solides, j'en ai encore un".
2. Clochard: "Il y a un charpagnate à la sortie de l'église, il y a longtemps qu'on n'en avait pas vu ici".
Rem.: Z. relève *cherpègni* "vannier" et *cherpègnate* "petit panier en osier". L'*ALLR* 1018 relève le sens 1. *Cf.* **2.** *boumleur.*
Etym.: Dérivé de *charpagne.*
Vitalité: Attesté.

charpagne, n. f.:

1. Panier ovale, corbeille à linge: "Les femmes partaient au lavoir avec leurs charpagnes dans les brouettes".
2. Contenu d'une corbeille: "Quand les gosses étaient petits, je lavais parfois cinq à six charpagnes dans la semaine".
Rem.: Relevé par Z. : *cherpègne* "ouvrage de vannerie ou panier sans anses" et l'*ALLR* 486 "(le) panier (à deux anses)". Signalé par *Rob. 89*, au sens "grand panier d'osier en forme de calotte" avec la mention "régional (Nord-Est de la France)" et *TLF*: "régional dans l'Est de la France: grand panier d'osier". *Cf.* **1.** *haberlin, mannequin 2, panière, banse* (annexe), *baugeatte* (annexe), *carreau* (annexe), *panier Woippy* (annexe).
Vitalité: Connu au-dessus de 60 ans.

charrette, n. f.:

Landau de bébé: "On partait veiller avec le gamin dans la charrette".
Vitalité: Régionalisme sémantique attesté.

chatte, n. f.:

Chat: "Il a trois chattes. Heureusement, ce sont des mâles".
Rem.: Relevé par l'*ALLR* 311. L'emploi du féminin provient probablement ici de l'influence du patois germ. mosellan *Katz* et de l'allemand *Katze*, n. f. "chat". *Cf. katz, râou.*
Vitalité: Attesté au-dessus de 60 ans > peu attesté > inconnu.

chaubroiller, v. i.:

Bricoler, ne rien faire de précis: "Il chaubroille toute la journée, ce n'est pas une vie pour un garçon de cet âge".
Rem.: Relevé par Z.
Etym.: Hybride issu de la rencontre du germ. **brod-* "bouillon, sauce" et du lat. *carbunculus* "charbon".
Vitalité: Attesté au-dessus de 60 ans > peu attesté > inconnu.

chauder, v. tr.:

1. Brûler: "Je m'ai* chaudé après le poêle".
2. Ebouillanter ou brûler les volailles et les porcs pour enlever les plumes ou les soies: "N'oublie pas de chauder le poulet avant de le faire cuire".
3. Echauder: "Il croyait bien que ça marcherait avec elle, mais il a été chaudé".
Rem.: Relevé par Z. (sens 2 et 3) et par l'*ALLR* 570 (sens 1).
Etym.: Du lat. *excaldare* "laver à l'eau chaude".
Vitalité: Attesté au-dessus de 40 ans > peu attesté > inconnu.

chaud et froid, n. m.:
Pneumonie: "Il est mort d'un chaud et froid à plus de 90 ans".
Rem.: Relevé par l'*ALLR* 920 "pleurésie". *Rob. 89* signale *prendre (attraper) un chaud et froid* "un refroidissement" et *TLF* "refroidissement pouvant entraîner diverses maladies (rhume, grippe, bronchite)".
Vitalité: Bien connu.

chaudière, n. f.:
1. Local dans lequel on prépare la nourriture des porcs: "La chaudière et la cabane des cochons sont nettoyées, on n'a plus qu'à en acheter de nouveaux".
2. Chaudron dans lequel on fait cuire la pâtée des porcs: "J'ai fait une chaudière cet après midi".
3. Nourriture des porcs: "Donne la chaudière aux cochons".
4. Loc. v.: *Faire cuire la chaudière*: Faire cuire la nourriture des porcs: "J'ai fait cuire la chaudière, elle n'a plus qu'à refroidir".
Rem.: Relevé par Z. (sens 2 et 4) et par l'*ALLR* 295 (sens 1), 297 (sens 3) et 1252 (sens 4). Régionalisme sémantique. *Cf.* **1.** *buanderie.* **3.** *mouture, pouture.*
Vitalité: Peu attesté.

chaudure, n. f.:
Ortie: "J'ai* tombé dans les chaudures ce matin, ça me pique encore".
Rem.: Relevé par Z. et l'*ALLR* 79. *Cf. échaudure.*
Etym.: Voir *chauder.*
Vitalité: Attesté.

chaulatte, n. f.: Voir *chanlatte.*

chaurée, n. f.:
1. Bouffée de chaleur: "Quand j'ai eu mon retour d'âge, j'ai eu des chaurées pendant un moment".
2. Suée: "Quand on a changé le fourneau, j'ai pris des sacrées chaurées à le déplacer".
Rem.: Relevé par l'*ALLR* 925 (sens 1).
Etym.: Dérivé du latin *calorare* "réchauffer".
Vitalité: **1.** Usuel. **2.** Connu.

chaussette (grande -), n. f.:
Chaussette, mi-bas: "Je lui ai tricoté des grandes chaussettes pour l'hiver".
Vitalité: Connu.

chemin de Saint Jacques, loc. n. m.:
1. Voie lactée: "Le ciel est clair, on voit bien le chemin de Saint Jacques".
2. Loc. v.: *Faire le chemin de Saint Jacques*: Perdre en marchant quelque chose qui s'écoule continuellement (liquide, poudre, sable, etc.): "Ton paquet de farine est troué, tu fais le chemin de Saint Jacques". "Le gamin n'a pas eu le temps d'arriver aux cabinets, il a fait le chemin de Saint Jacques".
Rem.: Signalé par *Rob. 89* au sens 1 sans mention.
Vitalité: **1.** Attesté au-dessus de 60 ans > peu attesté > inconnu. **2.** Peu attesté.

cheneau, chéneau, n. m. et f. :
Gouttière: "Les couvreurs ont changé les vieilles chéneaux du toit de la grange".
Rem.: Relevé par Z. (n. m.) et l'*ALLR* 357. Régionalisme grammatical (emploi du féminin) et phoné-

tique (*cheneau*). *Cf. chânette, chanlatte, chaulatte.*
Vitalité: Bien connu.

chenevière, n. f.:
1. Terre où l'on cultive le chanvre: "Autrefois, toutes ces terres étaient des chenevières".
2. Jardin et verger derrière la maison: "Les patates de la chenevière sont déjà en fleurs".
Rem.: Relevé par Z. et l'*ALLR* 93. **1.** *Rob. 89* signale "*chènevière*: champ où croît le chanvre", avec la mention "régional ou vieilli". *TLF* le signale sans mention, avec une citation de Guyot, *Rapport sur l'état de l'agriculture en Lorraine, 1789-1889.*
Vitalité: **1.** Usuel au-dessus de 60 ans > attesté > inconnu. **2.** Attesté au-dessus de 60 ans, peu attesté au-dessous.

chepé, n. m.:
Chapeau: "Tu en as un beau chepé !"
Rem.: Emprunt au patois relevé par Z. et l'*ALLR* 793.
Etym.: Forme dialectale correspondant au fr. *chapeau.*
Vitalité: Connu au-dessus de 60 ans > attesté > inconnu.

cherber, v. tr.:
Eclaircir (un semis), laisser un plant sur deux, désherber: "Cet après-midi, j'ai cherbé les semis de carottes".
Rem.: Relevé par Z. et l'*ALLR* 98. *Cf. dépaissir, réclaircir, desserrer* (annexe).
Etym.: Du lat. *exherbare* "sarcler, désherber".
Vitalité: Peu attesté au-dessus de 40 ans.

chère sœur, n. f.:
Religieuse: "Elle a été à l'école chez les chères sœurs".
Rem.: Signalé par *TLF* avec la mention "plus rare [que *bonne sœur*], vieilli". *Cf. câcatte 3.*
Vitalité: Usuel.

chérigogotte, n. f.: Voir *gogotte.*

cheulard, adj. et n. m.:
1. Gourmand: "Quel cheulard, celui-là, il ne laisserait rien aux autres si on ne l'arrêtait pas !"
2. Ivrogne: "Il fréquente une espèce de cheulard qui passe son temps au bistrot".
Rem.: Relevé par l'*ALLR* 892 "ivrogne". Z. note "*cheulant* « gourmand, ivrogne »" et "*cheulad* « qui a toujours soif, ivrogne »". Signalé par *TLF* avec la mention "régional. Terme lorrain". Mentionné par Esnault (n. m. : "ivrogne") qui en rappelle l'origine lorraine. *Cf.* **1.** *friand 1, galafe, trangniou* (annexe). **2.** *soûlon 1, tosseur, hausse-godat* (annexe).
Vitalité: Attesté au-dessus de 60 ans > peu attesté > inconnu.

cheule, n. f.:
Alcool, boisson: "La cheule, c'est tout ce qui l'intéresse".
Rem.: Z. relève ce mot au sens "soif". *Cf. brandevin, doux, eaux bleues, fort, liche 1* (annexe), *schnaps, schnick.*
Etym.: Déverbal de *cheuler.*
Vitalité: Peu attesté.

cheuler, v. tr. et i.:
1. Manger goulûment: "Lui, si tu l'invites, il viendra toujours, du moment qu'il peut cheuler".

2. Boire à l'excès : "Il a cheulé une bouteille à lui tout seul".
Rem. : Relevé par Z. Le verbe est mentionné en étym. par *TLF* (sous *cheulard*). *Cf.* **1.** *chiquer, daller 2, décrotter, fruchtiquer, ribote, ventrer (se), gosser* (annexe), *tôper* (annexe) et *tosser 3* (**2**).
Vitalité : **1.** Attesté au-dessus de 60 ans > peu attesté > inconnu. **2.** Connu au-dessus de 60 ans > peu attesté > inconnu.

cheville, n. f. :
1. Pince à linge : "Le gamin me prend toutes mes chevilles pour s'amuser".
2. Loc. n. f. : *Cheville de pied* : Cheville : "Je me suis tordu la cheville de pied en courant".
Rem. : **1.** Z. relève *cheviate* "chevillette qui sert à pendre le linge". **2.** Relevé par l'*ALLR* 758. Régionalisme sémantique.
Vitalité : **1.** Attesté au-dessus de 40 ans > peu attesté > inconnu. **2.** Peu attesté.

chèvre, n. f. :
Dans les loc. v. : *Faire venir chèvre, rendre chèvre* : Faire enrager : "Ces gosses me feront venir chèvre (ou "me rendent chèvre")".
Rem. : Variante de la loc. v. *faire devenir chèvre* (également connue) signalée par *Rob. 89* sans mention et *TLF* avec la mention "vieilli".
Vitalité : *Faire venir chèvre* : Connu. *Rendre chèvre* : Bien connu.

chiant-culotte, chiou-culotte, adj. et n. m. :
Poltron : "On les voyait se sauver, tous ces chiant-culottes, sans demander leur reste".
Rem. : Relevé par Z. (*chiye-an-keulate*).
Etym. : Littéralement : "chie en culotte".
Vitalité : Connu au-dessus de 60 ans > peu attesté >> inconnu.

chiasseux, chiassou, adj. :
1. Chassieux : "Il a les yeux tout chiassous".
2. Peureux : "Il est chiasseux, le moindre bruit l'inquiète".
Rem. : Signalé par Colin uniquement au sens "souillé d'excréments".
Etym. : Dér. de *chiasse.*
Vitalité : **1.** Attesté. **2.** Connu.

chicaïas, n. f. :
Dispute, chamaillerie : "Entre eux, ce sont des chicaïas perpétuelles".
Etym. : Formé sur le radical onomatopéique *tsikk-* (voir *chicailler*), ou emprunt à l'arg. *chicaya* "querelle, chicane", relevé par Caradec (de l'arabe *s(i)kaya* "plainte", selon Noll).
Vitalité : Attesté au-dessus de 60 ans > peu attesté > inconnu.

chicaille, n. f. :
1. Dispute, chamaillerie : "Il y a eu une chicaille entre eux mais depuis, ils se sont réconciliés".
2. Petite pièce de monnaie : "Il n'y a plus que des chicailles, dans ce porte-monnaie".
Rem. : Relevé par Z. aux sens "choses de peu de valeur, bêtise".
Etym. : Voir *chicailler.*
Vitalité : **1.** Connu. **2.** Peu attesté au-dessus de 40 ans.

chicailler (se), v. pr. :
Se disputer pour peu de chose : "Ils sont tout le temps en train de se chicailler, mais ils sont inséparables".

Rem.: *Chicailler* apparaît sous *chicaner*, dans la rubrique étymologique de *Rob. 89*. *Cf. chapouiller (se), harpouiller (se) 2.*
Etym.: D'un radical onomatopéique *tsikk-* exprimant la petitesse, peut-être fréquentatif du v. dial. du nord-est *chiquer* "donner un petit coup".
Vitalité: Connu.

chicon, n. m.:

1. Plant d'endive: "On a épointé les chicons pour les mettre blanchir à la cave".
2. Loc. adj.: *Amer comme chicon*: Très amer: "Ce café est amer comme chicon, donne-moi un autre morceau de sucre".
Rem.: **1.** Signalé par *Rob. 89* avec la mention "régional (Belgique)" et *TLF* avec la mention "régional (Nord, Belgique)".
Vitalité: **1.** Connu au-dessus de 60 ans > attesté > peu attesté > inconnu. **2.** Connu au-dessus de 60 ans > peu attesté > inconnu.

chienlit, n. m.:

1. Dernier-né: "Celui-là, c'est le chienlit, on l'a toujours dans les jambes".
2. Enfant désagréable, agaçant: "Quel chienlit, ce gosse, je ne le supporte plus".
Rem.: Relevé par l'*ALLR* 863 et 951. Régionalisme sémantique (= "chie en lit"). *Cf.* **1.** *culat 1, queulot.*
Vitalité: **1.** Attesté au-dessus de 60 ans, peu attesté au-dessous. **2.** Connu au-dessus de 60 ans, peu attesté au-dessous.

chier dans la poche, loc. v.:

Jouer un tour (à qqn.): "Depuis qu'il m'a chié dans la poche, je ne lui cause plus".
Rem.: Z. relève: "*T'es chieu dans mè male*: tu as chié dans ma poche". Variante de *chier dans les bottes*, signalé par *Rob. 89* et *TLF.*
Vitalité: Peu attesté.

chigner, chougner, v. i.:

Pleurnicher: "Cette vieille chigne tout le temps, mais elle n'est pas à plaindre".
Rem.: Relevé par Z. (*cheugneu*). *Chigner* est signalé par *Rob. 89* et *TLF* avec la mention "vieilli".
Etym.: *Chougner*, absent des dictionnaires, est formé sur la base onomatopéique *win-*.
Vitalité: Usuel.

chigneux, chougneux, adj.:

Pleurnicheur: "Qu'est-ce qu'elle est chigneuse, cette gamine, il y a toujours quelque chose qui ne va pas".
Rem.: Relevé par l'*ALLR* 862. *Cf. mignot* (annexe).
Etym.: Dérivé de *chigner, chougner* ci-dessus.
Vitalité: Connu.

chignoter, chougnoter, v. i.:

Pleurnicher, voir *chigner, chougner* ci-dessus.
Etym.: Dérivé de *chigner, chougner.*
Vitalité: Attesté au-dessus de 20 ans.

chinois, n. m.:

Gâteau à pâte briochée fourré de fruits confits et de crème, recouvert de sucre glace (commercialisé, p. ex., sous le nom de *brioche suisse* dans la région Rhône-Alpes). Il est rond, formé de plusieurs "escargots*" de pâte, de 5 à 6 cm d'épaisseur: "Je vais acheter un chinois au cas où la tante viendrait prendre le café".

Etym.: Ce mot serait né au début des années 1960 dans une boulangerie-pâtisserie de Hombourg-Haut. Cette brioche, qui portait le nom de *Schneckenkuchen* "gâteau escargot", mot imprononçable pour un client ou un apprenti, selon les versions, aurait fait dire à ce dernier que c'était du *chinois*. Depuis, ce gâteau se serait appelé *chinois*. *Le Républicain Lorrain* a publié à ce sujet plusieurs articles dans le courrier des lecteurs.
Vitalité: Usuel.

chique, n. f.:

Bille: "Les gamins jouent aux chiques".
Rem.: Attesté par Z. et l'*ALLR* 875. Régionalisme sémantique. *Cf. baks, biscaïen 1, toc 5.*
Vitalité: Usuel.

chiquenotte, n. f.:

Chiquenaude: "Pour faire avancer ta chique*, il faut donner une chiquenotte".
Etym.: Du fr. *chiquenaude*. La finale *-aude* (qui est peut-être un suffixe dim.) a été remplacée par le suffixe dim. *-otte*.
Vitalité: Attesté au-dessus de 60 ans > peu attesté > inconnu.

chiquer, v. tr. et i.:

Manger: "Il a eu vite fait de tout chiquer".
Rem.: Relevé par Z. Signalé par *Rob. 89* et *TLF* avec la mention "vieux". *Cf. cheuler 1, daller 2, décrotter 1, fruchtiquer, ribote, ventrer (se), gosser* (annexe), *tôper* (annexe).
Vitalité: Peu attesté.

chirattes, chirottes, n. f. pl.:

1. Chaise à haut dossier: "On est bien, sur vos chirottes, c'est confortable".
2. Manège de petites chaises (chaises volantes, pousse-pousse): "Les chirattes venaient à toutes les fêtes et puis elles ont été interdites parce qu'il y a eu des accidents".
3. Au s. : Caisse où se place la lavandière pour laver le linge: "Elle partait au lavoir tous les lundis avec son linge et sa chiratte sur la brouette".
Rem.: Z. ne signale que *chirate* "petite chaise". *Cf.* **3.** *caisse à laver.*
Etym.: Diminutif de *chire, chaire* "chaise", du latin *cathedra.*
Vitalité: **1.** Attesté au-dessus de 20 ans. **2.** Attesté au-dessus de 60 ans > peu attesté > inconnu. **3.** Peu attesté au-dessus de 60 ans, comme la variante phonétique *chairotte.*

chite, n. f.:

Diarrhée: "Il a la chite, il va falloir l'emmener au* médecin".
Rem.: Relevé par l'*ALLR* 750. *Cf. déclichette, schnell catherine, trisse* (annexe).
Etym.: Du germ. **skitan* "déféquer".
Vitalité: Peu attesté.

chmère, n. f.:

Cigarette: "Tu n'as pas une chmère à me passer?"
Etym.: Mot d'origine obscure, appartenant à l'argot des jeunes. Peut-être à rapprocher du flamand *smoor* "brouillard, fumée", *smooren* "fumer" et de l'allemand *schmoren* "griller, carboniser".
Vitalité: Connu au-dessous de 20 ans.

chnâiller, v. i.:
1. Traîner, déambuler, errer, rôder: "Il chnâille en ville des journées entières depuis qu'il n'a plus de travail". "Il y a quelqu'un qui chnâille sur la place depuis un moment, je ne le connais pas".
2. Flirter: "Les jeunes chnâillent dans tous les coins, c'est le printemps!"
3. Faire l'amour: "Ils croient qu'il suffit de chnâiller pour être adultes?"
Rem.: *Cf.* **1.** *rôiller, trôler, trôyer.* **2.** *causer 2, fréquenter 1, parler 1, râouer 2, schmouse 2 (faire du -), schmouser 2.* **3.** *affaires (faire ses -), kèner* (annexe).
Etym.: Dérivé du lat. *canis* "chien".
Vitalité: **1. 2.** Connu. **3.** Connu au-dessus de 40 ans.

chniquer, v. tr. et i.:
Puer: "Qu'est-ce que ça chnique, par ici, c'est l'ensilage".
Rem.: Relevé par Merle. *Cf. schmaquer, chtinkser.*
Etym.: Probablement issu du germ. *schneuken* "fureter, renifler", avec l'influence de *schmiquer** (voir, sous *schmaquer*) ou de l'allemand *stinken* "puer".
Vitalité: Attesté au-dessus de 20 ans.

chnoboloï (être -), loc. v.:
Etre ivre: "Il m'a fait boire de la mirabelle, j'étais complètement chnoboloï".
Rem.: *Cf. charge (avoir une bonne -), être en train, hotte (avoir une bonne -), hottée (avoir une bonne -), schwipse* (annexe).
Etym.: Origine obscure. Peut-être issu du germ. *schnobbelen, snubbelen* "trébucher", *schnabbelen* "bafouiller, parler vite et indistinctement" qui a donné, p. ex., le fr. rég. *schnabeler* (annexe), l'allemand de Suisse *schnabelieren,* l'allemand *schnabulieren* "manger, boire avec plaisir, goulûment" ou le scandinave *snuble* (norvégien) "trébucher, perdre l'équilibre, s'embrouiller, bredouiller".
Vitalité: Connu au Nord.

choffiot, n. m.:
Soufflet: "On va donner un coup de choffiot sur ce feu".
Rem.: Relevé par Z. et l'*ALLR* 417.
Etym.: Forme dialectale de *soufflet.*
Vitalité: Attesté.

choffioter, v. i.:
Souffler sur le feu: "Choffiote un peu pour garder une belle flamme".
Etym.: Forme dialectale dér. de *choffieu* "souffler" (*cf. Z.* et l'*ALLR* 416). *Cf. choffier* (annexe).
Vitalité: Attesté.

chons, n. m. pl.:
1. Lard frit, lardons braisés: "J'ai fait des chons avec des patates, pour midi". On dit aussi *chons de lard.*
2. Reste cartilagineux de la graisse de porc fondue: "On se sert des chons pour faire le boudin".
Rem.: Relevé par Z. (*chon, chawon*) et par l'*ALLR* 307 "(le) lard frit". *Cf.* **1.** *grillon.*
Etym.: Du germ. **khâda* "cretons".
Vitalité: **1.** Usuel au-dessus de 60 ans > attesté > inconnu. **2.** Connu au-dessus de 40 ans, peu attesté au-dessous. *Chon de lard* est usuel au-dessus de 60 ans > connu > peu attesté.

choouée, n. f.: Voir *châouée.*

chouchette, chouchoute, n. f. : Mèche de cheveu : "Maintenant les jeunes ont des chouchettes de toutes les couleurs".
Rem. : Relevé par Z. (*chouchètes*). *Cf. choupette, chouquette.*
Etym. : Féminin formé sur *chouchou*, redoublement de *chou* (lat. *caulis*), avec l'influence probable de *choupette* (voir ce mot).
Vitalité : Peu attesté.

chou-fleur, n. m. : Champignon (*sparassis crispa*) : "C'est la période du chou fleur, en ce moment, on va voir s'il y en a".
Vitalité : Attesté.

chougnat, chougnard, n. m. et adj. :
1. (Celui) qui ne sait pas ce qu'il veut : "Espèce de chougnard, décide-toi vite".
2. Chipoteur, personne peu plaisante, sournoise, antipathique : "Quel grand chougnat, j'évite de le rencontrer autant que je peux".
Rem. : Z. relève "*chougnad* : 1. qui est délicat sur la nourriture. 2. qui louche, sournois". Noté par l'*ALLR* 862 "enfant pleureur". *Cf.* **2.** *étrange 2, malgracieux, taugnat 1.*
Etym. : Dérivé de *chougner* (voir plus loin), issu de la racine onomatopéique *tsun-*.
Vitalité : Attesté.

chougner, chougneux, chougnoter : Voir *chigner, chigneux, chignoter.*

chougner, v. tr. et i. :
1. Fouiller : "Je n'ose pas le laisser seul, il chougne partout".
2. Marauder : "Les gamins sont encore partis chougner des cerises".
Rem. : *Cf. feugner.*
Etym. : Issu de la racine onomatopéique *tsun-*.
Vitalité : Peu attesté au-dessus de 20 ans.

chouille, n. f. : Fête (entre jeunes) : "Ils ont fait une chouille pour fêter le bac".
Rem. : Merle signale le v. *chouiller* "faire la fête", et "quelquefois, par antiphrase, faire la tronche".
Etym. : Origine obscure. Peut-être faut-il rattacher ce mot du langage des jeunes (d'abord langage estudiantin, puis généralisé) à l'arabe *chouiya* "peu", qui a pris en arg. le sens "petite quantité", puis "bon nombre", l'inversion de sens étant due, selon Esnault, à l'emploi très fréquent du pléonasme *un petit chouya*. L'idée d'abondance contenue dans cette inversion de sens a pu produire le sens enregistré ici. Du point de vue phonétique, on note en arg. les variantes *choueille, chouiy, chouille* (Esnault et Christ).
Vitalité : Connu.

choupette, n. f. : Mèche de cheveux : "On faisait une choupette aux enfants, autrefois".
Rem. : *Cf. chouchette, chouquette.*
Etym. : Dérivé dim. de l'alsacien et du suisse *tschupp* "houppe de cheveux" (Voir aussi *FEW tsupp*).
Vitalité : Connu.

chouquette, n. f. : Mèche de cheveux : "Elle ne va pas sortir comme ça, avec des chouquettes de toutes les couleurs ?"
Rem. : *Cf. chouchette, choupette.*
Etym. : Variante phonétique de *chouchette* (voir ce mot).
Vitalité : Attesté au-dessus de 20 ans.

chôyer, v. tr.:
Gâter: “Il se fait chôyer par ses parents, maintenant qu’il est tout seul à la maison”.
Rem.: Var. phon. du fr. *choyer*.
Vitalité: Usuel.

chp-: Voir aussi **sp-**.

chpitz, n. m.:
Petit discours, sermon: “Il nous a fait un petit chpitz qui n’était pas mal tourné”. “Elle lui a fait un chpitz, mais je ne sais pas si ça va changer grand-chose”.
Etym.: Altération de *speech*, noté par les dictionnaires, attiré probablement par des mots germ. comme *spitz*.
Vitalité: Usuel.

chpountz, n. m.:
1. Langue allemande ou patois germanique: “A partir de Boulay, on entend parler le chpountz”. “Dans les salles des ventes de la région, ça cause plus le chpountz que le français, maintenant!”
2. Lorrain germanophone (péj.): “Pour la foire de Metz, on voit tous les chpountzs qui viennent du nord et de l’est.
3. Allemand (péj.): “Il y a de plus en plus de chpountz dans les ventes aux enchères en Lorraine et en Alsace”.
4. Cafetier: “On a attendu à la terrasse un moment, mais le chpountz n’est jamais venu prendre la commande!”
5. Dans la loc. n. f.: *Tête de chpountz*: Tête dure: “Quelle tête de chpountz, celui-là, on ne peut pas discuter avec lui”.
Rem.: *Cf.* **1.** *hachepaille, platt.* **2.** *tête de holz 3.* **5.** *cabochon, hans (tête de -), heursu, holz 1, holzkopf, taugnat 1, ânichon 2* (annexe).
Etym.: Peut-être formé d’une suite de phonèmes considérés comme caractéristiques de la langue germanique, à moins qu’il s’agisse d’une reprise du titre du film de M. Pagnol, *Le Schpountz*, adopté ici pour les mêmes raisons. Le sens 4 semble directement inspiré d’un personnage du film de M. Pagnol: au début apparaît un garçon de café qui croit ressembler à Raimu et illustre ainsi la signification du mot donnée par l’équipe de tournage attablée à la terrasse.
Vitalité: **1.** Usuel. **2.** Connu. **3.** Usuel. **4.** Attesté au-dessus de 20 ans. **5.** Connu au-dessus de 20 ans.

chpountzer, v. i.:
Parler allemand ou un patois germanique (péj.): “Quand ils ont fini de chpountzer entre eux, alors, ils nous parlent français”.
Rem.: *Cf. hachepailler.*
Etym.: Dérivé de *chpountz.*
Vitalité: Attesté au-dessus de 20 ans.

chpoutz, n. f.:
Poussière, voir *poutse.*
Etym.: Semble provenir du croisement de *poutse* et du patois mosellan germ. *steps* “poussière” (sous *Stab* dans Follmann).
Vitalité: Bien connu.

chpoutzer, v. i.:
Faire le ménage, voir *poutser.*
Rem.: *Cf. chrouper, poutser, torchonner.*
Etym.: Voir *chpoutz.*
Vitalité: Bien connu.

christstollen, n. m.: Voir *stollen.*

chroupe, n. m. :
Brosse à plancher : "Il n'y a que le chroupe pour arriver à nettoyer un plancher aussi sale".
Etym. : Emprunt au patois mosellan germ. *schruppe* de même sens (*cf.* l'allemand *Schrubber* "brosse, frottoir").
Vitalité : Connu au-dessus de 20 ans.

chrouper, v. i. :
Faire le ménage : "Ma mère a chroupé toute la journée".
Rem. : *Cf. chpoutzer, poutser, torchonner.*
Etym. : Du patois mosellan germ. *schruppen*, voir *chroupe.*
Vitalité : Connu.

cht- : Voir aussi **st-**.

chtarb, adj. :
Fou : "Il est un peu chtarb, ton chien, il ne m'a pas reconnu !"
Rem. : *Cf. brindezingue 3, évaltonné, haltata, neuneu, zoné 2.*
Etym. : Relevé par Merle sous *chtarbé* "dingue, allumé, inconscient, barge", qu'il fait venir de *jetard* "jeton, coup". Il faut peut-être y voir une variante sémantique du patois mosellan germ. et alsacien *storb* "mort", passé à l'argot : *chtourbe* "mort", relevé par Esnault).
Vitalité : Usuel au-dessus de 40 ans > attesté > inconnu.

chtif, n. m. :
Employé subalterne dans l'administration ou apprenti, ouvrier subalterne : "Je suis allé à la préfecture, je suis tombé sur un chtif qui voulait faire du zèle". "Le boucher fait vider les poulets par son chtif".
Etym. : Emprunt non adapté du patois mosellan germ. *stif* "apprenti". Probablement emploi métaphorique de *Stif* "amidon" ou *stif* "raide, inflexible, maladroit, gauche, emprunté", relevés par Follmann (*cf.* l'adj. allemand *steif*).
Vitalité : Connu.

chtinkser, v. tr. :
Puer : "Qu'est-ce que ça chtinkse, quand on passe près de cette ferme".
Rem. : *Cf. chniquer, schmaquer.*
Etym. : Altération de l'allemand (usité en patois mosellan germ.) *stinken*, de même sens.
Vitalité : Usuel.

chtôler, v. tr. :
Voler : "Il m'a chtôlé mon porte-monnaie, je ne m'en suis rendu compte qu'en rentrant chez moi".
Etym. : Adapté du patois mosellan germ. *stohlen*, de même sens (*cf.* allemand *stehlen*).
Vitalité : Attesté au-dessous de 60 ans.

chtouffe-chrétien, n. m. :
Etouffe-chrétien, plat bourratif : "Cette purée est un vrai chtouffe-chrétien".
Etym. : Du latin *stuppa* "étoupe".
Vitalité : Attesté au-dessus de 40 ans.

chtouilles (avoir les -), loc. v. : Voir *chtrouille.*

chtrak, adj. :
Ivre : "Il est revenu de la fête complétement chtrak".
Rem. : *Cf. zoné, mort-s-ivre* (annexe).
Etym. : Emprunt non adapté au patois mosellan germ. de même sens (*cf.* l'allemand *strack* "qui se tient

droit", employé par antiphrase, comme l'argot *raide* "ivre").
Vitalité : Usuel.

chtringuelt, n. m. : Voir *tringuel, tringuelte.*

chtrinser, chtinser, v. tr. et i. :
Eclabousser, gicler : "En ouvrant la brique de lait, je l'ai chtrinsé, il en a plein la chemise". "Ta mandarine chtrinse partout !"
Rem. : *Cf. chtrisser, spritzer, trincer, trisser.*
Etym. : De l'allemand (et du patois mosellan germ.) *stritzen* "éclabousser, vaporiser".
Vitalité : *Chtrinser* : Connu. *Chtinser* : Peu attesté.

chtrisser, v. tr. :
Eclabousser : "Il m'a chtrissé en vidant son seau d'eau, je n'ai plus eu qu'à me changer !"
Rem. : *Cf. chtrincer, spritzer, trincer, trisser.*
Etym. : Issu de la rencontre de *trisser* et *chtrinser* (de l'allemand (et du patois mosellan germ.) *stritzen* "éclabousser, vaporiser").
Vitalité : Usuel.

chtrouillard, adj. et n. m. :
Peureux : "Quel chtrouillard, au moindre bruit, il se sauve".
Etym. : Formé sur *chtrouille.*
Vitalité : Usuel.

chtrouille, chtouille, n. f. :
Peur, dans la loc. v. *Avoir la chtrouille, avoir les chtrouilles* : "Il a la chtrouille de descendre à la cave".
Rem. : On note également la loc. *avoir les chtouilles*, de même sens. *Chtouille*, dans ce sens, comme au sens "maladie vénérienne" enregistré par Colin et Merle, est une forme orale de *jetouille*, dérivé de *jeton (cf.* arg. *avoir les jetons* "avoir peur"). Le pl. *avoir les chtrouilles* s'explique sans doute par le croisement avec *avoir les chtouilles* (ou - *les jetons*).
Etym. : Altération du fr. pop. *trouille.*
Vitalité : Usuel.

ciseau, n. m. sg. :
Ciseaux : "Passe-moi ton ciseau, j'ai un fil qui dépasse".
Rem. : En afr., le mot au s. peut avoir ce sens.
Vitalité : Bien connu.

citel, pr. démonstratif :
Celui-là : "Qui c'est, citel ?"
Rem. : Emprunt au patois relevé par Z. et l'*ALLR* 1159.
Etym. : Du lat. *ecce iste.*
Vitalité : Attesté au-dessus de 60 ans > peu attesté > inconnu.

clairer, v. i. :
Briller, éclairer (en parlant du feu) : "J'ai pris du charme bien sec, cette année, ça claire bien".
Etym. : Dérivé de *clair.*
Vitalité : Peu attesté au-dessus de 20 ans.

clap-clap, n. m. :
Crécelle : "On entend les clap-clap, les gamins ne vont pas tarder à arriver".
Rem. : *Cf. tétrelle 1, trétrelle 1, toque-marteau* (annexe).
Etym. : De l'onomatopée *klapp.*
Vitalité : Attesté au-dessus de 40 ans.

clarteux, adj. :
Lumineux, clair : "Il a acheté un appartement à Metz. C'est dans une petite rue, mais il est clarteux".

Etym.: Dérivé de *clarté.*
Vitalité: Bien connu.

clatz, adj.:
Chauve: "Il est clatz, une vraie tête d'œuf".
Rem.: On entend également *glatz, clatzkopf, glatzkopf.*
Etym.: Emprunt au patois mosellan germ. *glatz* de même sens (*cf.* l'allemand *Glatze* "calvitie", *glatzköpfig* "chauve").
Vitalité: Connu.

clenche, n. f.:
Poignée de porte: "Je n'avais pas la main sur la clenche que les gamins accouraient déjà".
Rem.: Relevé par Z. Signalé par *Rob. 89* et *TLF* avec la mention "régional (Belgique)". Voir Rézeau.
Vitalité: Usuel.

clencher, v. tr.:
1. Fermer (une porte): "Clenche la porte, elle tape sans arrêt avec le courant d'air".
2. Manœuvrer la poignée (d'une porte): "J'ai toqué*, ça n'a pas répondu, alors j'ai clenché la porte, mais c'était fermé à clé".
Rem.: Relevé par Z. Signalé par *TLF* avec la mention "régional (Canada)". Voir Rézeau.
Vitalité: Usuel.

coche, n. f.:
Encoche: "Il s'amuse à faire des coches dans la table avec son couteau".
Rem.: Signalé par *Rob. 89* avec la mention "vieux ou régional" et *TLF* sans mention.
Vitalité: Attesté au-dessus de 60 ans > peu attesté > inconnu.

cochonnade, cochonnâte, n. f.:
Viande de porc: "On ne mangeait guère de viande à cette époque-là, juste de la cochonnade une fois de temps en temps".
Rem.: Relevé par Z. et l'*ALLR* 302 "(la) viande (que l'on offre)". *Cochonnâte* représente la prononc. dialectale de *cochonnade.*
Etym.: Dérivé de la base onomatopéique *kos-*.
Vitalité: Usuel au-dessus de 60 ans > bien connu > attesté > inconnu.

cochonnée, n. f.:
Morceaux de porc qu'on offrait aux voisins et amis quand on tuait le cochon: "Autrefois, on donnait la cochonnée aux voisins, maintenant, tout cela a disparu presque partout".
Rem.: Relevé par l'*ALLR* 302. Régionalisme sémantique. *Cf. grillade 1.*
Vitalité: Attesté au-dessus de 60 ans > peu attesté > inconnu.

cocombre, n. m.:
Concombre: "Le cocombre en salade, c'est rafraîchissant".
Rem.: Relevé par Z. "La forme *cocombre* a dominé jusqu'au XVIIe siècle" (Rey).
Vitalité: Régionalisme phonétique connu.

cogotte, n. f.: Voir *gogotte.*

coigne, n. f.:
Couenne: "Il garde la coigne pour graisser ses scies".
Rem.: Relevé par Z. (*cougne*) et l'*ALLR* 306. Forme dial. du fr. *couenne. Cf. digone* (annexe).
Vitalité: Bien connu au-dessus de 20 ans.

coïllée, n. f. :
Fessée : “Attention, si tu n’arrêtes pas, tu vas avoir une coïllée”.
Rem. : A rapprocher de Z. *coyè*, v. tr. “secouer” ou *coyi*, v. tr. “toucher, atteindre en visant”. *Cf. raousse 1, rouffe, schlague 1, trifouillée, tripatouillée, trépignée* (annexe).
Etym. : Dérivé du lat. *succutere* “secouer”.
Vitalité : Peu attesté au-dessus de 20 ans.

coinchée, n. f. :
Variété de belote ou de manille : “Tous les samedis, ils font une coinchée”.
Rem. : Signalé par *Rob. 89* et *TLF* avec la mention “rég.”.
Vitalité : Attesté au-dessus de 40 ans.

coincher, v. i. :
Renchérir sur l’annonce d’un adversaire, à la *coinchée** : “J’étais sûr qu’il allait coincher, rien qu’à voir mon jeu”.
Rem. : Signalé par *Rob. 89* et *TLF* avec la mention “régional”.
Vitalité : Peu attesté au-dessus de 40 ans.

colchique, n. f. :
Colchique : “J’ai vu la première colchique hier, l’automne est là !”
Rem. : Régionalisme grammatical. Le titre de la c. 537 de l’*ALLR* est au féminin.
Vitalité : Bien connu.

colère, adj. :
En colère : “Quand je l’ai vu, tout à l’heure, il était colère, mais maintenant, ça a peut-être passé”.
Rem. : Signalé par *Rob. 89* avec la mention “vieux ou régional” et *TLF* avec la mention “vieilli”.
Vitalité : Peu attesté.

comme ça (être -), loc. v. :
Etre enceinte (en parlant d’une femme non mariée) : “Il paraît que la fille du* Victor, elle est comme ça. En voilà encore une qui met la charrue avant les bœufs”.
Rem. : Relevé par Z. (sous *anlè*) et l’*ALLR* 960. *Cf. attendre 1, position (être en -), embarrassée (être -)* (annexe).
Vitalité : Connu au-dessus de 40 ans, peu attesté au-dessous.

conduire au fumier, loc. v. :
Transporter le fumier dans les champs : “Si vous voulez voir mon mari, revenez le soir. En ce moment, il conduit au fumier”.
Rem. : Employé par Z. sous *mwinner*. Relevé par l’*ALLR* 448. Pour la tournure syntaxique, voir *arracher aux, conduire au, cueillir aux, mener au, planter aux.*
Vitalité : Connu au-dessus de 60 ans > attesté > inconnu.

confesser, v. i. :
Se confesser : “On allait confesser toutes les semaines, dans le temps”.
Rem. : Relevé par Z. Régionalisme grammatical (*cf.* pour la construction, l’allemand *beichten*, v. i. de même sens), voir *baigner*.
Vitalité : Bien connu.

connaître, v. tr. :
Reconnaître : “Si tu ne m’avais pas dit qui c’était, je ne l’aurais pas connu”.
Rem. : Signalé par *Rob. 89* avec la mention “vieux” et par *TLF* avec la mention “vieilli ou littéraire”. *Cf. remettre.*
Vitalité : Connu.

conscrit, n. m., **conscrite**, n. f. :
Personne née la même année qu'une autre, dans une commune : "J'ai huit conscrits et quatre conscrites dans le village".
Rem. : *TLF* signale "dans certaines régions, employé au m. et au f. pl. pour désigner les gens nés la même année (fam.)". *Rob. 89* signale *conscrite* avec la mention "régional, rural".
Vitalité : Usuel.

consigne, n. f. :
Tisonnier : "J'ai vu un rat traverser la cuisine. Je l'ai zogué* avec la consigne, c'est tout ce que j'avais sous la main".
Rem. : Relevé par Z. (*consine*) et l'*ALLR* 415. *Cf. groillotte, grouillotte, rôille, freuguion* (annexe), *feurgueuion* (annexe), *pigri* (annexe).
Etym. : Du lat. *consignare* "constater, sceller".
Vitalité : Attesté au-dessus de 60 ans > peu attesté > inconnu.

consolante, n. f. :
Finale des perdants (déterminant les 3e et 4e places dans une compétition) : "Notre doublette est allée en consolante, mais pas en finale de concours".
Rem. : *TLF* ne signale que : "empl. subst. f., arg. : bouteille qu'on boit avant de se quitter".
Vitalité : Attesté.

consum, n. m. : [kònsum]
Epicerie (à l'origine émanant des sociétés sidérurgiques) : "Je vais au consum, je reviens tout de suite".
Rem. : *Cf. coop, coopette, sanal.*
Etym. : Mot usité en patois mosellan germ. (*cf.* l'allemand *Konsum(verein)* "coopérative de consommation").
Vitalité : Peu attesté au-dessus de 20 ans.

content à qqn., loc. adj. :
Content de qqn : "Je ne suis pas du tout content à vous d'être venus me voir sans me prévenir, je n'ai même rien à vous offrir".
Vitalité : Régionalisme grammatical peu attesté au-dessus de 20 ans.

contrarier, v. tr. :
Provoquer des troubles digestifs (en parlant d'un aliment) : "Je ne sais pas si c'est les champignons qui m'ont contrarié, mais j'ai été malade toute la nuit".
Vitalité : Bien connu.

coop, n. m., **coopette**, n. f. :
Epicerie des Coopérateurs de Lorraine, puis épicerie en général : "Va me chercher un kilo de farine au coop".
Rem. : *Cf. consum, sanal.*
Etym. : Apocope de *coopérateurs.*
Vitalité : *Coop* : Bien connu. *Coopette* : Connu au-dessus de 40 ans > peu attesté > inconnu.

cordon-bleu, escalope cordon-bleu, loc. n. :
Escalope de veau panée, fourrée d'une tranche de jambon et de gruyère : "Quand les petits-enfants viennent manger, je leur fais toujours des cordons-bleus, je suis sûre qu'ils aimeront".
Etym. : De l'allemand de même sens, issu du fr. *cordon bleu* "cuisinière très habile".
Vitalité : Usuel.

corne, n. f. :
Croissant : "Si tu passes à la boulangerie, tu me rapporteras six cornes".
Vitalité : Peu attesté.

corne-cul (histoires de -), loc. n. f.: Histoires farfelues, abracadabrantes: "Mon grand-père nous racontait des histoires de corne-cul, on ne savait pas trop si c'était vrai".
Rem.: Loc. citée par *Rob. 89* dans une phrase de A. Chamson (*L'Express*, 1979). Elle y est assimilée au "parler débridé des gaillards de Rabelais". *Cf. carabistouille 1, couatche 2, diseries, fiauve, ramages 1, apoloche* (annexe), *barbouillerie* (annexe).
Vitalité: Peu attesté au-dessus de 20 ans.

corne d'abondance, loc. n. f.: Variété de pomme de terre jaune: "On plante toujours 50 kg de cornes d'abondance".
Rem.: Régionalisme sémantique. *FEW* ne relève que *racine d'abondance* "betterave".
Vitalité: Connu au-dessus de 60 ans, peu attesté au-dessous.

corner, v. i.: Klaxonner: "Si tu ne veux pas attendre, tu n'as qu'à corner, il descendra tout de suite".
Rem.: Signalé par *Rob. 89* avec la mention "vieilli" et *TLF* note "synonyme plus courant: *klaxonner*".
Vitalité: Bien connu au-dessus de 40 ans, peu attesté au-dessous.

cornet, n. m.: Sac en papier ou en plastique: "Vous n'auriez pas un cornet pour mettre mon livre?"
Rem.: Signalé par *Rob. 89* avec la mention "régional (Savoie, Suisse)". Voir Rézeau.
Vitalité: Usuel.

corps n. m.:
1. Dans la loc. n.: *Corps de fourneau*: Tuyau de poêle: "Le corps de fourneau est percé, il faudra le changer".
2. Dans la loc. n.: *Corps pendant*: Tuyau de descente des eaux de pluie ou tuyau de fontaine: "Le corps pendant s'est déboité, ça coule sur le mur".
Rem.: Z. note *cor* "courant d'eau". **2.** Relevé par l'*ALLR* 358.
Etym.: Du lat. *corpus* "corps".
Vitalité: **1.** Connu. **2.** Bien connu au-dessus de 60 ans, peu attesté au-dessous.

corriatte, corriotte, n. f.: Lacet, cordon, cordelière, courroie: "Attache ta capuche avec la corriotte, sinon elle ne te protège pas".
Rem.: Relevé par Z.
Etym.: Dérivé dim. du lat. *corrigia* "courroie".
Vitalité: Connu au-dessus de 60 ans, peu attesté au-dessous.

corvée (faire -), loc. v.: Faire vainement une démarche: "Je suis allé à la mairie, mais elle était déjà fermée, j'ai fait corvée".
Rem.: Relevé par Z. *crawaye* "corvée, par extension, démarche inutile".
Vitalité: Connu au-dessus de 60 ans.

cosson, cossonnier, n. m.: Coquetier: "Le cosson passait tous les jeudis et ramassait tout ce qu'il pouvait".
Rem.: Relevé par Z. et l'*ALLR* 1026.
Etym.: Du lat. *coctio* "courtier".
Vitalité: Peu attesté. La forme *cosson* est la plus usitée.

côté (de l'autre -), loc. n. m. :
En Lorraine annexée : "Comme ils n'ont pas voulu rester de l'autre côté, sa famille s'est installée à Nancy dès la fin de la guerre de 70".
Vitalité : Connu.

côté de l'intérieur, loc. n. m. :
Lorraine non annexée : "Ils ont toujours été du côté de l'intérieur, ils ont eu de la chance".
Rem. : *Cf. intérieur.*
Vitalité : Connu.

cotillon, n. m. :
Jupon : "Tu as le cotillon qui dépasse de la robe".
Rem. : Relevé par Z. (*cotion*) et l'*ALLR* 791. Signalé par *Rob. 89* avec la mention "vieux" et *TLF* avec la mention "vieilli".
Vitalité : Bien connu au-dessus de 40 ans, peu attesté au-dessous.

côtis, cottis, n. m. :
Morceau de côte de porc, travers de porc (consommé frais ou salé) : "J'aime bien le côtis salé avec la potée".
Rem. : Voir Rézeau.
Etym. : Dérivé du latin *costa* "côte".
Vitalité : Bien connu.

cotte, n. f., le plus souvent au pl. :
Jupe, robe : "Relève tes cottes pour descendre l'escalier, tu vas te casser la figure !"
Rem. : Relevé par Z. *Rob. 89* et *TLF* signalent : "*cotte* : jupe plissée à la taille" avec la mention "vieux".
Vitalité : Connu au-dessus de 40 ans, peu attesté au-dessous.

cou (gros -), loc. n. m. :
Goitre : "Elle s'est fait opérer du gros cou, elle rentre la semaine prochaine".
Rem. : Relevé par l'*ALLR* 894. *Cf. gorge (grosse -)*
Vitalité : Peu attesté au-dessus de 20 ans.

couaille (à -), loc. adv. :
Accroupi : "Mets-toi à couaille, sinon, ils vont te trouver tout de suite".
Rem. : *Cf. couve (à), joc (à) 3, cripotons (à)* (annexe), *croupsons (à)* (annexe).
Etym. : Du lat. *cubare* "couver".
Vitalité : Peu attesté au-dessus de 20 ans.

couarail, couaroil, n. m. :
1. Rencontre au cours de laquelle on bavarde : "Elles ont organisé un couarail hebdomadaire, ça les distrait et c'est l'occasion de se retrouver".
2. Réunion en veillée au cours de laquelle on fait de menus travaux en bavardant : "Je vais au couarail avec ma broderie une fois par semaine, ça m'occupe".
3. Loc. v. : *Faire le couarail* : Discuter : "Ces femmes sont au coin de la rue à faire le couarail depuis au moins une heure !"
Rem. : Relevé par Z. (*qwaraye* "réunion de femmes qui causent devant la porte, dans la rue") et l'*ALLR* 990. On signale également la variante phonétique *couarôge* (peu attestée). Signalé par *Rob. 89* et *TLF* au sens 2 avec la mention "régional, Lorraine". *Cf.* **1.** *café-clache, couatche 1.* **2.** *acraigne 1.* **3.** *barbouiller, câcailler, câcatter 2, couarailler 2, couatcher 1, hâbler, marner 2, ratcher 1, babler* (annexe), *schnabeler* (annexe).
Vitalité : *Couarail* : Usuel au-dessus de 40 ans. *Couaroil* : Connu au-dessus de 40 ans > peu attesté > inconnu.

couarailler, couaroiller, couarier, v. i.:
1. Participer à une veillée: "En hiver, on couaraillait souvent, plusieurs fois par semaine".
2. Discuter: "Quand elles se rencontrent, toutes les deux, ça couaraille un moment!"
Rem.: Relevé par Z. (*qwarieu*, sens 2) et l'*ALLR* 1220 (sens 2). *Cf.* **2.** *barbouiller, câcailler, câcatter 2, couarail 3 (faire le -), couatcher 1, hâbler, marner 2, ratcher 1, babler* (annexe), *déparler* (annexe), *schnabeler* (annexe).
Etym.: Formé sur le lat. *quadruvium* "carrefour".
Vitalité: *Couarailler, couaroiller*: Bien connu au-dessus de 20 ans. *Couarier*: Attesté au-dessus de 40 ans.

couariousse, n. et adj. f.:
Bavarde: "Je suis tombée sur une couariousse qui m'a tenu la jambe pendant une heure".
Rem.: Z. relève *qwariou* "celui qui aime à *qwarieu*" (= *couarier*, ci-dessus). *Cf. bâbette 1, bégueule, câcatte 1, tétrelle 2, couariatte* (annexe), *mille-gueule* (annexe).
Etym.: Dérivé de *couarier* (voir sous *couarailler*).
Vitalité: Peu attesté au-dessus de 20 ans.

couatche, n. f.:
1. Réunion pour bavarder: "On a fait une bonne couatche avec les voisines".
2. Paroles futiles, mensonges: "Tout ça, c'est de la couatche".
Rem.: *Cf.* **1.** *café-clache, couarail 1.* **2.** *carabistouille 1, diseries, ramages 1, barbouillerie* (annexe).
Etym.: Du patois mosellan germ. de même sens (*cf.* l'allemand *Quatsch* "bavardage, radotage").
Vitalité: Usuel.

couatcher, v. tr. et i.:
1. Bavarder, raconter des choses sans importance: "Elle passe son temps à couatcher, elle m'assomme".
2. Rapporter: "Si tu vas couatcher ce que je te dis, je ne suis plus ton copain".
Rem.: *Cf.* **1.** *barbouiller, câcailler, câcatter 2, couarail 3 (faire le -), couarailler 2, hâbler, marner 2, ratcher 1, babler* (annexe), *schnabeler* (annexe). **2.** *ratcher 2.*
Etym.: Adapté du patois mosellan germ. *kwatschen* "croasser" (*cf.* l'allemand *quatschen* "jacasser, radoter, divaguer").
Vitalité: Usuel.

couatcheur, n. m.:
1. Bavard: "Quel couatcheur! A l'école déjà, il avait des punitions parce qu'il n'arrêtait pas de parler".
2. Rapporteur: "Je ne joue plus avec lui, c'est un couatcheur".
Rem.: *Cf.* **1.** *barbouilleur, bévard, boguiat.* **2.** *ratcheur.*
Etym.: Dérivé de *couatche, couatcher.*
Vitalité: **1.** Bien connu au-dessus de 20 ans. **2.** Attesté au-dessus de 20 ans.

coucher, v. i.:
1. Se coucher: "Allez, il est tard, je vais coucher".
2. V. i. conjugué avec l'auxiliaire être: "Je suis couché hier chez ma fille, à Nancy".
Rem.: **1.** Relevé par l'*ALLR* 844. Voir, pour la construction, *baigner.*

Vitalité: **1.** Connu au-dessus de 60 ans > attesté > peu attesté > inconnu. **2.** Attesté au-dessus de 60 ans > peu attesté >> inconnu.

couette, caouette, caouatte, n. f.:
Tresse de cheveux: “Elle se fait une caouette qui lui descend jusqu’à la taille”.
Rem.: Relevé par Z. au sens “raie dans les cheveux”. Régionalisme sémantique.
Vitalité: *Couette, caouette*: Usuel. *Caouatte*: Attesté.

cougnat, queugnat, n. m.:
1. Coin (d’une pièce), renfoncement: “Je ne prendrai pas de place, je vais me mettre dans un cougnat”. “Il a caché ses papiers dans un cougnat, mais il ne se rappelle plus où”.
2. Petit gâteau messin fait de pâte à brioche: “Je vais acheter une paire* de queugnats pour dimanche”.
Rem.: **1.** Relevé par Z. et l’*ALLR* 614 “(le) coin (à fendre)”. **2.** Z. note: *keugnat*: “petit pain au beurre rond de la forme d’une bonde de tonneau”. On note également les variantes *cougneu, queugneu. Cf.* **1.** *racoin.*
Etym.: Dér. dim. du lat. *cuneus* “coin”.
Vitalité: Peu attesté au-dessus de 20 ans.

couillerée, n. f.: Voir *cueuillerée.*

couper, v. tr.:
Enrayer: “Quelques gouttes de sang mélangées à de l’eau coupent la fluxion de poitrine.”
Rem.: *TLF* signale “couper la fièvre”.
Vitalité: Attesté au-dessus de 20 ans.

couper court, couper au court, loc. v.:
Prendre un raccourci: “Si tu coupes (au) court, tu en as pour une heure, autrement, par la route, il faut bien compter une heure et demie”.
Rem.: Relevé par l’*ALLR* 69 “couper au court”. *TLF* signale l’emploi abs., avec ou sans complément prépositionnel, accompagné d’un exemple où figure la loc. “couper au plus court”.
Vitalité: *Couper court*: Bien connu. *Couper au court*: Connu.

couronne de l’Avent, loc. n. f.:
Couronne de branches de sapin, de houx, sur laquelle on dispose successivement quatre bougies, une chaque dimanche de l’Avent. Parfois, la couronne simple est accrochée à la porte d’entrée de la maison.: “Voilà décembre, on va faire une belle couronne de l’Avent”.
Rem.: Signalé par *TLF* avec la mention “régional (Lorraine)”.
Vitalité: Connu au-dessus de 20 ans, attesté au-dessous.

couserette, n. f.:
Couturière: “La couserette du village est en retraite, maintenant. Il n’y a plus personne pour faire un ourlet”.
Rem.: Les dictionnaires ne signalent que *cousette*, dont *couserette* est une variante. *Cf. tailleuse.*
Vitalité: Peu attesté au-dessus de 20 ans.

couteau à choucroute, loc. n. m.:
Sorte de grosse râpe servant à râper le chou pour faire la choucroute: “On trouve dans toutes les vieilles maisons lorraines un ancien couteau à choucroute”.

Rem.: *Cf. fer à choucroute* (annexe).
Vitalité: Bien connu au-dessus de 60 ans > peu attesté >> inconnu.

coutiat, n. m.:
Habitant du coteau: "Elle s'est mariée avec un coutiat et elle est partie vivre là-haut".
Rem.: Z. relève *coutiad* "qui habite la côte, la montagne. Se dit des habitants du Pays-Haut".
Etym.: Forme dialectale dérivée de *costa* "côte".
Vitalité: Peu attesté au-dessus de 20 ans.

couve (à), loc. adv.:
Accroupi: "Il s'est mis à couve pour se cacher, mais on le voit quand même".
Rem.: Z. relève la loc. adv. *è lè covote* "à croupetons". On note la variante phon. *à coufe. Cf. couaille (à), joc (à) 3, cripotons (à)* (annexe), *croupsons (à)* (annexe).
Etym.: Formé sur *couver*, du lat. *cubare* (voir *accouver (s')*).
Vitalité: Connu au-dessus de 60 ans.

couver le feu, loc. v.:
Se tenir près du feu: "Elle couve le feu toute la journée et elle a tout le temps froid".
Rem.: Z. relève *covè* "rester longtemps quelque part".
Vitalité: Connu au-dessus de 60 ans, attesté au-dessous.

couvert, n. m.:
Couvercle: "Quand ça commencera à bouillir, tu baisseras un peu le gaz et tu mettras un couvert".
Rem.: Z. ne mentionne que *covete*, n. f.: "couvercle". Signalé par l'*ALLR* 427.
Etym.: Emploi nominal du part. passé de *couvrir.*
Vitalité: Connu au-dessus de 60 ans > attesté > peu attesté > inconnu.

couvrir le feu, loc. v.:
Recouvrir le feu de cendres, le soir, avant de se coucher: "Tu n'as pas oublié de couvrir le feu? Il faut qu'il tienne jusqu'à demain matin".
Rem.: Signalé par *TLF* avec la mention "vieux".
Vitalité: Bien connu au-dessus de 60 ans > attesté > peu attesté > inconnu.

coxer,
Attraper, mordre: "Attention, si le chien te coxe, tu vas pleurer".
Rem.: Signalé au sens "attraper" chez Colin et Cellard-Rey. *Cf. niaquer.*
Vitalité: Peu attesté au-dessus de 20 ans.

crachotte, n. f.:
Salive: "Il a bavé toute la nuit, il y a plein de crachotte sur son oreiller".
Rem.: Relevé par Z.
Etym.: Dim. dérivé de *cracher.*
Vitalité: Bien connu au-dessus de 20 ans.

cramaillot, n. m.:
Pissenlit: "Le grand père est allé chercher des cramaillots".
Rem.: Le mot n'est relevé ni dans Z., ni dans l'*ALLR* 89 (où l'on trouve *dent de chien*, métaphore du même type). Mot relevé dans ce sens en Franche-Comté par *FEW.*
Etym.: Dim. du patois *cramail* "crémaillère" (issu du grec *kremastêr* "qui suspend"). Nom donné par allusion à la dentelure des feuilles,

ressemblant à la crémaillère à dents de la région.
Vitalité: Peu attesté au-dessus de 20 ans.

cramaillotte, n. f.:
Confiture de fleurs de pissenlit: "On m'a fait goûter de la cramaillotte, ce n'est pas mauvais".
Etym.: Féminin formé sur *cramaillot* (voir ci-dessus).
Vitalité: Peu attesté.

craye, n. f.:
Raie dans les cheveux: "Tu ne te souviens plus de lui? Il avait les cheveux noirs avec la craye au milieu".
Etym.: Issu, comme *crailler* (annexe), du latin *craticula* "grille".
Vitalité: Peu attesté au-dessus de 20 ans.

crayon de papier, loc. n. m.:
Crayon à mine de graphite: "Ecrivez au crayon de papier, si vous vous trompez, vous pourrez gommer".
Vitalité: Usuel.

crécelleur, n. m.:
Enfant qui passe avec sa crécelle pendant la Semaine Sainte: "Pâques arrive, les crécelleurs sont dans les rues".
Rem.: *Cf. tétrelleur.*
Etym.: Dérivé de *crécelle.*
Vitalité: Usuel.

crénure, n. f.:
Fente, lézarde dans le bois, la pierre: "Il y a une crénure dans cette planche, il vaut mieux l'utiliser pour autre chose que pour un meuble". "Le mur a une crénure qui part de la fenêtre jusqu'au sol".
Etym.: Dérivé du gaul. **crinare* "fendre".
Vitalité: Peu attesté au-dessus de 40 ans.

crêpé, crepé, crêpiau, n. m., **crêpée**, n. f.:
1. Grosse crêpe ou beignet: "Quand on a mangé une paire* de crêpés, ça cale!"
2. *Crêpée aux pommes*: Beignet aux pommes: "Quand les gamins viennent manger ici, il faut que je leur fasse des crêpées aux pommes, sinon, ils ne sont pas contents".
Rem.: Z. relève "*crepé*, n. m.: pâte liquide que l'on fait frire". L'*ALLR* 680 n'enregistre aussi que le masculin. On note les formes masculines *crêpé, crepé* et *chache crepé* (litt. "sèche crêpe"). *Cf. beugnet, bugne 2, dampfnuedle* ou *crêpé, pancoufe 1, vaute 1.*
Etym.: Dérivé du lat. *crispus* "frisé".
Vitalité: *Crêpée*: **1.** Connu au-dessus de 60 ans > attesté > peu attesté > inconnu. **2.** Connu au-dessus de 40 ans > peu attesté > inconnu. *Crêpé, crepé*: Connu au-dessus de 60 ans >> peu attesté > inconnu. *Chache crepé* et *crêpiau* sont peu attestés.

cresson, n. m.:
Cresson (prononcé [e], non [è]): "Dans la rivière, il y a un coin où on peut encore trouver du cresson".
Rem.: Z. relève *creusson. TLF* signale que cette prononciation est ancienne. Régionalisme phonétique.
Vitalité: Bien connu au-dessus de 20 ans.

crever, v. i.:
S'éteindre (en parlant du feu): "Si tu ne remets pas une bûche dans le feu, il aura crevé quand on rentrera".

Rem.: Relevé par l'*ALLR* 420, 421. Régionalisme sémantique assez étendu sur l'Est.
Vitalité: Bien connu.

crier, v.:
1. Dans la loc.: *Crier sur*: Crier après (contre) qqn. "Cette mère crie sur son gosse toute la journée, elle va finir par le rendre idiot".
2. Dans la loc.: *Crier dessus*: Disputer: "Je n'avais pas fait mon exercice, il faut voir comme le maître m'a crié dessus".
Rem.: Probablement calqué sur une construction germ. du type *auf jn. schimpfen. Cf. avaler, harpouiller 1, rebiffer, rouspéter, grises (en faire voir des -)* (annexe).
Vitalité: Connu.

croche-pied (à -), loc. adv.:
A cloche-pied : "En voulant sauter à croche pied, il s'est tordu la cheville".
Etym.: Variante du fr. *à cloche-pied*, du lat. **cloppicare* "boiter".
Vitalité: Attesté au-dessus de 20 ans.

crochet, n. m.:
Houe à 3 ou 4 dents: "Le crochet est ce qu'il y a de mieux pour aller* aux patates". "Le crochet à fumier a disparu, j'ai dû le laisser dans l'écurie".
Rem.: Signalé par *TLF* (agric., jard.: *crochet à biner, crochet à fumier*) sans mention. *Cf. grémon, grimone, hack, houé* (annexe).
Vitalité: Attesté au-dessus de 40 ans.

croquante, n. f.:
1. Nougatine: "La croquante, c'est ce que je préfère!"
2. Pièce montée: "Pour la communion, la croquante penchait tellement il faisait chaud".
Rem.: Signalé par *Rob. 89* ("gâteau croquant") avec la mention "vieux ou régional" et par *TLF* (sens 1) sans mention.
Vitalité: **1.** Bien connu. **2.** Connu.

crosse, n. f.:
Etai pour soutenir les branches surchargées des arbres fruitiers: "J'ai dû mettre des crosses aux mirabelliers, sinon, ils cassaient".
Rem.: Relevé par Z. *TLF* signale ce mot au sens "bâton sur lequel on s'appuie", avec la mention "vieux et régional". *Cf. tançon.*
Vitalité: Connu au-dessus de 60 ans > peu attesté > inconnu.

croume, n. m. et adj.:
1. N. m.: Vieillard (péj.): "Profitons de la vie, sinon nous serons vite de vieux croumes".
2. Adj.: Arqué: "Elle a les jambes croumes".
Etym.: De l'allemand et du patois mosellan germ. *krumm* "courbe, tordu". Le sens 1 a peut-être subi l'influence de l'arg. *(vieux) kroumir* "individu méprisable, gredin, chiffonnier misérable" (de l'arabe *humair* "peuple métisse, arabe et berbère, d'Afrique du Nord").
Vitalité: **1.** Peu attesté. **2.** Attesté.

cru, adj.:
Humide et froid: "Je vais mettre un gilet, il fait cru ici".
Rem.: Relevé par Z. Signalé par *Rob. 89* avec la mention "régional (France: Est et Nord, etc.; Belgique, Suisse, Canada)" et par *TLF* avec la mention "régional (Nord-Est de la France, Canada)".
Vitalité: Usuel.

cuboler, cubouler, v. i.:
Basculer: “La voiture a cubolé dans le fossé, je n’ai rien pu faire pour la retenir”.
Rem.: Relevé par Z.
Etym.: Formé de *cul* et *boler, bouler* “rouler comme une boule” (du lat. *bulla* “bulle”).
Vitalité: Attesté au-dessus de 40 ans.

cueuiller, n. f.: [køyèr]
Cuillère: “Il manque une cueuiller sur la table”.
Rem.: Relevé par Z. et l’*ALLR* 432. Régionalisme phonétique.
Vitalité: Attesté au-dessus de 60 ans > peu attesté > inconnu.

cueuilleratte, n. f.:
Cuillérée: “Il faut mettre une cueuilleratte de miel dans votre tisane, contre le mal de gorge”.
Rem.: Z. ne donne que le sens “petite cuiller pour les enfants”.
Etym.: Dim. formé sur *cueuiller* (voir ce mot).
Vitalité: Attesté au-dessus de 20 ans.

cueuillerée, n. f.:
Cuillérée: “Il doit prendre une cueuillerée de sirop tous les soirs avant de se coucher”.
Rem.: Relevé par Z. Régionalisme phonétique (formé sur *cueuiller*, voir ce mot). On enregistre la variante *couillerée*, attestée.
Vitalité: Connu au-dessus de 40 ans.

cueillir aux, v. tr. ind.:
Cueillir (tr. dir.): “On a cueilli aux poires toute la matinée et on n’a pas fini”.
Rem.: *Cf.* pour la tournure syntaxique *arracher à (*ou *aux), conduire au, mener au, planter aux.*
Vitalité: Attesté au-dessus de 60 ans > peu attesté > inconnu.

cuire, v.:
1. V. tr. et i.: Faire bouillir (de l’eau, du lait): “L’eau est bien longue à cuire, la bouteille de gaz doit être vide”.
2. Loc. v.: *Cuire le linge*: Faire bouillir la lessive: “On faisait cuire le linge plusieurs heures, c’était long”.
3. Fermenter: “Les mirabelles cuisent depuis un moment, il ne faudrait pas tarder à distiller”.
4. V. i.: Cuisiner: “Sa femme cuit bien, quand la mienne a besoin de conseils, elle va toujours la voir”.
Rem.: Z. relève *cure* “bouillir”. Variantes sémantiques de *cuire.* Le sens 4 est probablement influencé par l’allemand *kochen.*
Vitalité: **1. 4.** Bien connu. **2.** Bien connu au-dessus de 20 ans. **3.** Attesté.

cuire dur (faire -), loc. v.:
1. Faire cuire un œuf dur: “Les œufs qui restent, je les fais cuire durs”.
2. *Œuf cuit dur*: Voir *œuf.*
Vitalité: Bien connu.

cuisant (avoir le -), loc. v.:
Avoir des aigreurs d’estomac: “Elle m’a fait une sauce épicée, j’en ai eu le cuisant tout l’après-midi”.
Rem.: Le français commun ne semble pas connaître cet emploi nominal du participe présent.
Vitalité: Connu au-dessus de 60 ans, peu attesté au-dessous.

cuisine chaude, loc. n. f.:
Plats chauds cuisinés, repas chaud: “Sur la vitrine, il a mis une pancarte « cuisine chaude le midi et le soir »”.

Etym. : Calque de l'allemand *warme Küche* "repas chaud".
Vitalité : Bien connu au-dessus de 20 ans.

cuit, adj. :
1. Hors d'usage (objet), harassé (homme) : "J'ai fait des chiffons avec ton pantalon, il était cuit". "Quand il est rentré des vendanges, il a dormi 20 heures de suite, il était cuit".
2. Dans la loc. n. f. : *Salade cuite* : Salade flétrie pour avoir séjourné trop longtemps dans la vinaigrette : "Terminez la salade, après elle sera cuite et personne ne la mange chez nous".
Rem. : *Cf. flapi mort, lasse, mûr, nazegeschwitz, schlappe 1, croumi* (annexe).
Vitalité : **1.** Connu. **2.** Bien connu.

cuite, n. f. :
1. Macération des fruits dans le tonneau (pour faire l'eau-de-vie) : "La cuite est bientôt finie, on va pouvoir distiller".
2. Distillation (pour obtenir de l'alcool) : "La cuite des mirabelles a commencé depuis un moment".
Rem. : **2.** Proche du sens du français commun. *Cf. âme de la cuite.*
Vitalité : Attesté au-dessus de 20 ans.

culat, n. m. :
1. Dernier-né : "Celui-là, c'est le culat !"
2. Esprit malfaisant : "Il y avait toujours des culats ou des sotrés* dans les histoires que ma grand-mère me racontait".
Rem. : **1.** Relevé par Z. (*keulat*) et l'*ALLR* 863 et 961. Variante de *culot*, noté dans les dictionnaires avec la mention "familier" ou "vieilli". *Cf.* **1.** *chienlit 1, queulot.*
Vitalité : Peu attesté au-dessus de 20 ans.

cul-barotte, cul-burotte, n. f. :
Culbute : "On s'amusait à faire la cul-barotte dans le pré".
Rem. : Relevé par Z. (*culboyrote*) et par l'*ALLR* 879. *Cf. cul-bourrée, cul-pelote, quiboule, quicambole.*
Etym. : Composé de *cul* et peut-être *barotte* "brouette" pour le premier. *Burotte* est incertain.
Vitalité : *Cul-barotte* : Peu attesté au-dessus de 40 ans. *Cul-burotte* : Peu attesté au-dessus de 20 ans.

cul-bourrée, n. f. :
Culbute, voir *cul-barotte.*
Rem. : Relevé par Z. (*cudbowré*) et par l'*ALLR* 879. *Cf. cul-barotte, cul-pelote, quiboule, quicambole.*
Etym. : Composé de *cul* et peut-être d'un dérivé de *burra* "étoffe grossière en laine".
Vitalité : Attesté au-dessus de 20 ans.

cul-burotte, n. f. : Voir *cul-barotte.*

cul-de-chien, n. m. :
Nèfle : "Maintenant, plus personne ne s'intéresse aux culs-de-chiens, autrefois, on ramassait tout".
Rem. : Relevé par Z. et l'*ALLR* 87 "églantier", 88 "fruit de l'églantier". Signalé par *TLF* avec la mention "régional (Lorraine)".
Vitalité : Connu au-dessus de 60 ans > peu attesté >> inconnu.

cul-pelote, n. f. :
Culbute, voir *cul-barotte*.
Rem. : Relevé par Z. (*cupélate*). *Cf. cul-barotte, cul-bourrée, quiboule, quicambole.*
Etym. : Composé de *cul* et d'un élément incertain, peut-être dérivé de *pilus* "poil".
Vitalité : Peu attesté au-dessus de 20 ans.

cuveau, n. m. :
Cuvette : "Autrefois, on n'avait pas besoin de salle de bains, juste un cuveau et un broc".
Rem. : Z. relève *keuvé.* Signalé par *Rob. 89* avec la mention "technol. ou régional" et par *TLF* sans mention.
Vitalité : Connu au-dessus de 60 ans > peu attesté > inconnu.

D

dâbo, n. et adj. :
1. Simplet, niais : "C'est un dâbo, on lui ferait faire et dire n'importe quoi".
2. Loc. v. : *Etre dâbo* : Etre dupé : "Quand je me suis rendu compte que j'étais dâbo, c'était trop tard, il était déjà parti".
3. Loc. v. : *Etre le dâbo de qqn.* : Etre la dupe de qqn. : "Je croyais qu'il disait la vérité, mais penses-tu, j'étais son dâbo !"
Rem. : Z. relève "*dabo*, n. m. : souffre-douleur, niais, innocent, imbécile, idiot". *Cf. baoué 2, béné, beubeu, fin (ne pas être bien -), fini, frais 2, goliot, nice 4.*
Etym. : Du latin *dabo* "je donnerai" (1re pers. du futur de *dare* "donner").
Vitalité : **1.** Bien connu au-dessus de 20 ans. **2. 3.** Attesté au-dessus de 20 ans.

dahu, daru, n. m. :
Animal fabuleux, qu'on fait chasser par un étranger un peu niais : "On l'a emmené à la chasse au dahu, il a mis du temps à s'apercevoir qu'on se moquait de lui".
Rem. : Z. relève "*daru, dèru*, n. m. : oiseau fabuleux. *Aller au dèru* : être mystifié. *Chasse au dèru.*" Le *dahu* est aujourd'hui présenté sous les traits d'un animal quadrupède aptère. Les loc. signalées par Z. sont usuelles en français régional. Signalé par *Rob. 89* sous les graphies *dahu, daru*, avec la mention "attesté XIXe dans diverses régions".
Vitalité : Usuel. La forme *dèru* est attestée au-dessus de 60 ans.

daille-daille, loc. adv. :
Dare-dare : "Il faut y aller daille-daille si on veut arriver à l'heure".
Rem. : *Cf. cale (à fond de -).*
Etym. : Redoublement de l'interj. italienne *daï, dagli* "vite ! en avant !".
Vitalité : Usuel.

daller 1, v. tr. :
Tasser : "Il faut daller la terre, sinon, tu vas t'enfoncer".
Etym. : Altération du fr. *damer* "tasser la terre", dérivé du latin *domina* "dame", sous l'influence de *daller* "recouvrir (un sol) de dalles" (dérivé du germ. *daela* "gouttière").
Vitalité : Attesté au-dessus de 40 ans.

daller 2, v. tr. et i. :
Manger : "Je vais daller, je commence à avoir faim".
Rem. : *Cf. cheuler 1, chiquer, décrotter 1, fruchtiquer, ribote, ventrer (se), gosser* (annexe), *tôper* (annexe).
Etym. : Du germ. *daela* "gouttière". A rapprocher de l'argot *dalle* "gosier". *Cf.* les loc. arg. *avoir la dalle* "avoir faim", *casser la dalle* "manger".
Vitalité : Attesté.

dampfnuedle, n. f. : [dàmpfnü:dle]
Beignet cuit à la vapeur : "Ma grand-mère faisait des dampfnuedles comme je n'en ai jamais mangé depuis".
Rem. : Emprunt non adapté à l'alsacien (*Dampf* "vapeur"). *Cf. beugnet, bugne 2, crêpé 1.*
Vitalité : Connu au-dessus de 60 ans > peu attesté >> inconnu.

dans, prép.:
A, sur: "Il n'a jamais ses patins* dans ses pieds". "Mets un pull, tu n'as rien dans les bras".
Vitalité: Connu.

daube, n. f.:
1. Objet de mauvaise qualité: "N'achète pas le* vélo-là, c'est de la daube".
2. Nourriture avariée: "Ce n'est pas un restaurant, tout juste une pauvre gargotte où on vous sert de la daube".
Etym.: Signalé par Esnault aux sens "mouchard" et "fille bien vue de la police". Il ajoute en étym.: "Semble correspondre au lyonnais *daube* "gâté", adj. qui se dit des fruits et des viandes, et, n. f., "viande gâtée" (1950 et auparavant)", toujours usité en fr. rég. du Rhône et de la Loire.
Vitalité: **1.** Bien connu au-dessous de 40 ans, peu attesté au-dessus. **2.** Attesté.

davantage... que, loc. conj.:
Plus... que: "Cette année, on a eu davantage de fruits qu'eux".
Rem.: Signalé par *Rob. 89* avec la mention "vieux ou littéraire". *TLF* remarque: "construction prohibée par la grammaire traditionnelle, mais l'usage tend à la répandre, et en fait un substitut de *plus que*".
Vitalité: Bien connu.

de, prép.:
Dans les loc.: *D'à moi, d'à toi, d'à lui...*: A moi, à toi, à lui: "Le* chien-là, il est d'à moi, pas d'à toi".
Rem.: L'*ALLR* 1134, 1135, relève le tour dans son commentaire. Peut-être influencé par l'allemand *von mir* "à moi".
Vitalité: Connu.

débarrassée (être -), loc. v.:
Avoir accouché: "Ça y est, elle est enfin débarrassée, elle sera plus à son aise".
Vitalité: Attesté au-dessus de 40 ans, peu attesté au-dessous.

débattre, v. tr.:
Mélanger des substances alimentaires, pétrir: "Si vous avez fini votre travail, je vais débattre les œufs pour faire l'omelette". "Il faut débattre la pâte un moment, pour faire une bonne brioche".
Rem.: Relevé par l'*ALLR* 681 "remuer (la sauce)". Signalé par *Rob. 89* avec la mention "régional (Suisse)". *Cf. bourreauder 2, graouiller 2, raouenner, tripoter.*
Vitalité: Attesté au-dessus de 60 ans > peu attesté > inconnu.

débaucher, v. i.:
Sortir du travail: "Mon mari débauche tous les soirs à six heures".
Rem.: Signalé par *Rob. 89* et *TLF* avec la mention "régional" ("Ouest" selon *TLF*). Voir Rézeau. *Cf. déhotter 3, quitter 1.*
Vitalité: Bien connu.

débiscailler, v. tr.:
1. Débarrasser: "Je vais débiscailler cette pièce, on pourra en faire une chambre à coucher".
2. Part. passé en emploi adj.: *Débiscaillé, débeuscaillé*: Mal fichu, malade: "Je ne sais pas ce que je couve, je suis toute débiscaillée".
Rem.: **2.** Relevé par Z. et l'*ALLR* 917. *Cf.* **2.** *fiâche 2, flatche, tournisse 1.*
Etym.: Dérivé, comme *biscailler**, de *Biscaye*, province basque espagnole.
Vitalité: **1.** Attesté au-dessus de 20 ans. **2.** Peu attesté.

debout (se mettre -), loc. v. :
Se lever : "Mettez-vous debout quand le directeur entre dans la classe".
Rem. : Voir *assis (se mettre)*.
Vitalité : Bien connu.

débringler, débringuer, v. :
1. V. tr. : Désarticuler : "A force de te balancer sur ta chaise, tu vas la débringler".
2. Emploi pr. : Se dégager, se débarrasser (d'une entrave) : "J'avais les pieds pris dans des ronces, mais j'ai réussi à me débringuer".
3. Part. passé en emploi adj. : Déshabillé : "Remets ton pané* dans ton pantalon, tu es tout débringué".
Rem. : **1.** *Débringuer* : relevé par Z. *Rob. 89* signale les emplois 1 et 2 avec la mention "familier et régional". *TLF* signale le sens 1 avec la mention "arg. ou pop.".
Vitalité : **1.** Connu au-dessus de 40 ans, peu attesté au-dessous. **2.** Attesté au-dessus de 40 ans > peu attesté > inconnu. **3.** Attesté.

débroiller, v. i. :
Tomber en purée : "Pour faire des croquettes, il faut commencer par faire débroiller des patates".
Rem. : Dér. du germ. **brekan* "casser" ou variante phon. du suivant.
Vitalité : Attesté au-dessus de 60 ans.

débrolé, adj. :
1. Trop cuit, desséché ou réduit en purée : "Ces patates ont trop cuit, elles sont toutes débrolées".
2. Cassé, abîmé, en ruine : "Leur maison a tenu un moment, mais maintenant, elle est toute débrolée, c'est un tas de pierres".
Rem. : Relevé par Z.
Etym. : Dérivé du germ. *brod-* "bouillon, sauce".
Vitalité : Attesté au-dessus de 60 ans.

décacher, v. tr. :
1. Découvrir : "Le vent a décaché le tas de bois, il faudra rattacher la bâche".
2. Emploi pr. : Se découvrir : "Toutes les nuits, je me décache et je me réveille parce que j'ai froid".
Rem. : Relevé par Z. (*décachi, se décwècheu*).
Etym. : Formé sur *cacher*.
Vitalité : Attesté.

déchirure, n. f. :
Annexion de l'Alsace et d'une partie de la Lorraine : "Depuis la déchirure, les rapports entre les gens ne sont plus comme avant".
Vitalité : Peu attesté.

déclichette, n. f. :
Diarrhée : "Avec ce temps froid et humide, on ne peut qu'attrapper la déclichette".
Rem. : Relevé par l'*ALLR* 750. *Cf. chite, schnell-catherine, trisse* (annexe).
Etym. : Formé sur la base onomatopéique *klikk-*.
Vitalité : Attesté au-dessus de 60 ans.

décombre, n. f. :
Décombres : "Enlevez-moi toute cette décombre" (ou "toutes ces décombres").
Rem. : Régionalisme grammatical. *TLF* signale : "se rencontre parfois au féminin".
Vitalité : Connu au-dessus de 60 ans > attesté >> inconnu.

décrever, v. tr. :
Fendre, éclater : "La pluie a fait décrever toutes les prunes".

Rem. : Relevé par Z. en emploi pr. au sens "gercer, se fendiller". L'emploi particulièrement fréquent de ce préfixe est signalé par Walter 98.
Vitalité : Attesté au-dessus de 60 ans > peu attesté > inconnu.

décrotter, v. i. :

1. Manger beaucoup : "A cet âge-là, c'est qu'ils décrottent !"
2. Travailler beaucoup : "Toute la semaine, on n'a pas vu de clients, mais samedi, on a décrotté".
Rem. : **1.** Signalé par *Rob. 89* avec la mention "pop. et vieux". Il ajoute en remarque : "Le sens figuré ("débarrasser qqn. de ses manières grossières, de sa rusticité, de son ignorance") est le seul en usage aujourd'hui". *TLF* signale, avec la mention "pop., fam.", le sens "manger avec avidité, en vidant le plat". *Cf.* **1.** *cheuler 1, chiquer, daller 2, fruchtiquer, ribote, ventrer (se), gosser* (annexe), *tôper* (annexe).
Vitalité : **1.** Bien connu au-dessus de 20 ans. **2.** Attesté au-dessus de 20 ans.

dedans, dédans, prép. ou adv. :

1. Prép. : Dans : "L'ennemi était déjà entré dedans la ville et personne n'avait encore bougé".
2. *Dédans*, adv. : dedans : "Je l'ai bien mis dédans, mais je ne le retrouve plus".
Rem. : **1.** Signalé par *Rob. 89* et *TLF* avec la mention "vieux".
Vitalité : **1.** Attesté au-dessus de 20 ans. **2.** Attesté.

défaire (se), v. pr. :

1. Se déshabiller : "Défaites-vous, il fait chaud ici, vous allez prendre froid en sortant".
2. Loc. v. tr. : *Défaire son pied* : Se déchausser : "Défais ton pied, que je voie si tu as un caillou dans ta chaussure".
Rem. : **1.** Signalé par *Rob. 89* avec la mention "régional" et *TLF* avec la mention "vieilli".
Vitalité : **1.** Bien connu. **2.** Connu au-dessus de 20 ans.

défunter, v. i. :

1. Mourir : "Son grand-père a défunté hier".
2. Etre hors d'usage : "Ma voiture a fini par défunter".
Rem. : **1.** Signalé par *Rob. 89* avec la mention "vieux, régional (rural) ou par plais." et *TLF* avec la mention "familier et régional".
Vitalité : **1.** Attesté au-dessus de 60 ans > peu attesté > inconnu. **2.** Attesté au-dessus de 60 ans.

dégouler, v. tr. :

Couler : "L'eau de la fontaine dégoule sur la route".
Etym. : Formé sur le lat. *gula* "gueule", variante phonétique et sémantique du suivant.
Vitalité : Attesté au-dessus de 60 ans, peu attesté au-dessous.

dégueuler, v. i. :

Faire des plis, en parlant d'un vêtement : "Elle avait une robe avec, par devant, un col qui dégueulait, c'était superbe".
Rem. : Esnault signale le sens "bâiller en parlant d'un vêtement dont l'échancrure est trop ouverte". Le sens relevé à Metz n'est pas péjoratif.
Etym. : Dérivé de *gueule.*
Vitalité : Attesté au-dessus de 60 ans, peu attesté au-dessous.

dehors de, déhors de, loc. prép.: A l'extérieur de, en dehors de: "Tous les dimanches, on va faire une promenade dehors de la ville pour changer d'air".
Rem.: *Rob. 89* et *TLF* signalent *dehors* + n. déterminé ("dehors la ville") avec la mention "vieux".
Vitalité: Connu.

déhors, adv.:
Dehors: "Va jouer déhors, tu m'assommes".
Rem.: Outre la première voyelle, le régionalisme phonétique consiste aussi en une aspiration forte de *h*.
Vitalité: Connu.

déhotter, v. :
I. V. i. : **1.** Sortir d'un lieu où l'on est embourbé: "Je n'arrive pas à déhotter de ce chemin".
2. Laisser la place: "Déhotte de là avant que je m'énerve".
3. Cesser le travail: "Le vendredi soir, on déhotte à quatre heures".
II. V. pr.: **1.** Se sortir d'un lieu où l'on est embourbé: "Il n'a pas pu se déhotter de là, il a fallu faire venir un tracteur pour le tirer".
2. Se tirer d'embarras: "En ce moment, c'est difficile, mais, avec le temps, on arrivera bien à se déhotter".
Rem.: **I, 1.**; **II, 2.** Relevé par Z. *Rob. 89* et Colin signalent des sens différents. Colin, comme Esnault, note en étym.: "mot dialectal du Nord-Est de la France". *Cf.* **I, 3.** *débaucher, quitter 1.*
Vitalité: Bien connu au-dessus de 20 ans.

déjà, adv.:
1. Quand même: "Il doit déjà faire froid pour que les mares soient gelées comme ça".
2. Loc. adv.: *Pas déjà*: Pas seulement: "Il n'est pas déjà si bête pour avoir réussi à s'en sortir".
Rem.: Voir le commentaire de l'*ALLR* 1175. *TLF* signale le sens 1 avec la mention "fam.".
Vitalité: **1.** Connu. **2.** Connu au-dessus de 20 ans.

déjeuner 1, v. i.:
Prendre le repas du matin: "On déjeune le plus souvent à sept heures".
Rem.: Signalé par *Rob. 89* avec la mention "vieilli ou régional (Nord, Belgique, Canada)" et *TLF* avec la mention "vieux, régional". Voir Rézeau.
Vitalité: Usuel.

déjeuner 2, n. m.:
Petit-déjeuner: "Il faut se battre, maintenant, pour que les gamins prennent un déjeuner avant de partir à l'école".
Rem.: Voir *déjeuner 1.*
Vitalité: Bien connu.

délivrance, n. f.:
Poche expulsée lors de la naissance (humains ou animaux): "Quand la vache a fait veau*, on enterre la délivrance".
Rem.: Signalé par *Rob. 89* ("Med. ou zootechn.").
Vitalité: Connu.

démâchurer, v. tr.:
Débarbouiller: "Viens que je te démâchure, tu es tout noir dans la figure".
Etym.: Composé du préfixe *dé-* et de *mâchurer*.
Vitalité: Attesté au-dessus de 60 ans.

démarier (se), v. pr. :
Divorcer, se séparer : "Il paraît que les voisins se sont démariés, on ne l'a même pas su".
Rem. : Signalé par *Rob. 89* avec la mention "vieux" et *TLF* avec la mention "vieilli".
Vitalité : Attesté au-dessus de 60 ans > peu attesté >> inconnu.

démarré, adj. :
Sevré (en parlant d'un animal) : "Pour m'occuper, j'élève des lapins que je vends démarrés".
Vitalité : Régionalisme sémantique attesté au-dessus de 40 ans.

demi-porc, n. m. :
Porc élevé et tué par un particulier, vendu par moitié à d'autres personnes : "Il m'a élevé un demi-porc que j'irai chercher après le Nouvel An".
Vitalité : Attesté au-dessus de 60 ans > peu attesté >> inconnu.

dent, n. m. :
Dent : "J'ai un dent qui me fait mal".
Rem. : Relevé par Z. et l'*ALLR* 539.
Vitalité : Connu.

dépaissir, v. tr. :
Eclaircir un semis : "J'ai dépaissi les salades".
Rem. : Relevé par l'*ALLR* 112 "démarier (les betteraves)" et 98 "désherber". *Cf. cherber, réclaircir, desserrer* (annexe).
Vitalité : Bien connu.

déquiller, v. tr. :
Faire tomber (une chose) : "Je ne peux pas atteindre cette boîte, elle est trop haute, il faut que je la déquille avec un bâton".
Rem. : Relevé par Colin aux sens : 1. abattre, tuer. 2. arrêter.
Etym. : Formé sur *quille*.
Vitalité : Usuel.

dérayer, déroyer, v. tr. et i. :
1. Faucher le tour du champ : "J'ai dérayé ce matin, mais je n'ai pas pu aller plus loin, il s'est mis à pleuvoir".
2. Commencer (un travail) : "Il faudrait que je fasse mon repassage, mais je n'arrive pas à dérayer".
Rem. : Relevé par Z. au sens "délimiter un champ, un pré" et par l'*ALLR* 572 (sens 1).
Etym. : Issu du gaul. **rica* "raie, sillon".
Vitalité : **1.** Attesté au-dessus de 40 ans. **2.** Peu attesté.

déru, n. m. : Voir *dahu, daru.*

desservant, n. m. :
Desserte (meuble) : "Pose les assiettes sur le desservant, je les rangerai".
Vitalité : Attesté au-dessus de 60 ans > peu attesté > inconnu.

dessous, prép. :
Sous : "Il est tombé dessous la table".
Rem. : Signalé par *Rob. 89* et *TLF* avec la mention "vieux".
Vitalité : Bien connu.

dessus, prép. :
Sur : "J'ai mis mes papiers dessus la commode".
Rem. : Voir *dessous.*
Vitalité : Bien connu.

détomber, v. i. :
Tomber en purée, voir *débroiller.*
Rem. : Relevé par Z. au sens "diminuer de volume". Emploi fréquent de ce préfixe signalé par Walter 98.

Vitalité: Attesté au-dessus de 20 ans.

détourner, v. tr.:
1. Mettre de côté: "Je vous ai détourné un pain, vous le prendrez quand vous repasserez".
2. Changer quelque chose de place: "Il a détourné mes lunettes, je ne les retrouve plus".
Vitalité: Régionalisme sémantique connu au-dessus de 60 ans, peu attesté au-dessous au sens 1, attesté au-dessus de 20 ans au sens 2.

deux, adj. num.:
Dans la loc.: *Nous (*ou *vous) deux* + n. désignant une pers.: Moi (toi) et une autre pers.: "Nous deux ma femme, on est parti en vacances". "Vous reviendrez bien me voir, vous deux le* Daniel?"
Rem.: Signalé par *Rob. 89* avec la mention "pop." et *TLF* avec la mention "fam. et pop.". Voir Rézeau.
Vitalité: Bien connu au-dessus de 60 ans > attesté > peu attesté > inconnu.

devenir, v. i.:
1. Venir: "D'où devenez-vous donc, comme ça?".
2. Loc. v. : *Devenir à rien*: Dépérir: "Je voyais bien que mes pois devenaient à rien, mais je ne comprenais pas pourquoi".
Rem.: **1.** Relevé par Z. et l'*ALLR* 1209, signalé par *Rob. 89* et *TLF* avec la mention "régional (Centre, Ouest, Canada)".
Vitalité: **1.** Attesté au-dessus de 40 ans, peu attesté au-dessous. **2.** Attesté au-dessus de 60 ans > peu attesté >> inconnu.

déverser, v. tr.:
Vider le contenu: "Il a déversé tout le tiroir par terre, mais c'est moi qui ai dû le ranger".
Vitalité: Régionalisme sémantique connu.

dévorer, v. tr.:
Déchirer, abîmer: "Ce gamin dévore tous ses vêtements".
Rem.: Relevé par l'*ALLR* 119 "égratigner". Régionalisme sémantique.
Vitalité: Peu attesté au-dessus de 20 ans.

dialecte, n. m.:
1. Patois germanophone de Moselle et d'Alsace: "A Metz, on entend encore souvent du dialecte dans la rue".
2. Loc. v. : *Parler le dialecte*: Parler un patois germanique (mosellan ou alsacien): "Au-dessus de Thionville, on parle le dialecte, pas chez nous".
Etym.: Emprunt probable à l'allemand *Dialekt* "patois".
Vitalité: Usuel.

dîner 1, v. i.:
Déjeuner (prendre le repas de midi): "Tous les midis, les gosses viennent dîner à la maison".
Rem.: Signalé par *Rob. 89* avec la mention "vieux ou régional (France exceptionnellement; Belgique, Canada)" et *TLF* avec la mention "vieux ou régional". Voir Rézeau.
Vitalité: Bien connu.

dîner 2, n. m.:
Repas de midi: "Il arrive tous les dimanches à 11 heures pour le dîner".
Rem.: Signalé par *Rob. 89* avec la mention "vieux ou régional (notamment Belgique)". Voir *dîner 1.*
Vitalité: Bien connu.

dire, v. :
1. Dans la loc. : *Comme dit* : Comme convenu : "Comme dit, je suis venu vous donner les clefs de la maison".
2. Dans la loc. adv. : *Franchement dit* : A vrai dire : "Franchement dit, il vaudrait mieux qu'il arrête tout, tout de suite, plutôt que de s'entêter".
Etym. : Calques de l'allemand *wie gesagt* (1), *offen gesagt* (2).
Vitalité : Bien connu.

diseries, n. f. pl. :
Paroles oiseuses, sottises : "On a perdu un temps fou à écouter des diseries".
Rem. : Relevé par Z. (*dirèyes*). *Cf. carabistouille, couatche 2, ramages 1, barbouillerie* (annexe).
Vitalité : Attesté au-dessus de 40 ans.

disette, n. f. :
Betterave fourragère : "Il y a de la boue sur les routes, c'est le moment de la récolte des disettes".
Rem. : Relevé par Z. et l'*ALLR* 109 où il forme une aire messine. *Cf. lisette.*
Etym. : Dérivé du latin *dicere* "dire".
Vitalité : Attesté au-dessus de 40 ans.

dommage (être au -), loc. v. :
Causer des dégâts : "Les vaches du voisin sont au dommage dans notre champ, je vais lui téléphoner".
Rem. : *TLF* cite les loc. *être à dommage, être en dommage* avec la mention "vieilli ou rég.".
Vitalité : Peu attesté au-dessus de 40 ans.

dondaine, n. f. :
Femme grosse et un peu niaise : "Il s'est marié avec une grosse dondaine".
Rem. : Z. relève *dondone. Rob. 89* signale ce mot avec des sens différents. *TLF* note "*dondaine*, 1579", sous *dondon. Cf. gaille 2, quetsche 2, socotte, zaubiotte 2, zonzon.*
Vitalité : Bien connu.

donnant, adj. :
Généreux : "Il a de la chance, son parrain et sa marraine sont donnants".
Rem. : Signalé par *Rob. 89* avec la mention "vieux ou régional" et par *TLF* avec la mention "familier".
Vitalité : Connu au-dessus de 20 ans.

doublette, n. f. :
Equipe de deux joueurs associés : "Pour le concours de pétanque, il y aura cinquante doublettes".
Rem. : Signalé par *TLF* sans mention.
Vitalité : Usuel.

doucette, n. f. :
Mâche : "La doucette, on est bien content de la trouver quand il n'y a plus rien d'autre".
Rem. : Relevé par Z. (*douçate, doçate*). Signalé par *Rob. 89* avec la mention "régional" et par *TLF* avec la mention "botanique, usuel". Noté par Bonnier. *Cf. roupf salade 2.*
Vitalité : Usuel au-dessus de 20 ans.

doudou, n. m. :
Appellation affective d'une personne plus jeune : "Voilà le doudou, c'est le plus gâté, celui-là".
Etym. : Redoublement de l'adj. fr. *doux* (lat. *dulcis*).
Vitalité : Usuel.

douille 1, n. f. :
Douve de tonneau : "Les douilles de ce tonneau sont mauvaises, il faudra le changer".

Rem.: Relevé par Z. et l'*ALLR* 639.
Etym.: Forme dialectale issue du latin *doga* "récipient, fossé, douve".
Vitalité: Peu attesté au-dessus de 20 ans.

douille 2, n. m.:
Orteil: "J'ai les douilles qui me font mal, le temps change".
Rem.: Relevé par Z. et l'*ALLR* 760.
Etym.: Forme dialectale issue de *digitum* "doigt".
Vitalité: Bien connu au-dessus de 40 ans.

douter, v. tr.:
Craindre: "Il me doute, alors j'arrive encore à le faire obéir".
Rem.: Relevé par l'*ALLR* 864 "il a peur". *Douter* a conservé ce sens en français commun jusqu'au XVIIe siècle. *Cf. avoir peur qqn.*
Vitalité: Attesté au-dessus de 20 ans.

doux, n. m.:
Alcool de faible degré: "Si vous ne voulez pas de mirabelle, vous prendrez bien un doux".
Rem.: Signalé sans mention par les dictionnaires, il connaît pourtant, semble-t-il, le même sort que *fort* (voir plus loin), absent des dictionnaires. *Cf. brandevin, cheule, eaux bleues, fort, liche 1* (annexe), *schnaps, schnick.*
Vitalité: Attesté au-dessus de 40 ans.

drapeau, n. m.:
Couche, lange: "J'ai mis un drapeau au gamin pendant que tu étais partie, je crois bien que c'est le dernier".
Rem.: Relevé par Z. Signalé seulement au pl. par *Rob. 89* sans mention et *TLF* cite *drapiaus* "langes" au XIIIe s. *Cf. lurelle.*
Vitalité: Peu attesté au-dessus de 40 ans.

dressoir, n. m.:
1. Etagère à quatre planches, sans rideau, sous l'escalier: "Heureusement qu'on a le dressoir, autrement, on ne saurait plus où ranger toutes les affaires".
2. Vaisselier: "Les assiettes de Lunéville sont sur le dressoir".
Rem.: Relevé par Z. (*drassu* "étagère"). **2.** Signalé par *Rob. 89* sans mention et *TLF* au sens proche: "armoire sans porte destinée à exposer la vaisselle".
Vitalité: **1.** Attesté au-dessus de 20 ans. **2.** Bien connu.

drôle, n. m.:
1. Enfant, adolescent: "Il y a une bande de drôles qui chahutent sur la place".
2. Dans la loc. n.: *Manre drôle*: Homme pénible à supporter: "Elle est mariée à un manre drôle, la pauvre, je la plains!"
Rem.: Z. note *droule*, n. m. "individu quelconque, homme méprisable". Relevé par l'*ALLR* 873 (sens 1) et 891 "mauvais garçon" (sens 2). Signalé par *Rob. 89* avec la mention "moderne et régional (dans le Midi de la France)" et *TLF* avec la mention "moderne et régional (Ouest et Sud)". *Cf.* **1.** *boube, minot, piat, râce, ratz, spatz.*
Vitalité: **1.** Usuel au-dessus de 20 ans. **2.** Connu au-dessus de 20 ans.

drugeon, n. m. :
Pousse, rejeton au pied d'un arbre : "On a plein de drugeons de hêtre, tu peux venir en prendre quand tu veux".
Etym. : Dérivé du gaulois **druto* "fort".
Vitalité : Peu attesté au-dessus de 20 ans.

duvet, n. m. :
Edredon garni de duvet : "Ça s'est rafraîchi, il va falloir sortir les duvets".
Rem. : Relevé par l'*ALLR* 389. Signalé par *Rob. 89* avec la mention "régional (Suisse, Savoie, Lorraine, Belgique)" et *TLF* avec la mention "moderne et régional (Ouest et Sud)".
Vitalité : Usuel.

E

eau (petite), eaux (petites -), loc. n. f. :
Fin de la distillation, voir *eaux bleues.*
Rem. : Relevé par Z. (*pyote auye*).
Vitalité : Attesté au-dessus de 60 ans > peu attesté > inconnu.

eaux blanches, loc. f. pl. :
Liquide obtenu après la première distillation, contenant une certaine quantité d'impuretés : "La deuxième distillation consiste à passer les eaux blanches par un raffin* qui permet de produire un alcool purifié".
Rem. : Relevé par Z.
Vitalité : Attesté au-dessus de 60 ans > peu attesté >> inconnu.

eaux bleues, loc. n. f. pl. :
Alcool obtenu en fin de la distillation : "On garde toujours les 10 derniers litres, les eaux bleues, pour la cuite* suivante". *Cf. brandevin, cheule, doux, fort, liche 1* (annexe), *schnaps, schnick.*
Vitalité : Attesté au-dessus de 40 ans.

ébauchée, n. f. :
Ouverture pratiquée dans le mur de la grange, permettant de faire passer le foin directement dans l'écurie : "L'ébauchée est restée ouverte, il faudrait la refermer, ça fait un courant d'air".
Etym. : Probablement dérivé du germ. **balko* "poutre, solive".
Vitalité : Connu au-dessus de 20 ans.

écaille, n. f. :
1. Coquille, morceau de coquille (œuf, noix) : "Ne laisse pas tes écailles de noix sur la table, jette-les".
2. Morceau de nourriture : "Ne me donne pas tout ce morceau de viande, juste une écaille, ça suffira".
3. En part. : Part (de gâteau) : "Vous prendrez bien encore une écaille de gâteau avec le café ?"
4. Tesson, débris : "J'ai cassé un verre il y a huit jours et j'en retrouve encore des écailles partout".
5. Copeau de hache : "J'allume le feu avec des écailles, ça prend tout de suite".
Rem. : **4.** Relevé par l'*ALLR* 431. **1.** Signalé par *Rob. 89* avec la mention "vieux ou régional". *Cf.* **1.** *cofâille* (annexe), *cofiotte* (annexe). **4.** *ételle.*
Vitalité : **1.** Attesté au-dessus de 40 ans > peu attesté > inconnu. **2.** Peu attesté au-dessus de 60 ans. **3.** Attesté au-dessus de 60 ans. **4.** Attesté au-dessus de 20 ans. **5.** Connu au-dessus de 60 ans.

écaillé, adj. :
Fendu, ébréché (verre, assiette) : "Je vous ai mis un verre écaillé, excusez-moi, je ne l'avais pas vu".
Vitalité : Régionalisme sémantique usuel.

échaffourée, n. f. :
Echauffourée : "A la fin du bal, il paraît qu'il y a eu une échaffourée, il a fallu appeler les gendarmes".
Vitalité : Peu attesté au-dessus de 40 ans.

échapper, v. tr. :
Laisser involontairement tomber : "J'ai échappé mon bol, mais par chance il ne s'est pas cassé".

Rem. : Signalé par *Rob. 89* avec la mention "régional" et *TLF* avec la mention "vieux". *Cf. tomber 1.*
Vitalité : Bien connu au-dessus de 40 ans, connu au-dessous.

échaudure, n. f. :
Ortie : "Avec les échaudures, on fait de la soupe".
Rem. : Relevé par Z. et l'*ALLR* 79. *Cf. chaudure.*
Etym. : Du lat. *excaldare* "laver à l'eau chaude".
Vitalité : Attesté au-dessus de 60 ans > peu attesté > inconnu.

éclair, n. f. :
Eclair (phénomène météorologique et pâtisserie) : "J'ai vu une éclair, voilà l'orage". "Pour le dessert, prends-moi une éclair au chocolat".
Rem. : Relevé par Z. (*ékiér',* n. m. et f.) et l'*ALLR* 25.
Vitalité : Bien connu.

écoles (aller aux -), loc. v. :
Faire de longues études : "Maintenant, même si tu as été aux écoles, tu n'es pas sûr d'avoir une bonne place".
Vitalité : Bien connu au-dessus de 20 ans.

écosse, n. f. :
Cosse : "Je donne les écosses de pois aux poules ?"
Rem. : Relevé par l'*ALLR* 101. Signalé par *Rob. 89* avec la mention "vieux ou régional". *Cf. cofâille* (annexe), *cofiotte* (annexe).
Vitalité : Bien connu au-dessus de 60 ans > attesté > peu attesté > inconnu.

écuelle, n. f. :
Soupière : "Avec une écuelle de soupe, je pensais en avoir assez pour huit, mais pensez-vous, il a fallu que j'en rapporte une autre".
Vitalité : Connu au-dessus de 20 ans.

écurie, n. f. :
1. Etable : "Les vaches rentrent à l'écurie".
2. Tout abri pour les bêtes de la ferme : "J'ai refait l'écurie des poules".
3. Loc. n. : *Ecurie de cochon* : Auge du porc et soupirail par où passe sa nourriture : "L'écurie de cochon est encore pleine, il ne mange plus parce qu'il fait trop chaud".
Rem. : Relevé par l'*ALLR* 401 (sens 1), 296 (sens 2). **1.** Signalé par *Rob. 89* et *TLF* avec la mention "régional (notamment Suisse)". Voir Rézeau. *Cf.* **2.** *étable.*
Vitalité : **1.** Usuel. **2.** Bien connu. **3.** Peu attesté.

effets (aller aux -), loc. v. :
Aller en ville choisir les habits du mariage, pour les futurs mariés : "On va profiter de ce que son père descend à Metz pour aller aux effets, c'est que le mariage est dans deux mois, il ne faut plus traîner".
Rem. : *Cf. habits (aller aux -).*
Vitalité : Attesté au-dessus de 40 ans > peu attesté > inconnu.

éguiatte, n. f. :
Aiguille de pin, de sapin : "Le sapin de Noël sèche, il y a plein d'éguiattes par terre".
Rem. : Z. ne relève que le sens "aiguillette" (lacets, rubans).
Etym. Forme dialectale diminutive d'*aiguille.*
Vitalité : Attesté.

eimelich, adj. : [àymeliç]
Intime, chaleureux : "Oh ! c'est eimelich, chez vous, on se sent bien".
Etym. : Du patois mosellan germ. *heimlich*, adv. "en cachette", adj. "secret, clandestin, câlin, agréable" (*cf.* l'allemand *heimlich* "où l'on est bien, agréable").
Vitalité : Attesté.

élancée, n. f. :
Elancement, douleur brusque : "Je ne sais pas ce que j'ai, depuis ce matin, j'ai des élancées du côté gauche".
Rem. : Régionalisme sémantique. *Cf. lancée, lancement.*
Vitalité : Connu au-dessus de 40 ans > peu attesté > inconnu.

embaucher, v. i. :
Commencer à travailler : "Il embauche tous les matins à cinq heures".
Rem. : Signalé par *Rob. 89* avec la mention "rare" et *TLF* avec la mention "régional". Voir Rézeau.
Vitalité : Connu au-dessus de 20 ans.

empan, n. m. :
Longueur d'une main (servant de mesure) : "Avec cinq ou six empans de ficelle, j'arriverais à faire mon paquet, mais je n'en ai pas trouvé un morceau".
Rem. : Signalé par *Rob. 89* et *TLF* avec la mention "vieux ou littéraire".
Vitalité : Attesté au-dessus de 60 ans.

empoïtau, n. m. :
1. Epouvantail : "Il a mis un empoïtau dans son jardin".
2. Maladroit : "Tu es vraiment un empoïtau, tout ce que tu touches, tu le casses !"
Rem. : **1.** Relevé par Z. (*apawtau*) et l'*ALLR* 97. Z. donne aussi le sens "personne niaise". *Cf.* **2.** *ambeuche, nice 3, harta* (annexe).
Etym. : Du latin **expaventare* "effrayer".
Vitalité : **1.** Peu attesté au-dessus de 20 ans. **2.** Attesté au-dessus de 20 ans. La forme *apahotau* "hurluberlu" est peu attestée au-dessus de 20 ans.

en, prép. :
1. A (+ nom) : "Je passe l'hiver à la ville et l'été en campagne".
2. Dans la formation de certains noms de rues de Metz : "Il a acheté une maison en Chaplerue".
Rem. : **1.** Signalé par *TLF* avec la mention "archaïque".
Vitalité : **1.** Peu attesté. **2.** Usuel.

enclencher, v. tr. :
1. Mettre en marche (un moteur) : "Il a quand même réussi à enclencher son tracteur".
2. Fermer (une porte), voir *clencher.*
Vitalité : **1.** Usuel. **2.** Connu.

encore, adv. :
Aussi : "Le gosse de ma fille est gentil, encore ceux de mon fils". "Donne-moi ton assiette, encore l'autre".
Vitalité : Attesté au-dessus de 20 ans.

endroit 1, n. m. :
1. Adret, côté exposé au soleil (versant de montagne, mur de maison, terrain) : "Cette pièce est chaude, elle est à l'endroit".
2. Dans la loc. adv. : *A point d'endroit* : Nulle part : "J'ai cherché mon tournevis partout et il est à point d'endroit".

Rem. : **1.** Signalé par *Rob. 89* et *TLF* avec la mention "régional (Suisse)". **2.** Relevé par l'*ALLR* 1207. *Cf.* **1.** *droit* (annexe). **2.** *place (à point de -), part (à nulle -).*
Vitalité : **1.** Peu attesté. **2.** Connu au-dessus de 40 ans > attesté > inconnu.

endroit 2, n. f. :
Endroit : "Il n'y pas une endroit où on peut se poser, sur cette table".
Vitalité : Attesté.

enflamber, v. tr. :
Enflammer : "C'est une allumette mal éteinte qui a enflambé la corbeille à papiers".
Etym. : Issu du latin *flammula* "petite flamme".
Vitalité : Attesté.

enfle, adj. :
Enflé : "Je me suis fait piquer par un taon, ma main est encore enfle".
Rem. : Adjectif verbal d'*enfler*.
Vitalité : Attesté au-dessus de 60 ans > peu attesté > inconnu.

enquiller, v. tr. :
1. Percuter, emboutir : "Il a enquillé la voiture du voisin au virage".
2. Emploi pr. : S'engager dans un mauvais chemin, une mauvaise affaire : "Je me suis enquillé dans ce foutu chemin et je me suis embourbé". "Qu'est-ce qu'il a été s'enquiller dans cette affaire véreuse ?"
Rem. : **2.** Signalé par *Rob. 89* et *TLF* avec la mention "arg., vieux".
Vitalité : **1.** Connu au-dessus de 40 ans, peu attesté au-dessous. **2.** Attesté au-dessus de 60 ans > peu attesté > inconnu.

enrayer, v. tr. et i. :
1. Faucher le tour du pré (lorsqu'on commence à faucher) : "J'enrayais quand l'orage est arrivé".
2. Commencer un travail : "Ça fait plusieurs jours que je n'arrive pas à enrayer, c'est le temps".
Rem. : Relevé par Z. (*anrayeu*). Régionalisme sémantique. *Cf. dérayer.*
Vitalité : **1.** Attesté au-dessus de 40 ans. **2.** Peu attesté au-dessus de 40 ans.

ensauver (s'), v. pr. :
Se sauver, s'en aller : "Allez, je m'ensauve, il faut que j'aille faire la soupe".
Rem. : Signalé par *Rob. 89* avec la mention "régional (emploi rural ou plaisant)" et *TLF* avec la mention "vieux, régional".
Vitalité : Attesté au-dessus de 20 ans.

entendre dur, loc. v. i. :
Etre sourd : "Criez fort, il entend dur".
Rem. : Sous *zwoye-dihh*, n. m. : "personne sourde", Z. ajoute "(qui entend dur)". (*zwoye* est issu de *zwoyi*, variante de *ouyi* "entendre (ouïr)". *Cf.* allemand *schwerhörig* "dur d'oreille". Relevé par l'*ALLR* 733. Signalé par *Rob. 89* et *TLF* avec la mention "vieux".
Vitalité : Attesté au-dessus de 20 ans.

entraver (s'), v. pr. :
Trébucher : "Je me suis entravé dans cette chaise et j'ai failli tomber".
Rem. : Signalé par *Rob. 89* et *TLF* sans mention. Voir Rézeau. *Cf. routcher.*
Vitalité : Connu.

eptiller, v. tr. :
Elaguer la vigne au commencement de la pousse : "On va bientôt devoir eptiller les vignes".
Etym. : Peut-être formé sur le lat. **pettitus* "petit".
Vitalité : Peu attesté au-dessus de 20 ans.

escalier, n. m. :
1. Au s. : Marche (d'escalier) : "Chez lui, il y a six escaliers avant d'arriver à l'ascenseur, comment voulez-vous que je fasse, moi, je ne peux pas monter".
2. Au pl. : *Escaliers, escaillers* : Escalier : "Faites attention en montant les escaliers, il y a une marche qui est plus haute que les autres".
Rem. : **1.** Signalé par *Rob. 89* avec la mention "régional (Belgique)". **2.** *TLF* signale l'emploi du pluriel comme familier ou populaire. *Cf.* **2.** *degrés* (annexe), *montée d'escalier.*
Vitalité : **1.** Bien connu. **2.** Usuel.

escargot, n. m. :
Pain aux raisins (en forme de spirale) : "Je lui ai acheté un escargot pour son goûter".
Rem. : Signalé par *TLF* sans mention. Voir Michel-Nancy. *Cf. schnecke 1.*
Vitalité : Usuel.

escouer, v. tr. :
Secouer : "Escoue bien la couverture avant de la rentrer, elle est pleine d'herbes".
Rem. : Relevé par Z. *Cf. hocher 2, holer 2.*
Etym. : Du lat. *succutere* "secouer".
Vitalité : Attesté au-dessus de 40 ans.

escoue-salade, n. m. :
Panier à salade : "Maintenant, on a remplacé l'escoue-salade par une petite essoreuse, c'est plus pratique".
Rem. : *FEW* (sous *succutere*) enregistre *kaw-salât* (Metz, Nied) et *kay-salät* (Moselle).
Vitalité : Connu au-dessus de 60 ans > attesté > inconnu.

esprit-de-vin, n. m. :
Alcool éthylique : "Va m'acheter un litre d'esprit de vin, je n'en ai plus".
Rem. : Signalé par *Rob. 89* avec la mention "régional" et *TLF* "Chimie, pharmacie", sans autre mention.
Vitalité : Connu au-dessus de 60 ans > attesté > peu attesté.

étable, n. f. :
Bâtiment abritant des animaux : "J'ai nettoyé l'étable des cochons".
Rem. : Z. relève *étaube* "étable, écurie". Signalé par *Rob. 89* sans mention. *TLF* précise : "lieu, bâtiment où on loge les bestiaux et plus particulièrement les bovidés". *Cf. écurie.*
Vitalité : Usuel.

ételle, n. f. :
Petit morceau de bois, copeau de hache : "Du gros sapin qu'il y avait là, il ne reste plus que les ételles, il a été coupé hier".
Rem. : Relevé par l'*ALLR* 610. Signalé sans mention par *Rob. 89* (avec une citation des Goncourt) et *TLF*, mais dans sa rubrique étym., *Rob. 89* note : "1877, *Littré, Suppl.* ; terme régional, 1807". Voir Rézeau. *Cf. écaille.*
Vitalité : Connu au-dessus de 60 ans > peu attesté > inconnu.

étrange, étranger, adj. :
1. Timide : “Elle est gentille, sa fille, peut-être un peu étrange, mais ça passera en grandissant”.
2. Impoli, bourru, désagréable : “Son mari est un peu étrange, mais c’est un brave type”.
Rem. : **2.** Signalé par *TLF* avec la mention “vieilli”. *Cf.* **1.** *honteux 2.* **2.** *chougnat 2, malgracieux, taugnat 1.*
Vitalité : **1.** Attesté au-dessus de 60 ans > peu attesté > inconnu. **2.** Attesté au-dessus de 40 ans.

être, v. :
1. Employé comme auxiliaire de *être*, signifiant *aller* : “Si j’avais su qu’il irait au voyage, j’y serais bien été aussi”.
2. Dans la loc. interrogative : *Comment que c’est? Comment que c’est + n. de personne?* : Comment allez-vous? Comment va + nom de personne? (manière polie de s’enquérir de la santé d’autrui) : “Comment que c’est, ce matin?” “Comment que c’est votre mère? - Oh, ça peut aller.”
3. Loc. v. avec valeur de futur proche : *Etre pour* (+ infinitif) : Se préparer à : “Il était pour partir quand on est arrivé”.
4. Loc. v. : *Etre en train* : Etre légèrement ivre : “Quand il a les yeux qui brillent comme ça, c’est qu’il est en train”.
Rem. : **3.** Signalé par *Rob. 89* avec la mention “régional” et *TLF* avec la mention “vieilli”. *Cf.* **4.** *charge (avoir une bonne -), chnoboloï (être -), hotte (avoir une bonne -), hottée (avoir une bonne -), schwipse* (annexe).
Vitalité : **1.** Connu au-dessus de 60 ans, peu attesté au-dessous. **2.** Connu au-dessus de 40 ans, attesté au-dessous. **3.** Connu. **4.** Connu au-dessus de 60 ans > peu attesté > inconnu.

évaltonné, adj. et n. :
Léger, étourdi, un peu fou : “J’ai vu arriver un évaltonné qui ne m’a même pas dit bonjour et qui est entré comme chez lui”.
Rem. : Signalé par *Rob. 89* avec la mention “vieux ou dial.” et par *TLF* “adj. : ordinairement en parlant d’une femme”, sans mention, avec une citation de Theuriet et en emploi subst., sans mention, avec une citation de Barrès. Il note en outre : “Etym., Hist. : demeuré en usage dans le Nord-Est, spécialement en Lorraine”. *Cf. brindezingue 3, haltata, chtarb, neuneu, zoné 2.*
Vitalité : Usuel au-dessus de 60 ans > peu attesté > inconnu.

exceprès, adv. :
Exprès : “Il l’a fait exceprès, je le sais bien”.
Vitalité : Attesté au-dessus de 20 ans.

F

facile (avoir - à), loc. v. : Voir *avoir facile (*ou *difficile) à.*

facilement, adv. :
Probablement, vraisemblablement : "Facilement, il partira demain et il sera chez nous après demain".
Vitalité : Attesté au-dessus de 40 ans, peu attesté au-dessous.

façon (à -), loc. adv. :
A façonner : "Il a fait une coupe dans son bois et m'a cédé les branches à façon".
Rem. : Régionalisme sémantique.
Vitalité : Attesté au-dessus de 40 ans.

façon (faire - de qqn.), loc. v. :
Imposer son autorité à qqn. : "Vous vous rendez compte ? Son gamin a tout juste 10 ans et elle ne peut déjà plus en faire façon. Il faut voir comme il lui répond !" "Pour le moment, mon chien est encore jeune, il n'est pas trop gros et j'arrive encore à en faire façon".
Rem. : L'emploi négatif est plus fréquent. Signalé par *Rob. 89* sans mention et *TLF* avec la mention "rég. (spécialement Suisse romande)".
Vitalité : Attesté.

faible (tomber -), faiblesse (tomber en -), loc. v. :
S'évanouir : "Pour la communion, c'était l'hécatombe ! Les gamines tombaient faible (ou "en faiblesse") dans toutes les rangées".
Rem. : Relevé par l'*ALLR* 924. *Tomber en faiblesse* est signalé par *Rob. 89* avec la mention "vieilli" et *TLF* sans mention.
Vitalité : Bien connu au-dessus de 20 ans.

faire, v. :
1. Loc. v. : *Faire avec* : Se débrouiller avec les moyens du bord : "On n'a pas les moyens qu'on avait autrefois, mais on fait avec".
2. Loc. v. : *Faire pour* (+ nom déterminé) : Tenir lieu de : "Tiens, prends donc ce billet, ça fera pour tes étrennes".
3. Loc. v. : *Tant qu'à faire de* (+ infinitif) : Puisqu'on est obligé de : "Tant qu'à faire de travailler, autant le faire bien".
Vitalité : **1. 3.** Usuel. **2.** Connu au-dessus de 20 ans.

fait à fait, loc. :
1. Loc. adv. : Petit à petit, au fur et à mesure : "Maintenant, je ne travaille plus très vite, mais fait à fait, j'arrive encore à m'en sortir".
2. Loc. conj. : *Fait à fait que, à fait que* : A mesure que : "Etendez le linge (fait) à fait que vous l'essorez".
Rem. : Signalé par *Rob. 89* avec la mention "vieux".
Vitalité : Connu au-dessus de 40 ans.

fait (à - que... qu'à fait), loc. conj. :
A mesure que : "Les flocons étaient si gros qu'à fait qu'on pelletait devant la porte, qu'à fait les congères revenaient".
Vitalité : Connu au-dessus de 60 ans > attesté > peu attesté > inconnu.

fanchette, n. f. :
Petite fille : "Elle est passée tout à l'heure avec toute une bande de fanchettes".

Rem. : Relevé par Z. au sens "poupée". *Cf. pouillotte 2, zaubiotte 1, meusniatte* (annexe).
Etym. : Diminutif du prénom Françoise.
Vitalité : Attesté au-dessus de 60 ans.

fanchon, n. f. :
Poupée de chiffon, voir *catiche.*
Rem. : Relevé par Z. et l'*ALLR* 885. *Cf. catiche, gueniche, guenon, tontiche 1, chonchon* (annexe).
Etym. : Voir *fanchette.*
Vitalité : Attesté au-dessus de 60 ans > peu attesté > inconnu.

fanecouhhe, n. m. : [fànku:x]
Petite galette de pommes de terre râpées cuite à la poêle : "Ma grand-mère faisait toujours des fanecouhhes quand elle invitait ses petits enfants".
Rem. : *Cf. araignée 1, pancoufe 2, râpé, vaute 2.*
Etym. : De l'allemand *Pfannkuchen* "omelette, crêpe" (de *Pfanne* "poêle" et *Kuchen* "gâteau").
Vitalité : Attesté au-dessus de 20 ans.

faquin, n. m. :
Individu fier, insolent, hautain : "Son mari ? c'est le faquin qui est venu hier, on n'est pas près de le revoir".
Rem. : Relevé par Z. (*fèquin*). Signalé comme n. par *Rob. 89* avec la mention "vieux ou littéraire" et *TLF* avec la mention "vieilli".
Vitalité : Connu au-dessus de 40 ans, peu attesté au-dessous.

fermer, v. tr. :
1. Enfermer : "J'ai fermé les poules pour la nuit".
2. Dans la loc. passive : *Etre fermé dehors* : Etre à la porte sans pouvoir se faire ouvrir : "Un courant d'air a fait claquer la porte, j'ai été fermée dehors jusqu'à ce que mon mari rentre du travail".
Rem. : **1.** Signalé par *Rob. 89* avec la mention "populaire" et *TLF* avec la mention "régional".
Vitalité : Bien connu au-dessus de 20 ans.

fête du cochon, loc. n. f. :
Repas lors du tuage du cochon : "Hier, on a fait la fête du cochon, tous les voisins et amis étaient là".
Rem. : *Cf. grillade 2, tue-cochon.*
Vitalité : Connu au-dessus de 60 ans, attesté au-dessous.

feugnâ, n. m. :
Mauvais travailleur : "Quel feugnâ, celui-là, je ne sais pas si j'arriverai un jour à lui apprendre le métier".
Rem. : Relevé par Z. (*fûgnad* "qui bêche mal") et par l'*ALLR* 502 "mauvais laboureur". *Cf. breusiâ, broillâ 1, mamaillou 1, queuviâ, crafia* (annexe), *hâbloux* (annexe), *harta 1* (annexe).
Etym. : Dérivé de *feugner.*
Vitalité : Attesté au-dessus de 60 ans, peu attesté au-dessous.

feugner, v. i. :
Fouiller : "Arrête de feugner dans les affaires de ton frère, tu vas tout mettre en désordre".
Rem. : Relevé par Z. et l'*ALLR* 206 "(la taupe a) foui". On note la variante *fugner. Cf. chougner 1.*
Etym. : Du lat. **fundiare* "fureter partout".
Vitalité : Connu au-dessus de 60 ans > attesté > peu attesté > inconnu.

fève, n. f.:
Haricot vert: “J’ai cueilli des fèves, vous pourrez en emporter, en ce moment, on ne sait plus quoi en faire et on n’aura jamais assez de verrines* pour faire les conserves”.
Rem.: Relevé par Z. et l’*ALLR* 100. Signalé par *TLF* (*petites fèves*) avec la mention “vieux et régional (Ouest, Canada)”.
Vitalité: Usuel.

fiâche, adj.:
1. Fané, ridé, mou: “Les carottes sont fiâches, elles sont difficiles à peler”. “Depuis sa maladie, elle a la figure toute fiâche, ça fait pitié”.
2. Mal fichu, mou: “Je suis tout fiâche, en ce moment, ça doit être le changement de temps”.
Rem.: Relevé par Z. (sens 1) et par l’*ALLR* 110 “(une pomme) ridée”, 1227 “(c’est) mou” et 917 “patraque”. *Cf.* **1.** *chiche* (annexe), *crapi* (annexe). **2.** *flatche, débiscaillé, tournisse.*
Etym.: Du lat. *flaccus* “mou, lâche”.
Vitalité: **1.** Usuel au-dessus de 20 ans. **2.** Connu au-dessus de 60 ans > attesté > inconnu.

fiar, adj.: Voir *fier*.

fiauve, n. f.:
Fable, conte, histoire amusante: “La grand-mère nous racontait des fiauves autrefois, ça parlait souvent du diable ou d’animaux”.
Rem.: Relevé par Z. et l’*ALLR* 842. *Cf. carabistouille 1, corne-cul (histoires de -), apoloche* (annexe).
Etym.: Du lat. *fabula* “fable”.
Vitalité: Attesté au-dessus de 60 ans > peu attesté > inconnu.

ficelle (faire -), loc. v.:
Faire vite, se dépêcher: “Si tu veux venir te promener avec nous, il faudra faire ficelle pour terminer tes devoirs”.
Vitalité: Attesté au-dessus de 60 ans, peu attesté au-dessous.

fier, adj.:
Acide, aigre: “Ces pommes sont trop fières, on ne peut pas les manger crues”.
Rem.: Relevé par Z. et l’*ALLR* 162. Signalé par *Rob. 89* avec la mention “régional” et *TLF* avec la mention “régional (Est, Franche-Comté, Suisse)”. Voir Rézeau.
Vitalité: Bien connu au-dessus de 60 ans > attesté > peu attesté. La variante phonétique *fiar* est attestée au-dessus de 40 ans.

filant, n. m.:
1. Fil de haricot: “Ces fèves* sont pleines de filants”.
2. Stolon de fraisier: “Mes fraisiers ont de grands filants, ils se replantent tout seuls”.
Etym.: Emploi n. du part. présent de *filer.*
Vitalité: Attesté au-dessus de 20 ans.

filet kassler; kassler, n. m.:
Filet de porc fumé: “Tu m’achèteras un (filet) kassler pour dimanche”.
Etym.: Emprunt à l’allemand *Kasseler, Kaßler* de même sens, peut-être issu de la ville de *Kassel.*
Vitalité: Attesté au-dessus de 20 ans.

fille (rester -), loc. v.:
Rester célibataire, ne pas se marier (en parlant d’une fille): “Sa sœur est restée fille et elle l’a aidé à la ferme, quand il avait ses gamins tout petits”.

Rem.: Signalé par *Rob. 89* avec la mention "vieux ou régional" et *TLF* avec la mention "vieux". *Cf. œufs (rester sur ses -).*
Vitalité: Bien connu au-dessus de 20 ans.

filoche, n. f.:
1. Filet à provisions: "J'ai toujours une filoche dans ma poche".
2. Epuisette pour la pêche: "Heureusement que j'avais ma filoche, sinon je n'aurais pas pu ramener le brochet".
3. Panier métallique immergé pendant la pêche, où l'on met les prises pour les garder vivantes: "Aujourd'hui ça ne mord pas, je n'ai presque rien dans ma filoche".
Rem.: **1.** Signalé par *Rob. 89* et *TLF* avec la mention "régional". Voir Rézeau. *Cf.* **2. 3.** *trayatte* (annexe).
Vitalité: **1.** Attesté. **2.** Connu. **3.** Connu au-dessus de 20 ans.

fin, adv.:
Très: "Continue comme ça et ce sera fin bien". "Il est fin bon, votre schnaps!"
Rem.: Relevé par Z. et l'*ALLR* 776 "soûl" (types *fin plein, fin rond*). Signalé par *Rob. 89* sans mention pour la loc. *fin prêt* et avec la mention "régional ou par plais." pour *fin soûl. Cf. moult.*
Vitalité: Usuel.

fin (ne pas être (bien) -), loc. v.:
Etre sot, niais: "Son gamin n'a pas l'air bien fin". "Il n'est pas fin, il n'a rien compris à ce que je lui ai dit".
Rem.: Relevé par Z. Signalé par *Rob. 89* sans mention. *Cf. baoué 2, beubeu, béné, dâbo 1, fini, frais, goliot, nice 4.*
Vitalité: Bien connu.

finette, n. f.:
Maillot de corps: "Mets une finette, tu vas prendre froid".
Rem.: Régionalisme sémantique. Les dictionnaires signalent le mot au sens "étoffe de coton croisé servant en bonneterie, chemiserie".
Vitalité: Usuel.

fini, part. passé:
Dans la loc.: *(N')être pas bien fini*: être simplet, niais: "Ce n'est pas possible, il (n')est pas bien fini ce gosse, il ne comprend rien".
Rem.: *Cf. baoué 2, beubeu, béné, dâbo, fin (ne pas être bien -), frais, goliot, nice 4.*
Vitalité: Bien connu au-dessous de 60 ans.

fion, n. m.:
Remarque blessante: "Il n'arrête pas de m'envoyer des fions".
Rem.: Relevé par Z. Signalé par *Rob. 89* et *TLF* avec la mention "régional (Suisse, Est)".
Vitalité: Usuel.

flamande, n. f.:
Verrière sur le toit permettant d'éclairer la cuisine, qui est une pièce borgne dans la maison traditionnelle: "Il y avait une flamande sur cette maison, mais elle a été supprimée".
Etym.: Du flamand *flaming* "flamand".
Vitalité: Attesté au-dessus de 60 ans > peu attesté > inconnu.

flamcuche, flamme(n)ku(e)che, n. f.: [flàmkü¢(e); flàme(n)kü¢(e)]
Tarte faite d'une fine pâte à pain recouverte d'une préparation à base de fromage blanc, crème, oignons, lardons: "Ils nous invitent à manger une flamcuche demain soir".

Rem. : Spécialité alsacienne, dont le nom est repris avec quelques variantes phonétiques suivant les locuteurs (*cf.* patois mosellan germ. *Flammkuche* littéralement "tarte flambée"). La variante *flamm(e)* en est une abréviation. Voir Rézeau. *Cf. galette à la flamme, tarte flambée.*
Etym. : Emprunt non adapté à l'alsacien de même sens, de *Flamme* "flamme" et *kueche* "tarte".
Vitalité : Usuel. *Flamm(e)* est connu.

flamm(e), n. f. : Voir *flamcuche.*

flapi mort, loc. adj. :
Harassé : "Il est rentré flappi mort de ses courses".
Rem. : *Cf. cuit, lasse, mûr, nazegeschwitz 1, schlappe 1, croumi* (annexe).
Vitalité : Connu au-dessus de 60 ans, attesté au-dessous.

flatche, adj. :
Flasque, mou (animés et inanimés) : "Je suis flatche, ce matin". "Mon chapeau a reçu une sacrée calende*, il est tout flatche, maintenant".
Rem. : Relevé par Z. et l'*ALLR* 917 "patraque". *Cf. fiâche 2, débiscaillé, tournisse 1.*
Etym. : Emprunt non adapté du patois mosellan germ. *Flatsch* "gifle, souillon" et *flatsch*, onomatopée, mais l'emploi adj. est aussi connu dans ce sens (de l'onomatopée *flats*).
Vitalité : Bien connu au-dessus de 60 ans, attesté au-dessous.

flot, n. m. :
Nœud de ruban, de lacet : "Refais le flot de ton soulier, tu vas tomber". "Elle est jolie, avec son beau flot dans les cheveux !"
Rem. : Relevé par Z. (*fiat*) et l'*ALLR* 1226. Signalé par *TLF* avec la mention "régional, Lorraine".
Vitalité : Usuel.

flûte, n. f. :
Pain de 400 g. : "Tu me prendras deux flûtes et une baguette".
Rem. : Pour les dictionnaires de langue, *flûte* est synonyme de *baguette* "pain long de 250 g.".
Vitalité : Bien connu.

foehn, n. m. : [fø: n]
Sèche-cheveux : "Je vais vous passer un coup de foehn et c'est fini".
Rem. : Signalé par *Rob. 89* et *TLF* avec la mention "régional (Suisse romande)".
Vitalité : Connu au-dessus de 20 ans.

foehner, v. tr. :
Sécher les cheveux (au sèche-cheveux) : "Je vous foehne ou vous préférez les lampes ?"
Rem. : Signalé par *Rob. 89* avec la mention "régional (Suisse)".
Vitalité : Peu attesté au-dessus de 20 ans.

foirer 1, v. i. :
S'effondrer : "Le mur a foiré après les pluies d'hier".
Rem. : Relevé par Z. (*fwerieu*) et l'*ALLR* 550. Signalé par *TLF* comme terme des travaux publics. *Cf. bouler* (annexe), *cambouler* (annexe), *frâler* (annexe).
Vitalité : Attesté au-dessus de 40 ans, peu attesté au-dessous.

foirer 2, v. i. :
Fourrager : "Elle foirait dans son corsage, je me demandais bien ce qu'elle faisait, mais c'était simple-

ment pour aller chercher son mouchoir !"
Etym. : Probablement issu du lat. *fodere* "fouir".
Vitalité : Peu attesté au-dessus de 40 ans.

fois, n. f. :
1. Dans la loc. adv. : *Une fois* : **a)** Un jour (à venir) : "Venez le voir une fois, ça lui fera plaisir".
b) Donc, un peu : "Viens une fois, que je te donne un bonbon".
2. Dans la loc. adv. : *La fois-ci, la fois-là :* Cette fois-ci, pour le coup : "Lui qui se moque tout le temps de moi parce que je suis toujours en retard, il ne pourra rien dire, la fois-ci".
3. Dans la loc. conj. : *La fois que* : Quand : "Je l'ai vu la fois qu'il était venu à l'hôpital pour des examens".
Rem. : **1.** Signalé par *Rob. 89* avec la mention "vieux ou régional" (1a) et la mention "régional (Belgique, calque du néerlandais)" (1b). Ici, il s'agit du calque de l'allemand *einmal* "un peu, donc". **3.** Signalé par *TLF*.
Vitalité : **1a.** Usuel. **1b.** Bien connu. **2.** Usuel au-dessus de 60 ans, connu au-dessous. **3.** Bien connu.

fort, n. m. :
Alcool fort, le plus souvent eau-de-vie : "Un petit verre de fort, ça termine bien le repas !"
Rem. : Usité comme adj. ("qui a beaucoup d'alcool") en français commun. Voir aussi *doux*. *Cf. brandevin, cheule, doux, eaux bleues, liche 1* (annexe), *schnaps, schnick.*
Vitalité : Peu attesté au-dessus de 40 ans.

fort (être - sur qqch.), loc. v., le plus souvent employée à la forme négative :
Aimer (en parlant de nourriture, de boisson) : "Je ne suis pas fort sur les légumes, je préfère la viande".
Rem. : Variante sémantique de la loc. connue du fr. commun ("*être fort sur* s'emploie pour un point particulier ne constituant pas à lui seul une discipline" *Rob. 89*).
Vitalité : Bien connu.

fouchtrâ, n. m. :
Désordre : "Sa maison, c'est le fouchtrâ intégral".
Rem. : *Cf. brindezingue 2, câillon 2, capharnaüm 1, labouré 2, quicaille 2, saint-frusquin 2.*
Etym. : Probablement le juron auvergnat *fouchtra*, variante du fr. *fichtre.*
Vitalité : Peu attesté.

fourchette, n. f. :
1. Perce-oreille : "Il y a plein de fourchettes dans la serrure du jardin."
2. Loc. v. : *Aller à la fourchette* : Aller pêcher à la fourchette : "On allait à la fourchette dans un méandre de la Seille, on était à l'abri et il y avait beaucoup de poissons".
Rem. : **1.** Relevé par Z. (*fohhate*) et l'*ALLR* 190.
Vitalité : **1.** Connu au-dessus de 60 ans > attesté > inconnu. **2.** Peu attesté au-dessus de 40 ans.

fo(u)rmis (être en -), loc. v. :
Avoir des fourmillements : "Souvent, quand je me réveille la nuit, mes mains sont en fo(u)rmis".
Vitalité : Connu au-dessus de 20 ans.

fouterie, n. f. :
Ensemble d'objets encombrants et inutiles : "Débarrasse-moi cette fouterie"
Etym. : Signalé par *Rob. 89* dans des sens différents.
Vitalité : Attesté au-dessus de 40 ans, peu attesté au-dessous.

foutre bas, v. tr. :
Abattre (un arbre) : "On a eu du mal à le foutre bas, ce hêtre".
Rem. : Relevé par l'*ALLR* 608. Habituellement, *foutre* n'a pas en Lorraine la connotation vulgaire qu'il prend en français courant (*cf.* notes des cartes 605 et 1176 de l'*ALLR*).
Vitalité : Attesté.

foutsch, adj. :
1. Faux : "Elle a tout foutsch".
2. Dans la loc. v. : *Faire foutsch* : Se tromper : "Elle a cru qu'elle s'en sortirait seule en n'en faisant qu'à sa tête, mais elle a fait foutsch".
Etym. : Emprunté au patois mosellan germ. *futsch* "perdu, mort, cassé, hors d'usage".
Vitalité : Connu.

frais, adj. :
1. Humide, boueux : "Ne va pas dans ce chemin aujourd'hui, tu vas t'enliser, le terrain est trop frais".
2. Stupide : "Il est frais, lui, il a du mal à comprendre". "Elle est fraîche, celle-là !"
Rem. : **1.** Relevé par Z. (*frahh*) et l'*ALLR* 30, 392. *TLF* signale que le mot peut prendre parfois le sens "humide". **2.** Dans ce sens, l'adj. est aujourd'hui plus fréquemment employé au f. *Cf.* **2.** *baoué 2, beubeu, béné, dâbo, fin (ne pas être bien -), fini, goliot, nice 4.*
Vitalité : **1.** Connu. **2.** Peu attesté.

fraises (aller aux), loc. v. :
Avoir un pantalon trop court : "Quand j'ai acheté ce pantalon au gamin, il était bien trop long, maintenant, il va aux fraises".
Rem. : Locution signalée par *TLF* dans le même sens avec la mention "vieilli". *Rob. 89* signale d'autres sens.
Vitalité : Connu.

Français de l'intérieur, loc. n. m. :
Personne habitant la partie de la Lorraine qui n'a pas été annexée : "Elle s'est mariée avec un Français de l'intérieur qui travaille dans la sidérurgie".
Rem. : Voir aussi *côté de l'intérieur, intérieur.*
Vitalité : Usuel au-dessus de 60 ans > bien connu > peu attesté.

frandouille, franzouille, n. f. :
Frange, lambeau, guenille : "Vous avez une frandouille qui pend à votre habit". "Il s'est accroché dans les barbelés, sa veste est une frandouille, maintenant".
Rem. : Relevé par Z et l'*ALLR* 780 (*frandouille*). *Cf. frapouille 1.*
Etym. : Dérivé du latin *fimbria* "frange".
Vitalité : *Frandouille* : Attesté au-dessus de 60 ans, peu attesté au-dessous. *Franzouille* : Attesté au-dessus de 20 ans.

frandouillé, franzouillé, part. passé en emploi adj. :
Déchiré, en lambeaux : "Son pull est tout frandouillé. C'est le chien qui l'esquinte comme ça".
Etym. : Part. passé de *frandouiller*, issu de *fimbria* "frange".

Vitalité: *Frandouillé*: Attesté. *Franzouillé*: Peu attesté au-dessus de 20 ans.

frapouille, n. f.:
1. Vieux chiffon: "Prends une frapouille dans le tiroir pour essuyer tes chaussures".
2. Vieux manteau: "Il se promène tout l'hiver avec sa frapouille, il ne veut pas mettre autre chose".
3. Individu peu recommandable: "Ne le fréquente pas, c'est une frapouille".
Rem.: Relevé par Z. (*frépoye* "1. linge fripé, déchiré. 2. fripouille") et l'*ALLR* 717 (sens 1) et 780 (sens 2). **1. 3.** Signalé par *TLF* avec la mention "régional (Lorraine)". **3.** Colin et *Rob. 89* signalent l'argot *frappe* "vaurien dangereux, voyou", apocope de *frapouille. Cf.* **1. 2.** *frandouille.* **3.** *camp-volant 2, carafouchtra, caramougna 3, mamaillou 2, mandrin, rien-qui-vaille.*
Vitalité: **1.** Usuel. **2.** Usuel au-dessus de 60 ans > connu >> inconnu. **3.** Connu.

frapouilleur, n. m.:
Chiffonnier: "Le frapouilleur est passé, je lui ai donné tout le linge de la grand-mère qui encombrait le grenier".
Rem.: Z. relève *frèpoyous* "loqueteux".
Etym.: Dérivé de *frapouille.*
Vitalité: Attesté au-dessus de 40 ans.

fratz, n. f.:
Tête, gueule: "Il a une drôle de fratz". "Ferme donc ta grande fratz!"
Rem.: Terme à connotation péjorative, vulgaire. *Cf. margoulette 1, schnesse 1.*
Etym.: Emprunt non adapté au patois mosellan germ. de même sens (*cf.* l'allemand *Fratze* "grimace, caricature").
Vitalité: Usuel au-dessous de 40 ans, attesté au-dessus.

frayée, n. f.:
Passage fait dans la neige: "Depuis le début du mois de décembre, on a dû faire la frayée tous les jours".
Rem.: Relevé par l'*ALLR* 42. *Cf. brisée* (annexe).
Etym.: Dérivé du lat. *fricare* "frotter".
Vitalité: Bien connu entre 20 et 40 ans, peu attesté au-dessus et inconnu au-dessous.

frayon, n. m.:
Echauffement des fesses (ou des cuisses), causé par le frottement: "Par cette chaleur et avec ses couches, le bébé a pris le frayon".
Rem.: Relevé par Z. et l'*ALLR* 282.
Etym.: Dérivé du lat. *fricare* "frotter".
Vitalité: Usuel au-dessus de 60 ans > bien connu > inconnu.

fregnot, frougnon, n. m.:
Groin (du porc, du sanglier): "Le cochon a été mettre son fregnot dans les barbelés, il était tout en sang".
Rem.: Relevé par l'*ALLR* 294.
Etym.: Du gaul. **frogna* "narines".
Vitalité: Peu attesté dans l'ensemble, mais bien connu des chasseurs.

fréquenter, v. tr., i. ou pr.:
1. Avoir des relations sentimentales, amoureuses avec l'autre sexe: "Il paraît qu'il fréquente, mais on ne sait pas ce que ça va donner". "Il fréquente la fille du voisin". "Ça fait deux ans

qu'ils se fréquentent et il n'est pas encore question de fiançailles".
2. Loc. v.: *Fréquenter chez*: Etre assidu chez quelqu'un: "Ils ont mis du temps à s'intégrer au village, mais ils commencent à fréquenter chez les voisins".
Rem.: **1.** Relevé par l'*ALLR* 957 "(ils) se fréquentent". **1.** Signalé par *Rob. 89* avec la mention "régional ou par plais." et *TLF*, pour l'emploi pronominal, avec la mention "familier, vieilli ou régional". **2.** Signalé par *Rob. 89* avec la mention "vieux ou littéraire" et *TLF* avec la mention "littéraire". *Cf.* **1.** *causer 2, parler 1, schmouse (faire du -), schmouser 2, chnâiller 2.*
Vitalité: **1.** Usuel. **2.** Connu au-dessus de 40 ans, attesté au-dessous.

friand, adj.:
1. Gourmand: "Il est friand, ce chat, il faut le surveiller tout le temps".
2. Difficile sur la nourriture: "Qu'est-ce qu'il est friand, ce gamin, quand il vient chez moi, je ne sais jamais quoi faire à manger".
3. Appétissant: "Quand on entre chez elle, on est toujours accueilli par une odeur friande de quiche ou de tarte aux mirabelles".
Rem.: **1.** Signalé par *Rob. 89* avec la mention "vieux ou régional" et *TLF* avec la mention "vieilli". **3.** Signalé par *Rob. 89* et *TLF* avec la mention "vieux". *Cf.* **1.** *cheulard 1, galafe, trangniou* (annexe). **2.** *nâreux, nâchon 4, nâpiat* (annexe).
Vitalité: **1.** Connu. **2. 3.** Attesté.

fricadelle, n. f.:
Tranche de foie entourée d'une crépine: "Le boucher n'avait plus de fricadelles alors j'ai pris des escalopes".
Rem.: Relevé par Z. et l'*ALLR* 304 "foie", voir le commentaire de cette carte. Signalé par *Rob. 89* et *TLF* avec la mention "régional (Lorraine)".
Vitalité: Bien connu au-dessus de 60 ans > attesté >> inconnu.

friche, adj. et n. m.:
1. Adj.: Inculte: "Tous ses terrains sont friches".
2. N. m.: Terrain en friche: "Il avait un friche à la sortie du village, c'est là qu'il a fait son verger".
Rem.: Relevé par l'*ALLR* 508. Régionalisme grammatical. *Cf.* **2.** *versaine* (annexe).
Vitalité: Connu.

frichtic, fruchtuc, n. m.:
Repas: "On a encore fait un bon frichtic, aujourd'hui".
Rem.: Relevé par Z. Variante phonétique du fr. pop. *frichti*, plus proche de la forme germanique (*Frühstück* "petit déjeuner").
Vitalité: *Frichtic*: Connu. *Fruchtuc*: Bien connu.

friture (grande -), loc. n. f.:
Friture abondante: "Je fais toujours mes beignets à la grande friture".
Rem.: *Cf. graisse (grande -).*
Vitalité: Usuel.

fromage (blanc -): Voir *blanc fromage.*

fromage (fort -), n. m.:
Fromage fermenté, fortement assaisonné, formant une pâte assez liquide, à tartiner: "On faisait du fort fromage dans toutes les fermes autrefois".
Rem.: Relevé par l'*ALLR* 661. *Cf. cancoillotte, fromgéye.*
Vitalité: Peu attesté.

fromgéye, fremgéye, n. f. ou m., **fremgin**, n. m. :
Fromage fermenté formant une pâte qui se tartine (voir le précédent) : “Une tartine de fromgéye, avec de l’oignon et de l’échalote, c’est son goûter habituel”.
Rem. : Relevé par Z. et l’*ALLR* 659. *Cf. cancoillotte, fromage (fort -).*
Etym. : Dérivé de *fromage*, sous une forme dialectale, correspondant à *fromagée*, mot très peu attesté dans la région.
Vitalité : Connu au-dessus de 60 ans > peu attesté > inconnu.

fruchtiquer, v. i. :
Manger, prendre une collation : “Si vous passez dans la région, prévenez-nous, on fruchtiquera ensemble, ça nous fera plaisir”.
Rem. : *Cf. cheuler 1, chiquer, daller 2, décrotter 1, ribote, ventrer (se), gosser* (annexe), *tôper* (annexe).
Etym. : De *fruchtuc, frichtic.*
Vitalité : Attesté au-dessus de 40 ans.

fruchtuc, n. m. : Voir *frichtic.*

fuseau, fuseau lorrain, n. m. :
Saucisson sec fumé : “Du cochon qu’on a fait cette année, il ne reste plus qu’un fuseau”.
Rem. : Régionalisme sémantique : ce saucisson doit son nom à sa forme.
Vitalité : Usuel.

G

gachilome, n. m.:
Sparadrap: “Je vais refaire mon pansement, le gachilome ne tient plus”.
Etym.: Altération du fr. *diachylum*, enregistré sous *diachylon* dans les dictionnaires, au sens “emplâtre agglutinatif employé comme résolutif”. On note aussi le syntagme *toile de diachylon,* syn. de *sparadrap* (*Rob.*). *TLF* précise en rem.: “On rencontre également dans la documentation la graphie *diachylum*, subst. m.”, avec une citation de Flaubert. Il signale en outre la prononciation [dyà¢ilòm]: “*diachylum* est de formation savante, par analogie avec les mots où le suffixe *-um* lat. est la transcription du suffixe *-on* grec” (voir aussi DDM). L’altération *dia- > ga-, ca-* est peut-être à considérer comme une hypercorrection.
Vitalité: Connu. La variante *cachilome* est attestée au-dessus de 40 ans.

gaille, gaïsse, n. f.:
1. Chèvre (domestique et femelle du chevreuil): “J’ai gardé des gailles pendant toute mon enfance”. “Dimanche, on va au chevreuil, mais on n’a pas le droit de tirer les gaïsses”.
2. Femme grande et maigre ou un peu niaise: “Il s’est marié avec une grande gaille du village voisin”.
3. Grosse femme: “Qui c’est cette gaille qu’il a au bras? Ce n’est quand même pas sa femme”.
4. Fille dévergondée: “Maintenant, à la sortie du collège, on voit de sâprées* gailles, elles n’ont même pas quinze ans”.
5. Appareil servant à façonner les fagots: “Avec la gaille, on gagne du temps pour faire les fagots”.
Rem.: Relevé par Z. (“chèvre, chevalet pour scier le bois, grosse femme joyeuse, fille dévergondée”) et l’*ALLR* 287 (sens 1). *Cf.* **1.** *bique, bocatte.* **2.** *dondaine, quetsche 2, socotte, zaubiotte 2, zonzon.* **4.** *gribouille, pinéguette 1.*
Etym.: Du patois mosellan germ. et de l’allemand *Geiß* “chèvre”.
Vitalité: *Gaille*: **1.** Connu. **2.** Bien connu. *Gaïsse*: **1. 2.** Usuel. *Gaille, gaïsse*: **3. 4. 5.** Peu attesté au-dessus de 20 ans.

gaillot, n. m., **gaillette**, n. f.:
Chevreau, chevrette: “La gaille* a fait son gaillot”. “J’ai acheté une gaillette pour remplacer notre vieille gaille* qui ne donne plus rien”.
Rem.: Relevé par Z. *Cf. biqui, bouquin* (annexe).
Etym.: Dérivé dim. de *gaille.*
Vitalité: Attesté au-dessus de 40 ans. La variante phonétique *guèyot* est peu attestée au-dessus de 40 ans.

gaïsse, n. f.: Voir *gaille.*

galafe, goulafe, galafre, goulafre, n. m.:
Gourmand, glouton: “C’est un vrai galafre, tout ce qu’on lui présente, il a vite fait de le manger”.
Rem.: Z. et l’*ALLR* 1229 “(manger) goulûment” relèvent *galafe, goulafe.* Variantes phonétiques du fr. *gouliafre. Rob. 89* signale *goulafre* avec la mention “régional (Belgique, Nord-

Est)". *TLF* relève *goulafe* dans la rubrique "prononc. et ortho." avec une citation de Barbusse. *Cf. cheulard 1, friand 1, trangniou* (annexe).
Vitalité: *Galafe, goulafe*: Connu. *Galafre, goulafre*: Attesté au-dessus de 60 ans, peu attesté au-dessous.

galette, n. f.:
1. Quiche: "Ça sent la galette jusque dans la rue!"
2. Tarte aux fruits, au fromage: "Le dimanche, elle fait toujours une galette".
3. Loc. n. f.: *Galette aux chons, galette au lard*: Quiche au lard: "Une bonne galette aux chons, il n'y a rien de meilleur".
4. Loc. n. f.: *Galette lorraine*: Quiche: "J'ai fait une galette lorraine, ils aiment ça".
5. Loc. n. f. *Galette à la flamme*: **a)** Sorte de *galette lorraine* à laquelle on ajoute du lard. **b)** Syn. de *flamcuche.*
Rem.: **1.** Relevé par Z. et l'*ALLR* 679. *Cf.* **1. 3. 4. 5 a.** *tarte, fiouse* (annexe). **2.** *quiche, tarte.* **5 b.** *flamcuche, tarte flambée.*
Vitalité: **1.** Connu au-dessus de 60 ans > attesté > peu attesté > inconnu. **2.** Connu au-dessus de 60 ans, peu attesté au-dessous. **3. 4.** Peu attesté au-dessus de 20 ans. **5.** Attesté au-dessus de 20 ans.

gaouée, n. f.:
Averse: "On va se prendre une gaouée si on ne se presse pas un peu".
Rem.: Relevé par Z. (*gawaye*). *Cf. calende, châouée 1, haouée, holée, rosée 2, trempée, trellée* (annexe).
Etym.: Peut-être issu du gaul. **wadana* "eau", avec l'influence de *châouée, haouée* (du lat. *exaquare*).
Vitalité: Attesté au-dessus de 60 ans > peu attesté > inconnu.

garer, v. i.:
Garer (une voiture), se garer: "Je n'ai pas pu garer, je suis au moins à 500 m d'ici".
Rem.: Construction calquée sur l'allemand *parken* de même sens.
Vitalité: Usuel.

gelure, n. f.:
Engelure: "J'ai des gelures aux pieds".
Rem.: Signalé par *Rob. 89*, qui précise en remarque: "Ce mot régional était dénoncé au XIXe siècle comme un "barbarisme" (F. Michel, *Dict. des expressions vicieuses*) pour engelure"; *TLF* le signale dans la rubrique hist. (1542).
Vitalité: Connu au-dessus de 20 ans.

gens, n. m. pl.:
1. Père et mère: "Il s'est battu et il est rentré se plaindre à ses gens".
2. Famille, parents: "Dimanche, il y a nos gens qui viennent pour la communion de la fille".
Rem.: Régionalisme sémantique.
Vitalité: **1.** Attesté. **2.** Connu au-dessus de 20 ans, attesté au-dessous.

gent, n. f.:
Personne: "Son fiancé? C'est une bonne gent, elle sera bien mariée".
Rem.: Ce mot au singulier garde, en français commun, le sens collectif qu'il a en latin.
Vitalité: Attesté au-dessus de 20 ans.

gerbière, n. f.:
Fenêtre de grange pour engranger le foin ou la paille: "Il fallait un costaud pour rentrer les bottes par la gerbière".

Rem. : Relevé par Z. (*jerbire*) et l'*ALLR* 399.
Etym. : Dérivé de *gerbe.*
Vitalité : Usuel au-dessus de 60 ans > attesté > inconnu.

giclette, n. f. :
Petite giclée : "Avec son pistolet à eau, il nous envoie des giclettes d'eau".
Rem. : Signalé par *Rob. 89* avec la mention "rare".
Etym. : Dim. de *giclée.*
Vitalité : Connu.

glatz, glatzkopf, adj. : Voir *clatz.*

gloire (ce n'est pas de -), loc. v. :
Ce n'est pas du luxe, c'est nécessaire : "Il a enfin consenti à aller acheter un nouveau costume, ce n'est pas de gloire !"
Rem. : Z. relève *n-y è trap d'guioure* "il y a trop de luxe". *Cf. besoin (mais de -).*
Vitalité : Connu au-dessus de 60 ans, attesté au-dessous.

glück auf ! interj. : [glük awf]
Salut traditionnel des mineurs, qui signifie aussi "bonne chance à la remonte" : "Tous ceux qu'on croisait en arrivant nous disaient « glück auf » !"
Rem. : Loc. du patois mosellan germ. : de *Glück* "chance" et *auf*, qui indique l'idée de mouvement de bas en haut.
Vitalité : Attesté au-dessus de 40 ans.

gogotte, n. f. :
Coccinelle : "Tu as une gogotte sur l'épaule".
Rem. : Relevé, comme les variantes, par Z. et l'*ALLR* 195.
Etym. : Diminutif du prénom Agathe.
Vitalité : Connu au-dessus de 60 ans > attesté >> inconnu. Les variantes *augotte, chérigogotte, gotte à bon dieu* sont peu attestées. *Cogotte* est attesté au-dessus de 60 ans > peu attesté > inconnu.

goliot, adj. et n. m. :
Niais, simplet : "Il est un peu goliot, mais il est bien gentil".
Rem. : *Cf. baoué 2, beubeu, béné, dâbo 1, fin (ne pas être bien -), fini, frais 2, nice 4.*
Etym. : Probablement formé sur *mongole*, au sens "trisomique" par aphérèse et adjonction d'un suffixe dim. On entend également le f. *goliotte.*
Vitalité : Attesté au-dessous de 60 ans.

golot, n. m. :
Goulot, orifice de tuyau, bec de récipient : "Le golot de la bouteille est cassé".
Rem. : Relevé par Z. et l'*ALLR* 439. Régionalisme phonétique.
Vitalité : Attesté au-dessus de 40 ans.

gorge (grosse -), loc. n. f. :
Goitre : "Sa femme a la grosse gorge, mais elle va se faire opérer".
Rem. : Relevé par l'*ALLR* 894. *Cf. cou (gros -).*
Vitalité : Peu attesté au-dessus de 20 ans.

gotte à bon dieu, n. f. : Voir *gogotte.*

goulette, goulotte, golotte, n. f. :
Goulot, orifice de tuyau, bec de récipient, voir *golot.*
Rem. : Relevé par Z.
Vitalité : Connu au-dessus de 60 ans > attesté > peu attesté > inconnu.

goumi, n. m.:
1. Caoutchouc pour les vêtements: “J’ai acheté du goumi pour tes culottes, elles tiendront, maintenant”.
2. Elastique: “le goumi qui tenait mon paquet de fiches a cassé, elles sont toutes tombées, je n’ai plus qu’à les reclasser”.
Etym.: Du patois mosellan germ. (*cf.* l’allemand de même sens *Gummi*). *Cf. kaugoumi.*
Vitalité: Connu.

goutte (faire la -), loc. v. :
Etre bouilleur de cru: “Mon père a fait la goutte pendant 50 ans et j’ai pris la suite”.
Vitalité: Bien connu.

gouttière, n. f.:
Défaut de toiture permettant à l’eau de s’infiltrer sous le toit: “Les ramoneurs ont dû casser une tuile: depuis leur passage, il y a une gouttière dans le grenier”.
Rem.: Signalé par *Rob. 89* avec la mention “vieux ou régional (Suisse)” et par *TLF* sans mention.
Vitalité: Usuel au-dessus de 20 ans.

goyotte, n. f.:
1. Porte-monnaie: “J’ai oublié ma goyotte, mettez ça sur mon compte”.
2. Economies: “Il est parti avec sa goyotte, on ne le reverra plus”.
Rem.: On relève, chez G. Chepfer, la variante *coyotte.* Mot attesté également en Bourgogne.
Etym.: Peut-être dér. dim. du lat. *coleus* “sac de cuir, bourse”.
Vitalité: **1.** Connu au-dessus de 60 ans > attesté > inconnu. **2.** Connu au-dessus de 60 ans > peu attesté > inconnu.

graisse (grande -), loc. n. :
Friture abondante: “Il y en a qui font les beignets à la poêle, moi, je préfère les faire à la grande graisse”.
Rem.: *Cf. friture (grande -).*
Vitalité: Connu au-dessus de 60 ans, peu attesté au-dessous.

graisser, v. tr.:
1. Fumer (une terre): “Il est en train de graisser ses terres”.
2. Engraisser (un animal): “On n’a graissé qu’un cochon pour nous, c’est tout”.
Vitalité: **1.** Connu au-dessus de 60 ans > peu attesté >> inconnu. **2.** Attesté au-dessus de 60 ans, peu attesté au-dessous.

graouillatte, graouillotte, n. f.:
Voir *groillotte, grouillotte.*

graouiller, v. tr. et i. :
1. Tisonner, remuer les braises: “A son âge, il ne fait plus grand-chose à part graouiller dans le fourneau de temps à autre”.
2. Mélanger, mettre en désordre: “Qui a graouillé mes papiers?”
Rem.: Relevé par Z. (*grawieu*) dans les 2 sens et l’*ALLR* 414, au sens 1. *Cf.* **1.** *gribouiller* (annexe) **2.** *bourreauder 2, débattre, raouenner, tripoter.*
Etym.: Dérivé du germ. **krawa* “griffe, ongle”.
Vitalité: Connu au-dessus de 60 ans > attesté > inconnu.

Graoully, Graouilly, n. m.:
Dragon mythique dont saint Clément débarrassa la ville de Metz: “Ma grand-mère me racontait souvent l’histoire de saint Clément et du Graoully”.

Rem. : Relevé par Z.
Etym. : Comme *graouiller*, du germ. **krawa* "griffe, ongle".
Vitalité : Usuel.

grappes, n. f. pl. :
Groseilles : "J'ai fini de ramasser mes grappes, je n'ai plus qu'à faire la confiture".
Vitalité : Régionalisme sémantique attesté.

gras (il ne fait pas -), loc. impers. :
Il ne fait pas chaud : "Vraiment, pour un mois de juillet, il ne fait pas gras".
Rem. : Relevé par Z. (*I n'fat m'gras toceu*).
Vitalité : Usuel au-dessus de 60 ans > attesté > inconnu.

gravate, n. f. :
Cravate : "Rajuste ta gravate, elle est de travers".
Vitalité : Régionalisme phonétique attesté au-dessus de 40 ans.

greffier, n. m. :
Secrétaire de mairie : "Le greffier vient à la mairie trois fois par semaine".
Rem. : Le mot peut aussi prendre le sens de "fonctionnaire des impôts, employé d'administration". Régionalisme sémantique.
Vitalité : Bien connu au-dessus de 40 ans > peu attesté > inconnu.

grémon, n. m. :
Pioche à deux dents pour désherber : "J'ai donné un coup de grémon dans les allées".
Rem. : Relevé par Z. *Cf. crochet, grimone, hack, houé* (annexe).
Etym. : Du lat. *gramen* "brin d'herbe".
Vitalité : Peu attesté au-dessus de 20 ans.

grenats, n. m. pl. :
Nom donné à l'équipe de football de Metz (FC Metz) : "Ce week-end, les grenats se sont surpassés".
Rem. : Le nom provient de la couleur des maillots (comme on dit "les verts" pour l'équipe de Saint-Etienne ou "les canaris" pour l'équipe de Nantes). Ce nom ne semble pas encore avoir passé les bornes de la Lorraine.
Vitalité : Globalement connu (usuel chez les supporters).

gribouille, n. f. :
Gamine avenante : "Sa fille, c'est une gribouille qui ira loin".
Rem. : *Cf. gaille, pinéguette.*
Etym. : Du germ. *kriebelen* "gratter".
Vitalité : Attesté au-dessus de 20 ans.

griffognage, n. m. :
Griffonnage : "Le gamin gaspille le papier, il ne fait que du griffognage".
Vitalité : Régionalisme phonétique attesté.

grillade, n. f. :
1. Morceaux de porcs donnés aux voisins quand on tue le cochon : "On ne porte plus guère la grillade aujourd'hui, mais on élève aussi beaucoup moins de cochons qu'autrefois".
2. Repas de fête lors du tuage du cochon : "Tous les ans, on invitait les parents à la grillade".
Rem. : **1.** Relevé par l'*ALLR* 302. *Cf.* **1.** *cochonnée.* **2.** *fête du cochon, tue-cochon.*
Vitalité : **1.** Connu au-dessus de 40 ans > peu attesté > inconnu. **2.** Connu au-dessus de 60 ans > attesté > peu attesté > inconnu.

grillon, n. m.:
Tranche de lard qu'on fait griller avec une fourchette ou une baguette: "On a fait des grillons au barbecue".
Rem.: Relevé par Z. (*griyon*). L'*ALLR* 307 "lard frit" relève *crignon. Cf. chons 1.*
Etym.: Dérivé de *griller.*
Vitalité: Peu attesté au-dessus de 20 ans.

grimone, grémone, n. f.:
Pioche à quatre dents: "Il faudra égaliser la terre à la grimone".
Rem.: *Cf. crochet, grémon, hack, houé* (annexe).
Etym.: Dér. du lat. *gramen* "brin d'herbe".
Vitalité: Peu attesté au-dessus de 20 ans.

grimoner, grémoner, v. i.:
Gratter superficiellement la terre avec ses mains: "La grand-mère grimone encore au jardin". "On voit les boumleurs* grémoner dans le schoutt*".
Rem.: Relevé par Z.
Etym.: Dér. du lat. *gramen* "brin d'herbe".
Vitalité: Peu attesté au-dessus de 20 ans.

grogner, v. tr.:
Gronder, grogner après qqn.: "Il grogne tout le monde, il est vraiment pénible".
Rem.: Signalé par *Rob. 89* avec la mention "vieux, populaire" et *TLF* avec la mention "emploi trans. rare".
Vitalité: Connu au-dessus de 60 ans, attesté au-dessous.

groillotte, grouillotte, n. f.:
Tisonnier: "Donne voir un coup de groillotte dans le poêle, il s'éteint".
Rem.: Relevé par Z. et l'*ALLR* 415. *Cf. consigne, rôille, freuguion* (annexe), *feurgueuion* (annexe), *pigri* (annexe).
Etym.: Dérivé du germ. **krawa* "griffe, ongle".
Vitalité: Connu au-dessus de 40 ans > attesté > inconnu. Les variantes *graouillatte, graouillotte* sont connues au-dessus de 60 ans > attestées > inconnues.

grôler, v. i.:
Grogner, rouspéter, gronder: "Arrête donc de grôler et explique-toi une bonne fois".
Rem.: Relevé par Z. et l'*ALLR* 1221. *Cf. raminer 1, vilain (faire -) 2, grimouler* (annexe).
Etym.: Du germ. *grillen* "crier".
Vitalité: Peu attesté au-dessus de 20 ans.

grombire, n. f.:
Pomme de terre : "Il a encore planté 50 kg de grombires cette année".
Rem.: Relevé par Z. et l'*ALLR* 113.
Etym.: Du patois mosellan germ. *Gromper, Krumbir* de même sens (*cf.* l'allemand dialectal *Grundbirne* "pomme de terre", de *Grund* "sol" et *Birne* "poire").
Vitalité: Bien connu au-dessus de 60 ans > connu > attesté > inconnu.

groseille-cassis, n. f.:
Cassis: "Je vais ramasser les groseilles-cassis et après, je commence les confitures".
Vitalité: Connu au-dessus de 60 ans > peu attesté >> inconnu.

grumbeereknepfle, n. m.:
[grumbi :r(e)kné:pfle]

Quenelle de pomme de terre : "Les grumbeereknepfles sont un peu bourratifs, mais c'est bon".
Etym. : Emprunt non adapté au patois mosellan germ. de même sens. La première partie correspond à *grombire* (voir plus haut) et la dernière à *knepfes* (voir plus loin).
Vitalité : Attesté au-dessus de 60 ans, peu attesté au-dessous.

guelte, n. m. :
Pourboire : "J'ai donné un guelte au gamin qui a lavé les carreaux, il était tout content".
Rem. : Signalé par *Rob. 89* et *TLF* : "Comm. (Dans certains magasins). Pourcentage qu'un vendeur touche, en plus de son salaire, sur les ventes qu'il a réalisées". *Cf. tringuel.*
Etym. : De l'allemand *Geld* "argent", ici aphérèse de *Trinkgeld.*
Vitalité : Attesté.

gueniche, guenon, n. f. :
Poupée de chiffon, voir *catiche.*
Rem. : Relevé par Z. (aux sens "guenille", "femme malpropre") et l'*ALLR* 885. *Cf. catiche, fanchon, tontiche 1, chonchon* (annexe).
Etym. : Dérivé du gaul. **wadana* "eau".
Vitalité : Connu au-dessus de 60 ans > attesté >> inconnu.

guèts (ça -), loc. v. :
Ça va (affirmation ou interrogation) : "- Alors, ça guèts ? - Ça guèts !"
Etym. : Emprunt aux parlers germ. voisins (*wie geht's ?*) de même sens.
Vitalité : Bien connu au-dessus de 40 ans, usuel au-dessous.

gueule jaune, loc. n. f. :
Mineur des mines de fer : "Le bal des gueules jaunes aura lieu samedi prochain".
Vitalité : Connu au-dessus de 40 ans.

guèyot, n. m. : Voir *gaillot.*

guille, n. f. :
Quille : "On jouait aux guilles, mais maintenant, les boules les ont remplacées".
Vitalité : Régionalisme phonétique connu au-dessus de 60 ans > peu attesté > inconnu.

H

Lorsque *h* initial est souligné, il est aspiré.
(Selon les locuteurs, cette aspiration peut être plus ou moins forte, mais toujours marquée au moins par l'impossibilité d'élision et de liaison)

haberlin, habeurlin, n. m. :
Gros panier d'osier (pour les fruits, les pommes de terre) : "Il m'a apporté un haberlin de pommes".
Rem. : Relevé par Z. et l'*ALLR* 486. *Cf. charpagne 1, mannequin 2, panière, banse* (annexe), *baugeatte* (annexe), *carreau* (annexe), *panier Woippy* (annexe).
Etym. : Du germ. **haberling* "mesure de capacité pour l'avoine".
Vitalité : Connu au-dessus de 60 ans > peu attesté > inconnu.

habits (aller aux -), loc. v. :
Aller en ville choisir les habits du mariage, pour les futurs mariés : "Samedi prochain, on va aux habits, c'est que le mariage approche !"
Rem. : *Cf. effets (aller aux -).*
Vitalité : Connu au-dessus de 60 ans > attesté > peu attesté > inconnu.

hâbler, v. i. :
Parler, bavarder : "Arrête donc de hâbler sans arrêt".
Rem. : Relevé par Z. et l'*ALLR* 886. Signalé par *Rob. 89* avec la mention "vieilli, littéraire ou style soutenu" et par *TLF* avec la mention "gén. par plais. et péj.". *Cf. barbouiller, boguier, bouche (avoir une grande -), câcailler, câcatter 2, couarail 3 (faire le -), couarailler 2, couatcher 1, marner 2, ratcher 1, babler* (annexe), *déparler 2* (annexe), *schnabeler* (annexe).
Vitalité : Attesté au-dessus de 60 ans > peu attesté >> inconnu.

hachepaille, n. m. :
Langue allemande ou patois germanique : "Avec la foire, on n'entend que du hachepaille, dans les rues de Metz, en ce moment".
Rem. : Signalé par *TLF*, "par métaphore", avec une citation des Goncourt : "la langue allemande n'est pas une langue, c'est un hachepaille". Voir *hachepailler. Cf. platt, chpountz 1.*
Vitalité : Usuel.

hachepailler, v. i. :
Parler l'allemand ou un patois germanique (péj.) : "Toutes les anciennes fermes achetées par des Allemands sont transformées en résidences secondaires et on entend hachepailler du matin au soir".
Rem. : *Cf. hallemander, chpountzer.*
Etym. : Le mot a une valeur onomatopéique. Il reproduit certains des sons caractéristiques de la langue allemande : *h* aspiré, *ch(p)*, *aill*. Plus que le sens ("hacher de la paille"), ce sont les sonorités qui ont ici retenu l'intérêt.
Vitalité : Bien connu au-dessus de 60 ans > attesté > peu attesté.

hack, n. m. :
Croc ou pioche à trois dents : "Je préfère le hack pour arracher les patates".
Rem. : Relevé par Z. et l'*ALLR* 96. *Cf. crochet, grémon, grimone, houé* (annexe).

Etym.: Du patois mosellan germ. *Hake* de même sens (*cf.* l'allemand *Hacke* "pioche").
Vitalité: Attesté au-dessus de 60 ans > peu attesté > inconnu.

haïant, adj.:
1. Grincheux, de mauvaise humeur: "Il est bien haïant aujourd'hui".
2. Turbulent, insupportable: "Je ne peux plus garder mes petits-enfants, ils sont trop haïants".
Rem.: **1. 2.** Relevé par Z. (*hayant, hèyant*) et l'*ALLR* 953. *Cf. nice 1, tannant.*
Etym.: Dér. du germ. **hatjan* "haïr".
Vitalité: Connu. La variante *hèïant* est attestée.

hâle, n. m.:
Vent d'est au printemps: "Les terres sont sèches, comme souvent en mars, le hâle est passé".
Rem.: Relevé par Z. Signalé par *TLF* au sens "action desséchante de l'air", avec une citation de Moselly et la mention "vieux".
Vitalité: Connu au-dessus de 60 ans > attesté > inconnu.

halère, n. m.:
Oiseau de proie, buse: "Rentre les poussins, le halère tourne au-dessus de chez nous".
Rem.: Relevé par Z. et l'*ALLR* 180. *Cf. bête.*
Etym.: Du germ. **adalaro* "aigle".
Vitalité: Attesté au-dessus de 40 ans.

halette, halatte, n. f.:
Bonnet de toile, muni de larges bords et d'un couvre-nuque, que les femmes portaient en été: "On ne voit plus que quelques grands-mères avec leur halette".
Rem.: Relevé par Z. et l'*ALLR* 795. Signalé par *Rob. 89* avec la mention "régional (Lorraine)".
Vitalité: Usuel au-dessus de 20 ans.

hallemander, v. i.:
Parler l'allemand ou un patois germanique (péj.): "Il hallemande bien, mais avec nous, il fait un effort pour parler français".
Rem.: Relevé par Z.: *halemander* "parler allemand, baragouiner" et l'*ALLR* 886 "bavarder".
Etym.: Formé sur *allemand*. L'*h* initial permet probablement de noter dans le mot un trait phonétique jugé caractéristique de la langue germanique. *Cf. chpountzer, hachepailler.*
Vitalité: Attesté au-dessus de 60 ans > peu attesté >> inconnu.

hallier, n. m.:
Remise, hangar: "Il a un hallier dans sa cour, où il range sa moto".
Rem.: Relevé par Z. (*hali*) et l'*ALLR* 349, 629 "bûcher". *Cf. calougeatte.*
Etym.: Dérivé du germ. **halla* "grande salle".
Vitalité: Bien connu au-dessus de 40 ans.

haltata, adj. et n. m.:
Exalté, fou sympathique: "Il est un peu haltata, mais quand on a besoin de lui, il est toujours là".
Rem.: Relevé par Z. *Cf. brindezingue 3, évaltonné, chtarb, neuneu, zoné 2.*
Etym.: Dérivé du germ. **halon* "apporter".
Vitalité: Connu au-dessus de 60 ans.

hans, n. m., **tête de hans**, loc. n. f.:
Tête dure: "Ecoute-moi donc, (tête de) hans, ça t'évitera peut-être de faire des bêtises".

Rem. : *Cf. cabochon, heursu, holz 1, holzkopf 1, taugnat 1, chpountz (tête de -), ânichon 2* (annexe).
Etym. : Du prénom germ. *Hans* "Jean", désignant traditionnellement le niais, en Allemagne comme en Moselle germanophone (*cf.* Follmann : *Hans* "homme stupide").
Vitalité : Usuel.

haouée, n. f. :
Violente averse : "J'ai été surpris par une haouée, je n'ai pas eu le temps d'arriver jusque chez moi, j'ai été trempé".
Rem. : Relevé par l'*ALLR* 24. *Cf. calende, châouée 1, gaouée, holée, rosée 2, trempée, trellée* (annexe).
Etym. : Variante phonétique de *châouée* (dér. du lat. *exaquare* "drainer, rincer, sortir de l'eau").
Vitalité : Attesté au-dessus de 60 ans > peu attesté > inconnu.

harde, n. f. :
Troupeau d'animaux domestiques : "Va rentrer la harde".
Etym. : Du germ. **herda* "troupeau". En fr. commun, *harde* désigne une troupe de bêtes sauvages.
Vitalité : Attesté au-dessus de 40 ans.

harnais, n. m. :
Faux à céréales, munie d'un râteau : "On moissonnait au harnais pendant trois semaines".
Rem. : Ce mot désigne d'abord le dispositif adapté sur la faux pour recueillir les tiges fauchées. Par synecdoque, il désigne l'ensemble (faux et harnais).
Vitalité : Peu attesté au-dessus de 20 ans.

harnicher, v. tr. et i. :
Accoutrer, harnacher (fig.) : "Te voilà drôlement harnichée, ainsi !"
Rem. : Relevé par Z. (*hernecheu*). Régionalisme phonétique.
Vitalité : Attesté au-dessus de 40 ans, peu attesté au-dessous.

harpailler, v. tr. et pr. : Voir *harpouiller*.

harpoillé, part. passé en emploi adj. : Voir *harpouiller*.

harpouiller, v. tr. :
1. Disputer : "Il harpouille tout le monde".
2. Emploi pr. : Se quereller, se chamailler : "Ils ne font que se harpouiller".
3. Part. passé : Débraillé : "Tu es tout harpouillé, rarange*-toi avant de sortir".
Rem. : Relevé par Z. (*herpoyeu*). *Cf.* **1. 2.** *avaler, crier 2, rebiffer, rouspéter, grises (en faire voir des -)* (annexe), *chapouiller (se), chicailler (se)*.
Etym. : Dérivé de l'allemand *harpe* "faucille, faucon". La variante *harpailler* est probablement à rattacher au lat. *harpago* "harpon". *Haspouiller* est classé par *FEW* sous *peduculus* "pou". Le 1er élément est peut-être dû à une contamination du fr. *houspiller* (de *houx*).
Vitalité : **1.** Bien connu au-dessus de 40 ans, peu attesté au-dessous. **2.** Connu au-dessus de 40 ans, peu attesté au-dessous. **3.** Attesté au-dessus de 40 ans. La variante *harpailler* est attestée au-dessus de 60 ans > peu attestée > inconnue. *Harpoillé* est peu attesté. *Haspouiller* est attesté.

haspouiller, v. tr. : Voir *harpouiller.*

hâtré, n. m. :
Foie de porc : "Quand mes petits-enfants viennent manger ici, je leur fais du hâtré, c'est la seule viande qu'ils aiment".
Rem. : Relevé par Z. et l'*ALLR* 304 et 748.
Etym. : Forme dialectale correspondant au fr. *hâtereau* "boulette de foie rôtie".
Vitalité : Globalement connu au-dessus de 60 ans > peu attesté > inconnu. Bien connu des chasseurs.

hauts, n. m. pl. :
Terrain élevé, éminence : "Il a fait construire sur les hauts de Metz".
Rem. : Relevé par Z. Signalé par *Rob. 89* avec la mention "au pl., régional (Suisse)" et *TLF* avec la mention "vieux ou régional (Suisse notamment)".
Vitalité : Attesté.

haut vent (à -), loc. adv. :
1. En plein vent : "Il ne faut pas laisser monter les arbres à haut vent".
2. Loc. v. : *Etre à haut vent* : Etre asthmatique, respirer difficilement, à la suite d'un effort : "Il ne fait plus de gros efforts depuis qu'il est à haut vent".
Rem. : **2.** Relevé par Z. (*haut-vant*). *Cf.* **2.** *asthme* (annexe).
Vitalité : **1.** Attesté au-dessus de 40 ans > peu attesté > inconnu. **2.** Peu attesté au-dessus de 20 ans.

haye donc, interj. :
1. En avant : "Haye donc, en route !"
2. Encouragement à faire un effort : "Haye donc, tu y arriveras !"
Rem. : Z. relève *hayeu* "marcher", *haye* "marche, allons, courage" et *haye donc* "marche donc". L'*ALLR* 279 "ordres donnés au cheval, marche" note *haye. Rob. 89* signale *Haïe*, onomatopée, "Hue !", avec la mention "vieux".
Vitalité : Usuel au-dessus de 60 ans > bien connu > attesté.

hèïant 1, adj. : Voir *haïant.*

hèïant 2, adj. :
Mou, sans caractère : "Elle a pris un homme qui est un peu hèïant, mais bien gentil".
Rem. : Relevé par Z. : *hèlan*, n. m. : "flâneur, paresseux, mauvais sujet, vagabond". On entend aussi *haïant. Cf. nice 4.*
Etym. : De l'allemand *Heiland* "sauveur". Le mot enregistré ici a subi l'attraction de *haïant.*
Vitalité : Connu au-dessus de 40 ans > attesté > inconnu.

herbe aux porrattes, n. f. :
Chélidoine : "Si tu as une verrue, prends de l'herbe aux porrattes, derrière la maison".
Etym. : *Porratte, porrotte* est un mot patois désignant le poireau (légume et verrue), encore attesté en fr. rég. (voir *porreau*). *Cf. herbe à verrue.*
Vitalité : Attesté au-dessus de 60 ans.

herbe à verrue, n. f. :
Chélidoine : "Avec le suc jaune de l'herbe à verrue, les verrues disparaissent rapidement".
Rem. : *Rob. 89* et *TLF* signalent *herbe aux verrues. Cf. herbe aux porrattes.*
Vitalité : Connu au-dessus de 20 ans.

herbes (aller aux premières -), loc. v. :
Sortir dans les prés pour la première fois après l'hiver : "Les vaches vont aux premières herbes".
Rem. : *TLF* signale la loc. *aux herbes* "au printemps".
Vitalité : Peu attesté.

herr, n. m. :
Personnage important, seigneur : "Il fait gros herr, comme ça, mais il est très gentil".
Rem. : Relevé par Z. *Cf. monsieur (faire son -), embarras (faire son -)* (annexe).
Etym. : Emprunté au patois mosellan germ. (*cf.* l'allemand *Herr* "maître, seigneur").
Vitalité : Peu attesté au-dessus de 20 ans.

heure (à c't' -), loc. adv. :
Maintenant : "Il a bien du mal à marcher, à c't'heure".
Rem. : Signalé par *Rob. 89* avec la mention "vieilli ou rural" et *TLF* sans mention.
Vitalité : Bien connu.

heure (à point d'-), loc. adv. :
Très tard : "Chaque vendredi soir, c'est pareil, il rentre à point d'heure".
Rem. : Signalé par *TLF* avec la mention "familier, vieilli et régional".
Vitalité : Connu.

heure (bonne -), loc. adv. :
1. Tôt : "Il est trop bonne heure pour dîner".
2. Loc. adv. : *A bonne heure* : Tôt : "Venez à bonne heure, on aura plus de temps pour causer".
3. Loc. adv. : *A tout bonne heure, tout bonne heure* : Très tôt : "A tout bonne heure, il y a de la lumière chez lui". "Le gamin a marché tout bonne heure, il n'avait pas un an."
Rem. : **2.** Signalé par *TLF* avec la mention "vieux ou régional".
Vitalité : **1.** Bien connu. **2.** Connu au-dessus de 60 ans > attesté > peu attesté > inconnu. **3.** *A tout bonne heure* : Attesté au-dessus de 40 ans > peu attesté > inconnu. *Tout bonne heure* : Connu au-dessus de 60 ans > peu attesté >> inconnu.

heursu, adj. :
Têtu, renfrogné : "Il est heursu, on a du mal à le faire obéir". "Avec son air heursu, on croit toujours qu'il est mécontent".
Rem. : Z. relève *heureussieu*, part. passé : "acariâtre, d'un mauvais caractère". Relevé par l'*ALLR* 890. Voir aussi *horsieu, horsié. Cf. cabochon, holz 1, holzkopf 1, taugnat 1, ânichon 2* (annexe).
Etym. : Dérivé du lat. *ericius* "hérisson".
Vitalité : Attesté au-dessus de 40 ans > peu attesté > inconnu.

hincer, v. tr. :
Exciter, énerver (qqn. ou un animal) : "Il ne supporte pas de voir son frère tranquille, il faut qu'il le hince".
Rem. : Relevé par Z. (*hînssieu*).
Etym. : Emprunté au patois mosellan germ. de même sens, du germ. *hitsen* "exciter".
Vitalité : Usuel au-dessus de 20 ans.

hochecul, n. m. :
1. Bergeronnette : "Les hochecules suivent les laboureurs".

2. Personne qui ne tient pas en place : "Je ne supporte plus ces hocheculs, ils me saoûlent".
3. Terrain isolé dans les bois, propice aux rencontres amoureuses : "Il y a un hochecul juste derrière le mirador".
4. Personne fréquentant le *hochecul 3.* : "Les hocheculs ont laissé leur voiture en plein milieu du chemin, on ne peut plus passer".
Etym. : Formé de *hocher* et *cul.*
Vitalité : **1.** Connu au-dessus de 40 ans > peu attesté > inconnu. **2.** Attesté. **3. 4.** Globalement peu attesté, mais connu des chasseurs.

hochequeue, n. m. :
Bergeronnette, voir *hochecul 1.*
Rem. : Relevé par Z. (*hoche-quowe*). Signalé par *Rob. 89* avec la mention "régional" et *TLF* sans mention.
Vitalité : Usuel au-dessus de 60 ans > connu > inconnu.

hocher, v. :
1. V. i. en emploi abs. : Remuer, avoir du jeu : "J'ai une dent qui hoche".
2. V. tr. : Secouer (un arbre pour en faire tomber les fruits) : "On met une bâche sous les mirabelliers et on les hoche".
Rem. : **1.** Relevé par Z. et l'*ALLR* 155. **2.** Signalé par *Rob. 89* avec la mention "vieux ou régional" et *TLF* avec la mention "régional". *Cf.* **1.** *brandouiller.* **2.** *escouer, holer 2.*
Vitalité : Usuel.

hochsitz, n. m. : Voir *sitz.*

holebran, n. m. :
Mauvais ouvrier : "Avec ce holebran, on ne risque pas d'avancer vite !"
Rem. : Relevé par Z. Régionalisme sémantique et phonétique de *halbran* "jeune canard sauvage" (issu du germ. *halberant*) signalé par *Rob. 89.*
Vitalité : Peu attesté au-dessus de 40 ans.

holée, n. f. :
Averse violente et brève : "J'ai pris une holée en rentrant, je suis trempé".
Rem. : Relevé par Z. et l'*ALLR* 29. *Cf. calende, châouée 1, gaouée, haouée, rosée 2, trempée, trellée* (annexe).
Etym. : Dér. du germ. **halon* "apporter" ; noté également sous *hollen* "se précipiter impétueusement" (*FEW*).
Vitalité : Usuel au-dessus de 40 ans > attesté > inconnu.

holer, v. tr. :
1. Gauler (les fruits) : "On va holer les noix".
2. Secouer : "Arrête donc de me holer comme ça !"
Rem. : **2.** Relevé par Z. et l'*ALLR* 155. *Cf. escouer, hocher 2.*
Etym. : Voir *holée.*
Vitalité : Connu au-dessus de 20 ans.

holerosse, n. f. :
Variété de prune : "Je n'ai plus que quelques holerosses pour faire une tarte".
Rem. : Relevé par Z. (*holerasse* "prune printanière, ainsi surnommée parce qu'on la fait tomber en secouant l'arbre", voir *holer*) et l'*ALLR* 152. On note les variantes *holerasse, halerasse. Cf. marange, bloce* (annexe).
Etym. : Dér. du germ. **halon* "apporter, amener".
Vitalité : Attesté au-dessus de 60 ans > peu attesté > inconnu.

holz, n. m. :
1. Tête dure : "J'ai un gamin, un vrai holz ; inutile de le conseiller, il n'en fera toujours qu'à sa tête".
2. *Holzkopf*, n. m. : Têtu : "C'est un sâpré* holzkopf, on ne peut rien en tirer".
3. Dans la loc. n. f. : *Tête de holz* : Germanophone (péj.) : "Le dimanche, c'est plein de têtes de holz, par ici".
Rem. : L'*ALLR* 890 relève *tête de holz* "têtu". **1.** Abréviation de la loc. pop. ou arg. *tête de holz* ou de *holzkopf.* **3.** Variante sémantique de l'arg. *tête de holz* "têtu". *Cf.* **1. 2.** *cabochon, hans (tête de -), heursu, taugnat 1, chpountz (tête de -), ânichon 2* (annexe).
Etym. : **1.** Du patois mosellan germ. et de l'allemand *Holz* "bois", apocope de 2. **2.** Le deuxième élément est le germ. *Kopf* "tête".
Vitalité : **1.** Peu attesté. **2.** Attesté au-dessus de 40 ans. **3.** Connu au-dessus de 20 ans.

holzkopf, n. f. : Voir *holz.*

honnête, adj. :
Gentil, aimable, poli : "Je vous remercie, vous êtes bien honnête de m'avoir ramené en voiture".
Rem. : Signalé par *Rob. 89* avec la mention "vieux".
Vitalité : Bien connu au-dessus de 60 ans > connu >> attesté.

honteux, adj. :
1. Pauvre : "Il est honteux, il a bien du mal à faire vivre sa famille".
2. Timide, craintif : "Ce chien est honteux, il n'est pas méchant mais il faut s'en méfier".
Rem. : **1.** Relevé par Z. **2.** Signalé par *Rob. 89* et *TLF* avec la mention "vieilli". *Cf.* **2.** *étrange 1.*
Vitalité : **1.** Usuel au-dessus de 20 ans. **2.** Attesté au-dessus de 60 ans, peu attesté au-dessous.

hop là, interj. :
Sert à exprimer la joie ou l'aisance à faire qqch., à attirer l'attention de l'entourage : "Hop là ! les voilà". "Tu prends la ficelle comme ça et hop là ! c'est tout de suite attaché". "Hop là ! C'est chaud".
Rem. : Signalée sans mention par les dictionnaires, cette interj. est un régionalisme de fréquence, notamment en Alsace et en Moselle.
Vitalité : Bien connu.

horsieu, horsié, adj. :
Ebouriffé, décoiffé : "D'où tu sors que tu es tout horsieu ?"
Rem. : Z. relève *heureussu* "personne qui a les cheveux hérissés". Variante phonétique de *heursu* (voir ce mot) avec un sens physique.
Etym. : Dér. du lat. *ericius* "hérisson".
Vitalité : Peu attesté au-dessus de 20 ans.

hôtel pension, n. m. :
Hôtel-restaurant : "Il loge dans un hôtel pension près de la place Saint-Louis".
Vitalité : Attesté.

hot et hare (à -), loc. adv. :
A droite et à gauche : "J'avais beau tirer à hot et hare, je n'ai pas réussi à le faire bouger d'un pouce".
Rem. : Relevé par Z. et l'*ALLR* 270 dans les sens "gauche" et "droite" à propos des chevaux d'attelage.

Etym. : *Hot* : du patois mosellan germ. et de l'allemand *hott* "à droite", cri du charretier ; *hare* : du germ. **hara* "par ici", usité en patois mosellan germ. (*har*). Follmann enregistre la loc. *hott o har*.
Vitalité : Attesté au-dessus de 60 ans > peu attesté > inconnu.

hotte (avoir une (bonne) -, tenir une -), loc. v. :
Etre ivre : "On est tranquille, tous les samedis soirs, il a une bonne hotte". "Il tient une sacrée hotte, il va avoir du mal à rentrer chez lui !"
Rem. : Correspond, pour le sens, à *charger* "enivrer", relevé par Esnault sous *charge* (en rubrique étym.). *Cf. charge (avoir une bonne -), chnoboloï (être -), être en train, hottée (avoir une bonne -), schwipse* (annexe).
Vitalité : Attesté au-dessus de 40 ans, peu attesté au-dessous.

hottée (avoir une -), loc. v. :
Variante de *avoir une (bonne) hotte* "être ivre" (voir ci-dessus).
Rem. : *TLF* signale *hottée* "grande quantité de quelque chose". *Cf. charge (avoir une bonne -), chnoboloï (être -), être en train, hotte (avoir une bonne -), schwipse* (annexe).
Vitalité : Attesté au-dessus de 40 ans.

houss, houss donc, interj. :
Terme exprimant le dégoût : "Qu'est-ce qu'il est sale, houss donc !"
Etym. : Emprunté au patois mosellan germ. *huss !* "cri pour chasser les porcs, les volailles ou pour faire taire un chien". De l'allemand *aus* "hors de".
Vitalité : Connu au-dessus de 20 ans.

huis, n. m. :
Porte extérieure : "Il y a toujours un banc devant l'huis".
Rem. : Relevé par Z. (*euhh*) et l'*ALLR* 363. Signalé par *Rob. 89* avec la mention "vieux ou littéraire" et *TLF* avec la mention "vieilli, littéraire".
Vitalité : Attesté au-dessus de 60 ans.

huisseries, n. f. pl. :
Portes et fenêtres : "Ouvre les huisseries, on étouffe !"
Rem. : Signalé par *Rob. 89* avec la mention "vieux" et par *TLF* avec la mention "vieux ou régional".
Vitalité : Peu attesté.

humeur, n. f. :
Pus (s'écoulant d'une plaie) : "Il faut désinfecter ton genou, il y a de l'humeur".
Rem. : Signalé par *TLF* avec la mention "vieilli".
Vitalité : Bien connu.

I

idée (avoir -), loc. v.:
Avoir l'intention: "J'avais idée de venir chez vous demain, si vous êtes là".
Vitalité: Bien connu.

ièque (pas grand -), iaque (pas grand -), loc. ind.:
Pas grand chose : "Y a pas grand ièque dans ce magasin".
Rem.: Relevé par Z. (*èque*) et l'*ALLR* 1189 "quelque chose". Ne s'emploie que dans la loc. citée ici.
Etym.: Du latin *aliquid* "quelque chose".
Vitalité: Connu au-dessus de 60 ans.

impatienter (s'- après), v. pr.:
Attendre qqn. avec impatience: "Il s'impatiente après vous".
Rem.: Le fr. commun dit *s'impatienter contre qqn. Cf.* les emplois de *après* (voir ce mot) et *attendre après qqn.*
Vitalité: Connu.

incapable à, adj.: Voir *capable à.*

indifférent, adj.:
Antipathique: "Son mari n'est pas indifférent, mais il faut le connaître".
Vitalité: Connu au-dessus de 20 ans, attesté au-dessous.

infinitif à valeur finale, employé en fin de phrase:
"Je t'ai apporté les journaux pour toi lire". "Avec les restes d'hier, on aura toujours assez pour nous manger". "Il a demandé s'il y avait une table pour lui travailler".
Rem.: Tournure probablement calquée sur la tournure allemande *um... zu (+ infinitif).* Cette tournure n'est possible en allemand que lorsque la principale et la subordonnée ont le même sujet. Ici, on peut trouver la tournure analogue même en cas de sujets différents (ex. 1).
Vitalité: Connu au-dessus de 20 ans, attesté au-dessous.

inguiatte, n. f. ou m.:
1. Griffe (de poule): "Le coq m'a griffé avec ses inguiattes".
2. Ongle: "Je me suis cassé une inguiatte en voulant ouvrir mon couteau".
Rem.: Relevé par l'*ALLR* 334 et 770. On note de nombreuses variantes phonétiques: *inguiotte, iguiotte, onguiatte. Cf.* *zinguiotte* (annexe).
Etym.: Dér. du lat. *ungula* "griffe, ongle".
Vitalité: Attesté au-dessus de 40 ans.

intérieur, n. m.:
France (exceptées les parties germanophones d'Alsace et de Lorraine), et particulièrement les régions de parler roman de Lorraine: "Leur famille a toujours été à l'intérieur, ils n'ont jamais parlé le platt*". "Pour les germanophones, nous sommes des gens de l'intérieur".
Rem.: Signalé par *TLF* avec la mention "régional (Alsace)". *Cf. côté de l'intérieur.*
Vitalité: Usuel au-dessus de 20 ans, bien connu au-dessous.

J

jacques, n. m. :
Geai : "On entend les jacques dans les sapins".
Rem. : Relevé par Z. et l'*ALLR* 179. On note également le sens "corbeau" (très peu attesté). Signalé par *Rob. 89* avec la mention "régional : *geai* et plus rarement *corbeau*" et *TLF* avec la mention "régional, syn. fam. de *geai*".
Vitalité : Attesté au-dessus de 40 ans.

jamais (comme -), loc. adv. :
Extrêmement : "Quand je l'ai vu hier soir, il était soûl comme jamais".
Rem. : Signalé par *Rob. 89* avec la mention "régional". *Cf. moult, tant qu'et plus, tout plein.*
Vitalité : Bien connu.

jaunotte, jaunatte, jaunette : n. f. :
1. Chanterelle : "Il y a beaucoup de jaunottes en ce moment, mais il faut connaître les coins".
2. Morille : "J'ai fait un poulet aux jaunattes avec celles que tu as ramassées hier".
Rem. : Relevé par Z. : *jaunate* "girolle et souvent morille". **1.** Signalé par *Rob. 89* avec la mention "régional (Centre et Est de la France)" et *TLF* avec la mention "rég. (Lorraine, Cher, Franche-Comté)".
Vitalité : Usuel.

jésus, n. m. :
Gros saucisson fait avec le cæcum du porc : "En entrée j'ai acheté des tranches de jésus".
Rem. : Signalé par *Rob. 89* avec la mention "attesté XXe" et le sens "gros saucisson court fabriqué dans le Jura, en Alsace et en Suisse" et par *TLF* sous la rubrique "art culinaire" et le sens "saucisson de gros diamètre, hachage gros, emballé sous le cæcum de porc".
Vitalité : Bien connu au-dessus de 20 ans.

jeter de l'eau bénite, loc. v. :
Aller bénir un mort : "Le voisin vient de mourir, je lui jetterai de l'eau bénite quand ils le ramèneront".
Vitalité : Usuel.

jeune, n. m. ou f. :
Fiancé(e) : "La petite-fille est venue nous voir avec son jeune, il n'a pas l'air mal".
Rem. : *Cf. amie (bonne -), maquereau 1.*
Vitalité : Attesté.

joc (à-), loc. adv. :
1. Juché : "Que fais-tu là, à joc sur cette table ?"
2. Assis : "A joc sur ses talons, il attendait gentiment qu'on lui ouvre la porte !".
3. Accroupi : "Il est à joc derrière la haie, il croit qu'il est caché !"
Rem. : Relevé par Z. et l'*ALLR* 332 "sur le perchoir". *Cf.* **3.** *couaille (à), couve (à), cripotons (à)* (annexe), *croupsons (à)* (annexe).
Etym. : Du germ. *juk* "perchoir des poules".
Vitalité : **1. 2.** Usuel au-dessus de 60 ans > bien connu > inconnu. **3.** Usuel au-dessus de 40 ans.

jour, n. m.:
1. Mesure de superficie d'une terre comptée en journées de labour: "La plus grande terre de notre ferme faisait 6 jours".
2. Loc. n. : *Jour de semaine*: Jour autre que le dimanche: "Je viendrai vous voir un jour de semaine".
3. Dans la loc. adv.: *A des jours*: Parfois: "A des jours, il venait nous voir quand il passait par là".
4. Dans la loc. adv.: *A l'air du jour*: A l'aube: "On partait faucher à l'air du jour et on rentrait à la nuit".
5. Dans la loc. adv.: *A la pique du jour*: A l'aube, voir le précédent.
Rem.: Relevé par l'*ALLR* 1021 (1), 826 (4, 5). Z. emploie le sens 1 sous *jonau* et donne la loc. *l'piquion don jo* "la pointe du jour" (sens 5). **5.** Signalé par *Rob. 89* avec la mention "régional" et par *TLF* avec la mention "régional, Centre".
Vitalité: **1.** Connu au-dessus de 60 ans > attesté > inconnu. **2.** Usuel. **3.** **4.** **5.** Peu attesté.

jusqu'à tant que, loc. conj.:
Jusqu'à ce que : "Il restera ici jusqu'à tant qu'il trouve un appartement en ville".
Rem.: Signalé par *Rob. 89* avec la mention "vieux ou régional".
Vitalité: Bien connu.

K

kaïfa, n. m. :
Commerçant ambulant, uniquement pour l'alimentation : "Le kaïfa vient tous les jeudis".
Rem. : Un informateur nous signale qu'une publicité à la radio disait : "Toc, toc, qui est là ? C'est le vendeur de kaïfa !"
Etym. : Altération probable du patois germ. mosellan *Khofoï* "colportage, vente à domicile", peut-être sous l'influence du germ. mosellan *Keifer* "acheteur", correspondant à l'allemand *Käufer* "acheteur, client".
Vitalité : Bien connu au-dessus de 60 ans > peu attesté > inconnu.

kamis, kamisbrot, n. m. :
Pain de seigle ou plus souvent pain de sarrasin ("pain noir") : "Une tartine de kamisbrot, ça se mange, mais ça rappelle trop de mauvais souvenirs".
Rem. : Certains informateurs indiquent qu'il s'agit du nom du pain mangé par les soldats allemands et parfois les civils pendant la dernière guerre.
Etym. : Emprunt au patois mosellan germ. de même sens. La première partie du mot (patois mosellan germ. *Kammis*) correspond à l'allemand fam. ou pop. *kommiß* "service militaire" (+ *Brot* "pain").
Vitalité : *Kamis* : Bien connu au-dessus de 60 ans > attesté >> inconnu. *Kamisbrot* : Connu au-dessus de 20 ans.

katz, n. m. :
1. Chat : "Le katz n'attrape plus de rats, en ce moment, il doit y en avoir moins".
2. Interj. employée pour chasser un chat : "Allez, katz ! ce chat est toujours sur les fauteuils !"
Rem. : **2.** Relevé par Z. *Cf.* **2.** *chatte, râou.*
Etym. : Du patois mosellan germ. *Katz* "chat" (allemand *Katze* "chat").
Vitalité : **1.** Usuel au-dessous de 40 ans, bien connu au-dessus. **2.** Attesté.

kaugoumi, n. m. : [káwgumi]
1. Chewing gum : "Les jeunes sont tout le temps en train de mâcher du kaugoumi".
2. Caoutchouc servant en confection : "Il me faudrait un mètre cinquante de kaugoumi".
Rem. : *Cf.* **2.** *goumi.*
Etym. : De l'allemand *Kaugummi* "chewing-gum" (de *kauen* "mâcher" et *Gummi* "gomme, caoutchouc").
Vitalité : **1.** Usuel. **2.** Attesté.

knack, n. f. :
Saucisse de Strasbourg : "Vous me mettrez cinq paires de knacks avec la choucroute".
Rem. : *Cf. motz, viennoise.*
Etym. : Du patois mosellan germ., *cf.* allemand *Knackwurst* "saucisse *(Wurst)* qui craque sous la dent (interj. *knack!* "crac !")".
Vitalité : Usuel.

knacker, v. tr. :
Mordiller affectueusement : "Cette mère knacke les bonnes joues de son bébé".
Etym. : De l'allemand *knacken* "croquer".
Vitalité : Attesté.

knaller, v. tr. :
Faire éclater : "Il knalle son chewing gum, c'est énervant". "Il s'amuse à knaller les ballons de son frère, il est vraiment embêtant".
Etym. : Du patois mosellan germ. de même sens (*cf.* l'allemand *knallen* "éclater, claquer").
Vitalité : Peu attesté au-dessus de 20 ans.

knèpeslich, n. m. : [knè:pesliç]
Boulettes de farine de matz* (pain azyme) : "Les knèpeslichs n'ont pas vraiment de goût".
Etym. : Probablement issu du patois mosellan germ. *Knepple* "kneppe*".
Vitalité : Attesté au-dessus de 20 ans.

kneppes, knèpfes, n. m. ou f. pl. :
Pâte faite d'œufs, farine, lait, crème ou fromage blanc (ou parfois à base de purée de pommes de terre), pochée dans l'eau par petits morceaux (ou boulettes) et cuite à la poêle : "On fait des kneppes tous les vendredis, les gosses adorent ça".
Rem. : Relevé par Z. : *knèpe* "boulette de farine appelée moûs (bouchée) d'allemand". Voir Höfler-Rézeau.
Etym. : Emprunt au patois mosellan germ. *Knepple* de même sens (*cf.* l'alsacien *knepfel*).
Vitalité : *Kneppes* : Usuel. *Knepfes* : Connu au-dessus de 60 ans, attesté au-dessous.

knidelles, n. f. pl. : [knidel(e)]
Kneppes* (voir ce mot).
Etym. : Emprunt au patois mosellan germ. *Knedel.* Correspond à *knödel, knoedel* "boulette de pâte servie comme accompagnement d'un plat, ou (sucré) comme dessert, en Allemange", signalé par *Rob. 89* (allemand *Knödel* "boulette, quenelle").
Vitalité : Connu au-dessus de 20 ans.

knoutcher, v. tr. :
Etreindre dans ses bras, serrer fort, affectueusement : "Mes petits enfants, je les knoutcherais toute la journée tellement je les aime". "Ma grand-mère me prenait la tête dans ses mains et elle me knoutchait".
Etym. : Emprunt non adapté au patois mosellan germ. (*cf.* allemand *knutschen* "froisser, chiffonner, peloter").
Vitalité : Attesté au-dessus de 20 ans.

krumberknedle, n. m. :
[krumbi:rkné:dle]
Sorte de croquette de pomme de terre, voir *grumbeereknepfle.*
Etym. : Emprunt non adapté au patois mosellan germ. (voir *grombire* et *knidelles*).
Vitalité : Peu attesté.

L

la (+ nom de personne)... du (+ nom de personne ou de profession), loc. n.:
La femme d'Untel: "J'ai vu la Brigitte du Joseph, en allant faire mes courses".
Vitalité: Bien connu.

là-haut, adv.:
Là, là-bas: "Il revient de Metz et il a oublié son parapluie là-haut". "Ils passent tous leurs vacances dans le Midi, je ne vois pas ce qu'ils trouvent de bien là-haut".
Rem.: La loc. n'exprime pas ici, comme en fr. commun, l'idée de hauteur (là, au-dessus). Elle indique simplement l'éloignement et s'oppose à *ici*.
Vitalité: Usuel.

la mien, - tien, - sien, pr. poss.:
La mienne, la tienne, la sienne: "Ne prends pas cette serviette, ce n'est pas la tien, c'est la sien".
Rem.: Relevé par Z. et l'*ALLR* 1135.
Etym.: Forme dialectale, en usage dans la région.
Vitalité: Usuel au-dessus de 60 ans, attesté au-dessous.

laborou, n. m.:
Laboureur, cultivateur: "Il a été laborou et après, il est allé à l'usine".
Rem.: Relevé par Z. et l'*ALLR* 1027. *Cf. baoué.*
Etym.: Forme dialectale correspondant au fr. *laboureur.*
Vitalité: Attesté au-dessus de 60 ans, peu attesté au-dessous.

labourage (cheval de -), loc. n. m.:
Cheval de labour: "On avait deux chevaux de labourage".
Rem.: Signalé par *TLF* sans mention, avec une citation de Giono.
Vitalité: Attesté au-dessus de 60 ans, peu attesté au-dessous.

labouré, n. m.:
1. Terre labourée: "Il a tué un lièvre dans le labouré le long de la rivière".
2. Taudis, endroit en désordre: "Qu'est-ce que c'est que ce labouré? Tu vas me ranger ça en vitesse".
Rem.: **1.** Signalé par *Rob. 89* avec la mention "régional (Belgique)" et *TLF* avec la mention "vieux ou régional". *Cf.* **2.** *brindezingue 2, câillon 2, capharnaüm 1, fouchtrâ, quicaille 2, saint-frusquin 2.*
Vitalité: Peu attesté.

laisser courir (ou couler) le vent sur (ou sous) les tuiles, loc. v.:
Laisser aller les choses comme elles vont: "Ce n'est pas la peine de se faire du souci pour rien, il n'y a qu'à laisser courir le vent sur les tuiles et on verra bien après ce que ça donnera".
Vitalité: Attesté au-dessus de 20 ans.

lait à la casserole, loc. n. m.:
Lait vendu en vrac: "Pour arrondir ses fins de mois, elle vend du lait à la casserole aux touristes de passage".
Vitalité: Peu attesté au-dessus de 20 ans.

lance-caille, n. m. :
Lance-pierre (en forme de fourche) : "Il s'amuse à tirer sur les oiseaux avec son lance-caille, heureusement, il est maladroit".
Rem. : *Cf. balustre 2.*
Etym. : *Caille* est issu du gaul. *caljo* "pierre".
Vitalité : Attesté au-dessus de 20 ans.

lance-pierre, lance-boule, n. m. :
Jeu d'enfant : (baguette au moyen de laquelle on lance un marron, une pierre, une boulette de terre, etc.) : "Avec leur lance-pierre, ils chassent les chats dans le jardin".
Rem. : Le *lance-pierre* évoqué ici n'a pas la forme habituelle d'une fourche (*cf. lance-caille*). Il s'agit d'une simple baguette servant de propulseur.
Vitalité : Usuel.

lancée, n. f. :
Elancement, douleur brusque : "J'ai des lancées dans une jambe".
Rem. : Relevé par Z. Signalé par *Rob. 89* avec la mention "med. vieux" et *TLF* sans mention. *Cf. lancement, élancée.*
Vitalité : Usuel au-dessus de 20 ans.

lancement, n. m. :
Elancement, voir *lancée.*
Rem. : *Cf. élancée, lancée.*
Etym. : Dérivé, comme le précédent, de *lancer.*
Vitalité : Connu au-dessus de 60 ans > peu attesté > inconnu.

lancer, v. tr. ind. ou en emploi impers. :
Provoquer des élancements : "Ça me lance dans le genou" (ou "Mon genou me lance").
Rem. : Signalé par *Rob. 89* avec la mention "rég. (Belgique, Nord) ou fam.".
Vitalité : Usuel.

lapin de Pâques, loc. n. m. :
Animal fabuleux apportant des friandises aux enfants, à Pâques : "Le lapin de Pâques a dû passer par là, ce matin".
Rem. : Coutume germanique. Le lapin, ou lièvre, joue le même rôle que les cloches de Pâques dans d'autres régions. *Cf. lièvre de Pâques, osterhase.*
Etym. : Adaptation de l'allemand *Osterhase* ou du patois mosellan germ. correspondant.
Vitalité : Usuel.

lard, n. m. :
1. Viande de porc en général : "Heureusement, on a toujours du lard, on n'est jamais pris".
2. Loc. n. m. : *Gros lard* : Lard salé : "Mettez-moi un morceau de gros lard avec la choucroute".
Rem. : *Cf.* **2.** *bacon 2, speck.*
Vitalité : Connu.

larmier, n. m. :
Soupirail de cave : "Il y a un gros rat qui vient de se faufiler par le larmier".
Rem. : Signalé par *TLF* avec le sens "ouverture servant à l'éclairage et l'aération d'un local" et une citation de Lamartine.
Vitalité : Connu au-dessus de 60 ans.

lasse, adj. épicène :
Las, fatigué : "Tous les soirs, quand il rentre du travail, il est de plus en plus lasse".
Rem. : Régionalisme phonétique. En patois lorrain, comme en français régional, les consonnes sont souvent

maintenues (voir *quante, vingte*). *Cf. cuit, flapi mort, mûr, nazegeschwitz 1, schlappe 1, croumi* (annexe).
Vitalité : Connu au-dessus de 60 ans > attesté > peu attesté.

lause, n. f. :
Pierre plate servant à couvrir les toits, voir *lave*.
Rem. : Signalé par *Rob. 89* avec la mention "régional (Sud-Est)" et *TLF* avec la mention "régional (Sud, Sud-Est)". *Cf. lave.*
Vitalité : Attesté au-dessus de 20 ans.

lavasse, n. f. :
1. Eau de vaisselle : "On gardait la lavasse pour les cochons".
2. Café clair : "C'est de la lavasse que tu nous as fait là".
Rem. : **1.** Relevé par Z. (*lèvèsse*), mais absent de l'*ALLR* 694. *Cf. relavure.*
Etym. : Dérivé du latin *lavare* "laver".
Vitalité : **1.** Connu au-dessus de 20 ans. **2.** Bien connu au-dessus de 20 ans.

lave, n. f. :
Pierre plate servant à couvrir les toits : "Il n'y a plus guère de toits de lave, par ici".
Rem. : Relevé par l'*ALLR* 373 "(le) sol (de la cuisine)" et 1270 "(la) pierre de pavage" (sous la forme *pierre de lave*). Signalé par *Rob. 89* "pierre plate calcaire" avec une citation de Pergaud et la mention "vieux ou régional" et *TLF* "Constr. Dans certaines régions et notamment en Bourgogne, pierre plate calcaire". *Cf. lause.*
Vitalité : Peu attesté.

lavette, n. f. :
Gant de toilette en tissu éponge : "Le matin, c'est vite fait, un coup de lavette sur le nez, et il part à l'école".
Rem. : Signalé par *Rob. 89* et *TLF* avec la mention "régional (Suisse)".
Vitalité : Usuel.

le... -ci, le... -là, art. en emploi démonstratif :
Ce... ci, ce... là : "Il ne fait pas bon sortir par le temps-ci". "Arrête donc de te balancer sur la chaise-là".
Rem. : Relevé par l'*ALLR* 1156, 1157. *Cf. fois (la - -ci ; -là)*
Vitalité : Bien connu.

le, la, les, art. déf. :
Employé devant un prénom ou un nom de famille : "Le Pierre est plus âgé que le Paul".
Rem. : Régionalisme grammatical de grande extension.
Vitalité : Usuel.

leberkleus, n. m. : [léberklòys]
Voir *boulette de foie*.
Etym. : Du patois mosellan germ. (*cf.* l'allemand *Leber* "foie" et *Kloß* "croquette").
Vitalité : Attesté au-dessus de 20 ans.

lever (les mirabelles), loc. v. :
Collecter et entreposer les mirabelles pour le compte d'un marchand : "C'est le* Robert qui lève les mirabelles, elles partent ensuite à la confiturerie".
Vitalité : Connu au-dessus de 40 ans.

licher, v. tr. :
Lécher : "Il liche la verrine* de confiture, c'est qu'il aime ça !"

Rem.: Variante phonétique ancienne de *lécher*, connue de la langue pop. ou fam. au sens “manger, boire avec gourmandise”.
Vitalité: Bien connu.

lièvre de Pâques, loc. n. m.:
Animal fabuleux apportant des friandises aux enfants, à Pâques, voir *lapin de Pâques*.
Rem.: Voir *lapin de Pâques. Cf. osterhase.*
Vitalité: Usuel.

ligne, n. f.:
Jeu de billes: “Parfois, pour changer, on jouait à la ligne”.
Rem.: Le but est de toucher avec une bille une autre bille située entre les deux joueurs. *Cf. mam's 2, tique, toquette* (annexe).
Vitalité: Peu attesté.

limaçon, n. m.:
Petite limace grise: “Lave bien la salade, elle est pleine de limaçons”.
Rem.: Relevé par l'*ALLR* 187. Régionalisme sémantique.
Vitalité: Bien connu.

lisette, n. f.:
Betterave fourragère: “Ils sont partis arracher aux* lisettes depuis ce matin”.
Rem.: Relevé par Z. et l'*ALLR* 109. *Cf. disette.*
Etym.: Dérivé du latin *dicere* “dire”.
Vitalité: Connu au-dessus de 60 ans > attesté > inconnu.

livre d'église, n. m.:
Livre de messe, missel: “Je me sers toujours du livre d'église que ma marraine m'avait offert pour ma communion”.
Rem.: Adaptation de l'allemand *Kirchbuch* “rituel”.
Vitalité: Attesté.

loin (aller chercher -), loc. v.:
Coûter cher: “C'est qu'une voiture comme ça, ça va chercher loin”.
Vitalité: Bien connu.

longtemps, adv.:
Dans la loc. v.: *Il y a longtemps que*: Il est certain que: “Il y a longtemps que la charcuterie lorraine et alsacienne est meilleure que celle qu'on trouve ailleurs”.
Vitalité: Connu.

longueur, n. f.:
Tronçon correspondant à une portion: “Donnez-moi quatre longueurs de boudin”.
Vitalité: Connu au-dessus de 40 ans.

Lorrain, n. m.:
Habitant de la Lorraine annexée (1870-1918, 1940-1945): “On a vu les Lorrains affluer à Nancy dès le début de la guerre”.
Vitalité: Bien connu au-dessus de 60 ans, attesté au-dessous.

lorraine, n. f.:
Bière: “Vous voulez une lorraine?”
Rem.: Bière fabriquée à la Brasserie lorraine, installée à Metz. *Cf. amos, mousse, pils*
Vitalité: Attesté au-dessus de 20 ans.

Lorraine, n. f.:
Lorraine annexée: “La Lorraine s'est vidée rapidement de ses habitants qui venaient s'installer à Nancy et dans sa région”.
Vitalité: Connu.

loutche, n. f. :
Sucette pour bébé : “Donne lui sa loutche, ça va le calmer”.
Rem. : Relevé par l’*ALLR* 858. *Cf. bout 1, tette, tosse, tossotte 3, tossatte, totosse.*
Etym. : Emprunt au patois mosellan germ. *Lutscher(t)* de même sens (*cf.* l’allemand *lutschen* “sucer” ou *Lutscher* “sucette, tétine”).
Vitalité : Usuel.

lune (jeune -, vieille -), loc. n. f. :
Premier quartier, dernier quartier : “On plante* les pois à la jeune lune, les carottes à la vieille lune”.
Vitalité : Attesté.

lurelle, n. f. :
Couche pour bébé : “Je n’ai plus de lurelles, il va falloir en racheter”.
Rem. : Relevé par Z. et l’*ALLR* 852. *Cf. drapeau.*
Etym. : Dérivé du germ. *luthera* “couche”.
Vitalité : Bien connu au-dessus de 40 ans > attesté > inconnu.

lyonerwurst, n. f. : [lyónervurst ; -vur¢t]
Saucisse rouge* : “Chez les mineurs, la lyonerwurst était rarement absente au briquet*”.
Rem. : Du germanique *Lyonerwurst* “saucisse de Lyon” ; cette saucisse correspond à ce que l’on appelle “cervelas” à Lyon et dans d’autres régions (à ne pas confondre avec le célèbre *saucisson de Lyon* ou le *cervelas (truffé)*, qui est un saucisson plus fin).
Vitalité : Attesté au-dessus de 60 ans, peu attesté au-dessous.

M

machine-gewahr, n. f. :
[mà¢ingevá:r]
Véhicule de transport agricole à 2 ou 4 roues confectionné avec des affûts de mitrailleuses allemandes : "On a utilisé longtemps une machine-gewahr, elle était un peu lourde, mais solide".
Etym. : Emprunt à l'allemand *Maschinengewehr* "mitrailleuse".
Vitalité : Peu attesté au-dessus de 40 ans.

mâchoter, v. tr. et i. :
Mâchonner : "Il mâchote son mégot toute la journée".
Rem. : Relevé par Z. Signalé par *Rob. 89* sans mention. *Cf. nâchonner, nâpier* (annexe).
Vitalité : Attesté au-dessus de 20 ans.

mâchurer (se - la figure), loc. v. :
1. Se barbouiller : "Je me suis mâchuré en nettoyant le garage".
2. Se maquiller (péj.) : "A 12 ans, elle veut déjà se mâchurer la figure, pensez donc !"
Rem. : Relevé par Z. et l'*ALLR* 424 "se barbouiller". **1.** Signalé sans mention par *Rob. 89* et *TLF. Cf. barbouser, marmouser (se), schmirer.*
Vitalité : Bien connu au-dessus de 60 ans > attesté > inconnu.

madré, adj. :
Qui a de l'allure, du chic : "C'est un gaillard bien madré".
Rem. : *Cf. alluré.*
Vitalité : Attesté au-dessus de 60 ans > peu attesté > inconnu.

mai, n. m. :
1. Arbre qu'on place le 1er mai devant la maison des jeunes filles : "Ils ont planté un mai devant chez la* Nicole".
2. Au pl. : Branchages servant à décorer les reposoirs : "Pour la Fête-Dieu, les gamins allaient chercher des mais pour les reposoirs".
3. Bouquet de branchages enrubanné qu'on place au faîte d'un toit à la fin de la construction d'une maison : "Ça y est, les voisins ont planté le mai, ils ne vont plus tarder maintenant à venir ici".
4. Loc. v. : *Chanter le mai* : Coutume selon laquelle les jeunes gens passent de maison en maison en chantant, la nuit du premier mai pour recueillir de l'argent ou de la nourriture : "On a chanté le mai et on a récolté deux douzaines d'œufs et des fromages".
Rem. : Z. relève *ma* au sens 1 et aussi "bouquet planté sur la dernière voiture de blé de la récolte" (*cf.* sens 3). **1.** *Rob. 89* et *TLF* signalent *arbre de mai.* Les coutumes évoquées par 1. 2. et 4. sont tombées en désuétude. Seul, 3 se maintient.
Vitalité : **1. 2. 4.** Peu attesté. **3.** Connu au-dessus de 20 ans.

maïguips, n. m. :
Hanneton : "Il y a plein de maïguips autour du hêtre".
Etym. : Variante phonétique signalée sous *Maikäfer* "hanneton" (*cf. ALLR* 194) par Follmann : on y trouve une forme *Maïkips*, usitée à Forbach (de *Mai* "mai" (mois) et *Käfer* "coléoptère").

Vitalité: Peu attesté au-dessus de 40 ans.

maillot (depuis son -), loc. n. m.:
Depuis sa naissance: "Depuis son maillot, il n'a jamais quitté son village".
Rem.: Les dictionnaires relèvent la loc. *être au maillot* "être dans la première enfance".
Vitalité: Peu attesté au-dessus de 40 ans.

main, n. f.:
1. Loc. n. f.: *Belle main*: Main droite: "Dis bonjour à la dame, donne-lui ta belle main".
2. Loc. n. f.: *Peute main*: Main gauche: "Ne prends pas ta peute main pour écrire".
3. Dans la loc. v. : *Etre à main avec qqn.*: Etre à l'aise avec quelqu'un: "Avec lui, je suis à main, je ne me gêne pas pour lui demander un service".
4. Loc. adv.: *A main droite, à main gauche*: A droite, à gauche: "Pour aller à la cathédrale, vous prenez la première rue à main droite, puis la troisième à main gauche".
5. Loc. adv.: *A la main*: A gauche: "C'est toujours cette jument qui est à la main, elle est docile".
6. Loc. n.: *Cheval à la main*: Cheval attelé à gauche du timon: "Le cheval à la main boite un peu, il faudra le referrer".
Rem. 1. 2. Relevé par l'*ALLR* 761, 762. **1.** Signalé par *TLF* avec la mention "populaire". **3.** Signalé par *TLF* dans un sens voisin. **4.** Signalé par *Rob. 89* avec la mention "vieilli ou régional" et *TLF* sans mention.
Vitalité: **1.** Bien connu. **2.** Connu au-dessus de 20 ans. **3.** Attesté au-dessus de 60 ans > peu attesté > inconnu. **4.** Bien connu au-dessus de 60 ans > attesté >> inconnu. **5. 6.** Attesté au-dessus de 40 ans.

mairerie, n. f.:
Mairie: "La mairerie est fermée exceptionnellement demain".
Rem.: Variante phonétique peut-être plus populaire que régionale.
Vitalité: Connu au-dessus de 40 ans, peu attesté au-dessous.

maison d'école, loc. n. f.:
Ecole: "Il fallait une demi-heure pour aller à pied jusqu'à la maison d'école".
Vitalité: Bien connu au-dessus de 60 ans, attesté au-dessous.

maison de cure, loc. n. f.:
Cure, presbytère: "La maison de cure a été vendue pour faire des logements".
Vitalité: Attesté.

mal (avoir - + constr. dir.), loc. v. :
Voir *Avoir mal.*

mal tout noir (avoir un -), loc. v. :
Etre en grande difficulté: "En ce moment, ils ont un mal tout noir, le père est malade, la mère au chômage, le fils en instance de divorce…".
Vitalité: Connu au-dessus de 60 ans > peu attesté > inconnu.

malgracieux, adj.:
Désagréable: "Qu'est-ce qu'il est malgracieux, cet homme".
Rem.: Signalé par *Rob. 89* avec la mention "vieux ou régional" et *TLF* avec la remarque "le mot est familier et vieux pour *Académie 1835, 1878*". *Cf. chougnat, étrange 2, taugnat 1.*
Vitalité: Attesté.

malgré-nous, loc. n. m.:
Lorrain de la partie annexée incorporé de force dans l'armée allemande (1914 et 1939): "Son père était un malgré-nous et avait été envoyé sur le front russe".
Rem.: Signalé par *TLF* "Hist. emploi subst. plur. « les malgré nous »".
Vitalité: Usuel.

malicette, n. f.: voir *mauricette.*

mam's, n. f.:
1. Maman: "Je vais demander à la mam's".
2. Jeu de billes: "On jouait à la mam's avant de rentrer faire les devoirs".
Rem.: *Cf.* **2.** *ligne, tique, toquette* (annexe).
Etym.: Du lat. *mamma* "sein maternel, maman".
Vitalité: **1.** Attesté. **2.** Peu attesté.

mamailler, v. tr. et i.:
1. Bricoler, s'occuper à des riens: "Qu'est-ce que tu mamailles dans le garage?"
2. Agir de manière louche, avoir des activités suspectes: "Je ne sais pas ce qu'il mamaille au juste, mais il est très discret et quand on lui parle de son travail, il ne répond pas!"
Rem.: Signalé par *TLF* avec la mention "rég. (Lorraine)". *Cf. breseuiller, broiller, trôler 1, trôyer, bassoter 2* (annexe), *boutiquer* (annexe).
Etym.: Origine inconnue.
Vitalité: Bien connu.

mamaillou, n. m.:
1. Bricoleur: "Si je n'ai que ce mamaillou pour m'aider, j'aime mieux travailler seul".
2. Individu louche, rôdeur: "Il y a une bande de mamaillous qui est passée tout à l'heure, j'espère qu'ils sont repartis".
Rem.: Voir *mamailler. Cf.* **1.** *breusiâ, broillâ 1, feugnâ, queuviâ, crafia* (annexe). **2.** *camp-volant 2, carafouchtra, caramougna 3, frapouille 3, mandrin, rien-qui-vaille.*
Etym.: Dérivé de *mamailler.*
Vitalité: Connu.

mâmiche, n. f.:
1. Grand-mère: "Je passe dire bonjour à la mâmiche tous les soirs en sortant du travail".
2. Vieille femme: "J'ai rencontré une mâmiche qui m'a parlé de toi, mais je ne la connais pas".
3. Châle (ou sorte de petite cape) réalisé au crochet: "Je me suis fait une mâmiche pendant l'été, je serai bien contente de la mettre cet hiver".
Rem.: Relevé par Z. (sens 1 et 2).
Etym.: Dérivé du lat. *mamma* "sein maternel, mère".
Vitalité: **1. 2.** Connu. **3.** Attesté au-dessus de 60 ans, peu attesté au-dessous.

mandrin, n. m.:
Vaurien: "Sacré mandrin, il n'en fera que des pareilles!"
Rem.: Relevé par l'*ALLR* 891 "mauvais garçon". Signalé par *Rob. 89* au sens "criminel, brigand" avec la mention "vieux" et *TLF* avec la mention "vieilli". Le sens relevé ici est moins fort et le mot a souvent une connotation sympathique. *Cf. camp-volant 2, carafouchtra, caramougna 3, frapouille 3, mamaillou 2, rien-qui-vaille.*
Vitalité: Connu au-dessus de 60 ans > attesté > inconnu.

manette, n. f.:
Manique de cuisinier (carré de tissu): "Prends la manette pour sortir le gratin du four, c'est très chaud".
Rem.: *Cf. torchette.*
Etym.: Dér. dim. du lat. *manus* "main".
Vitalité: Attesté au-dessus de 20 ans.

manger (avoir qqn. à -), loc. v. :
Inviter qqn. à un repas: "Nous aurons demain 20 personnes à manger".
Vitalité: Usuel.

manière, n. f.:
1. Dans la loc. v. : *C'est manière*: C'est une façon de parler: "Je lui ai dit que s'il ne travaillait pas mieux, il irait en pension, mais c'est manière".
2. Dans la loc. conj.: *De la manière que*: Comme: "De la manière que tu t'y prends, tu ne risques pas d'y arriver".
Vitalité: **1.** Connu au-dessus de 60 ans > peu attesté >> inconnu. **2.** Bien connu.

mannequin 1, n. m.:
1. Personne molle et lente: "Quel mannequin, j'ai plus vite fait de le faire que de lui demander".
2. Homme de rien (injure): "Ce n'est pas ce mannequin qui va me dire ce que je dois faire!"
Rem.: Signalé par *Rob. 89* au sens "homme sans caractère, faible", avec la mention "vieilli ou littéraire". *TLF* note: "épouvantail. Par anal. pop. et péj.: *grand mannequin*, terme d'injure. Lanher 1977".
Etym.: Dér. du germ. *mannekijin* "petit homme".
Vitalité: **1.** Peu attesté. **2.** Connu au-dessus de 60 ans > attesté > peu attesté.

mannequin 2, n. m.:
Corbeille à deux anses: "J'ai mis tous les vieux vêtements dans un mannequin au grenier".
Rem.: Relevé par l'*ALLR* 486. *Rob. 89* signale "Techn.: Petit panier rectangulaire d'horticulteur". *Cf. charpagne 1, haberlin, panière, banse* (annexe), *baugeatte* (annexe), *carreau* (annexe), *panier Woippy* (annexe).
Etym.: Dér. du germ. *mande* "corbeille".
Vitalité: Attesté au-dessus de 60 ans.

manquer (la - de belle), loc. v. :
L'échapper belle: "Il l'a manquée de belle, en rentrant en voiture, hier soir, il a failli avoir un accident".
Rem.: *Rob. 89 et TLF* signalent *la manquer belle* "rater une bonne occasion" avec la mention "vieux" ou "vieilli".
Vitalité: Connu au-dessus de 40 ans, attesté au-dessous.

manre, adj.:
Mauvais, méchant: "C'est une manre femme, on ne peut pas lui faire confiance".
Rem.: Relevé par Z. et l'*ALLR* 506 "mauvaise terre".
Etym.: Du latin *minor* "plus petit".
Vitalité: Attesté au-dessus de 60 ans > peu attesté > inconnu.

manre drôle, n. m.: Voir *drôle (manre -).*

maquereau, n. m.:
1. Amoureux, fiancé: "Voilà la fille des voisins avec son maquereau".
2. Malin, drôle: "C'est un sacré maquereau, celui-là!"
Rem.: *Cf.* **1.** *jeune.*

Etym.: Du germ. *makelare* "courtier".
Vitalité: **1.** Attesté au-dessus de 60 ans > peu attesté > inconnu. **2.** Attesté au-dessus de 40 ans.

marais, n. m.:
Boue: "Ne marche pas dans le marais, tu vas salir tes souliers".
Rem.: Relevé par Z. et l'*ALLR* 33 "(la) boue (de pluie)". *Cf. boulimatch, schlamm.*
Etym.: Du germ. *marisk* "marécage, bourbier".
Vitalité: Attesté au-dessus de 60 ans.

marande, mérande, n. f.:
Goûter: "Il vient pour la marande tous les soirs en sortant de l'école".
Rem.: Relevé par Z. et l'*ALLR* 839.
Etym.: Du lat. *merenda* "goûter".
Vitalité: Attesté au-dessus de 40 ans.

marander, v. i.:
Goûter (à 4 heures): "Quand il sort assez tôt de l'usine, il vient marander avec moi".
Rem.: Relevé par Z. *Cf. quatre heures (faire -).*
Etym.: Du lat. *merendare* "goûter".
Vitalité: Attesté au-dessus de 40 ans.

marange, n. f.:
Variété de prune: "On n'a eu que des maranges, cette année, les autres n'ont rien donné".
Rem.: Relevé par Z. (*marinje*). *Cf. holerosse, bloce* (annexe).
Etym.: Issu probablement d'un nom de lieu (il existe notamment deux *Marange* en Moselle, canton de Faulquemont et canton de Metz-Campagne).
Vitalité: Connu au-dessus de 60 ans > attesté > inconnu.

marcaire, marcare, n. m.:
1. Métayer ou propriétaire de vaches, qui vend du lait et du beurre: "Il était marcaire, mais comme son fils n'a pas voulu reprendre la suite, il a tout vendu".
2. Vacher, gardien de chevaux: "De chez nous, on voyait les marcaires passer avec leurs troupeaux".
Rem.: **2.** Relevé par Z. et l'*ALLR* 261 "(le) gardien du troupeau" et 992 "vacher". Signalé par *Rob. 89* avec la mention "régional (Vosges)" et *TLF* avec la mention "régional (Vosges, vallée de Munster)".
Vitalité: Connu au-dessus de 60 ans > attesté >> inconnu.

marcairerie, marcarerie, n. f.:
Ferme sur les sommets vosgiens: "Quand vous arriverez en haut, vous verrez une marcairerie transformée en auberge".
Rem.: Relevé par Z. Voir *marcaire.*
Vitalité: Attesté au-dessus de 20 ans.

marché de l'Avent, loc. n. m.:
Marché d'articles de décoration de Noël: "On va au marché de l'Avent à Gorze dimanche prochain".
Vitalité: Connu.

marché de Noël, loc. n. m.:
Voir le précédent.
Rem.: Adaptation de l'allemand *Weihnachtsmarkt*, de même sens.
Vitalité: Usuel.

margoulette, n. f.:
1. Bouche, figure: "Je te lui ai donné un de ces coups sur la margoulette, on ne l'a plus jamais revu".
2. Loc. v. : *Se mettre la margoulette au clou*: Ne rien avoir à manger: "Quand j'ai vu que le buffet était

vide, j'ai cru que j'allais me mettre la margoulette au clou, mais j'ai retrouvé des provisions dans un placard".
Rem.: Relevé par Z. (*margoulote* "menton"). Signalé par *Rob. 89* au sens "bouche, mâchoire" avec la mention "pop. vieilli (cour. régionalement)" et par *TLF* avec la mention "populaire". *Cf.* **1.** *fratz, schnesse.* **2.** *relavette 2.*
Vitalité: **1.** Connu au-dessus de 60 ans > attesté > peu attesté > inconnu. **2.** Peu attesté.

marier, v. tr.:
Se marier avec, épouser: "Il a marié la* Jeanne samedi dernier".
Rem.: Signalé par *Rob. 89* avec la mention "régional (Nord, Belgique, Canada) ou pop. (faute de syntaxe)" et par *TLF* avec la mention "populaire ou régional".
Vitalité: Bien connu.

marmouser (se), v. pr.:
1. Se barbouiller (la figure): "Je me demande comment tu fais pour te marmouser comme ça, tous les jours, c'est la même chose".
2. Part. passé en emploi adj.: *Marmousé*: Sale, particulièrement dans la figure: "Tu es tout marmousé, ne m'embrasse pas".
Rem.: **1.** Relevé par l'*ALLR* 424. *Cf.* **1.** *barbouser 1, mâchurer (se), schmirer.* **2.** *boseré.*
Etym.: De l'onomatopée *marm-* exprimant un murmure.
Vitalité: Attesté.

marner 1, v. i.:
Ne rien faire: "Il marne toute la journée et le soir, il est fatigué!"
Etym.: Dér. du gaul. *margila* "marne".
Vitalité: Attesté au-dessus de 20 ans.

marner 2, v. i.:
Parler, bavarder: "Elles n'arrêtent pas de marner, elles ne sont jamais fatiguées!"
Rem.: Relevé par l'*ALLR* 886 "bavarder" (voir le commentaire). *Cf. barbouiller, boguier, bouche (avoir une grande -), câcailler, câcatter 2, couarail 3 (faire le -), couarailler 2, couatcher 1, hâbler, ratcher 1, babler* (annexe), *déparler 2* (annexe), *schnabeler* (annexe).
Etym.: Issu de l'onomatopée *marm-* exprimant un murmure.
Vitalité: Attesté au-dessus de 40 ans.

marque mal, n. m. ou f.:
Personne qui a une mauvaise allure, une mauvaise présentation: "Elle vit avec une espèce de marque mal".
Rem.: Signalé par *TLF* avec la mention "rare". Déverbal de *marquer mal.*
Vitalité: Bien connu.

marquer mal, loc. v.:
Avoir mauvaise allure, mauvaise présentation: "Je l'ai vu dimanche avec son frère, il marque vraiment mal".
Rem.: Signalé par *Rob. 89* avec la mention "fam." et *TLF* avec la mention "fam., vieilli".
Vitalité: Bien connu.

matz, n. f.:
Galette de pain sans levain: "A la Pâque, les Juifs mangent des matz".
Etym.: Emprunt au patois mosellan germ. (*cf.* l'allemand *Matze* "pain sans levain").
Vitalité: Attesté au-dessus de 20 ans.

mauricette, n. f. :
Sorte de bretzel long et mince qu'on mange en buvant de la bière ou un apéritif, utilisé parfois pour faire des sandwiches : "J'ai acheté des mauricettes pour l'apéritif".
Rem. : On note également la variante *malicette.*
Etym. : Il s'agit à l'origine d'une marque (Moritz). *Malicette* est le nom d'une marque concurrente. Ce mot, formé sur *malice*, reste phonétiquement assez proche de *mauricette* (appellation antérieure, bien implantée) pour que l'acheteur reconnaisse le produit à son nom.
Vitalité : Bien connu.

mécanique, n. f. :
1. Toute manivelle : "Il faut tourner la mécanique et ça se met en route".
2. Frein de véhicule de transport agricole : "Serre la mécanique, ça descend fort par ici".
3. Batteuse : "Avec la mécanique, le travail est plus rapide et moins pénible".
Rem. : **3.** Relevé par l'*ALLR* 590. **1.** Signalé par *TLF* avec la mention "vieilli".
Vitalité : **1.** Connu au-dessus de 60 ans > attesté >> inconnu. **2.** Connu au-dessus de 60 ans > peu attesté >> inconnu. **3.** Connu au-dessus de 60 ans > attesté > peu attesté > inconnu.

mégazone, n. f. :
Terrains réservés à l'aménagement industriel ou commercial, en périphérie d'un centre urbain : "Le conseil régional veut aménager la mégazone de Moselle-Est". "Il y a eu un meurtre sur la mégazone de Henriville".
Rem. : Selon nos renseignements, le mot est inusité dans les services parisiens du ministère de l'Equipement. On le rencontre assez fréquemment dans les quotidiens régionaux de Metz et Nancy.
Vitalité : Attesté au-dessus de 60 ans > peu attesté >> inconnu.

même (la -), loc. adj. :
La même chose : "C'est à chaque fois la même, dès que j'ai le dos tourné, il en profite pour faire des bêtises".
Rem. : Peut-être cette construction est-elle favorisée, dans cette région, par la loc. allemande *dasselbe*, de même sens.
Vitalité : Bien connu.

mener au fumier, loc. v. :
Transporter le fumier dans les champs, voir *conduire au fumier.*
Rem. : Pour la construction, voir *arracher aux, cueillir aux, conduire au, planter aux.*
Vitalité : Attesté au-dessus de 60 ans > peu attesté > inconnu.

mener les vaches, loc. v. :
Conduire les vaches à la pâture : "A dix ou douze ans, on menait les vaches".
Rem. : Régionalisme grammatical, l'emploi sans complément de lieu semble inusité dans ce cas en fr. commun.
Vitalité : Bien connu.

mérande, n. f. : Voir *marande.*

merde de chien, loc. n. f. :
Malaise sans gravité : "Toutes les merdes de chien, elle court au* médecin".
Vitalité : Connu au-dessus de 40 ans, attesté au-dessous.

mère (de -), loc. n. :
Animal femelle : "J'ai une mère de lapin qui a fait ses jeunes".

Rem.: On dit de même *un père de lapin* "un lapin mâle" (*Cf. bouc*).
Vitalité: Connu.

mésentendu, n. m.:
Malentendu: "Il y a eu un mésentendu entre eux, depuis, ils ne se causent plus".
Rem.: Signalé par *TLF* avec la mention "vieilli et rare".
Vitalité: Peu attesté.

mésoyer, n. m.:
Maraîcher: "On voyait autrefois, à la place de ces immeubles, les jardins des mésoyers".
Rem.: Z. emploie le mot sous *mé. Rob. 89* et *TLF* ne signalent que *mésoyage* "petite culture réalisée à l'aide de la bêche" ("vieilli" ou "vieux"). *TLF* note en étym.: "de *mésoyer* "maraîcher", terme dialectal de l'Est de la France, attesté chez un Lorrain dès 1492. Du lat. tardif *mansuarius* « tenancier d'un manse »".
Vitalité: Attesté au-dessus de 60 ans > peu attesté > inconnu.

messe à minuit, loc. n. f.:
Messe de minuit: "A Noël, on va toujours à la messe à minuit à la cathédrale".
Rem.: Relevé par l'*ALLR* 986 dans son commentaire.
Vitalité: Régionalisme grammatical attesté au-dessus de 20 ans.

messe de quarantaine, loc. n. f.: Voir *quarantaine.*

mettwurst, n. f.: [mètvurst, -vur¢t]
Saucisse de bœuf et de porc ou saucisse à tartiner: "J'ai pris une mettwurst pour le pique-nique".
Etym.: Emprunt au patois mosellan germ. (*cf.* l'allemand *Mettwurst* "andouille, cervelas, saucisse à tartiner, saucisse fumée"). *Cf. fuseau, saucisse à tartiner, saucisse de ménage.*
Vitalité: Connu.

meuchon, n. m.:
Petit gâteau fait avec le reste de la pâte: "On se battait pour avoir le meuchon!"
Etym.: Dérivé dim. du lat. *mica* "miette" (fr. *miche*).
Vitalité: Peu attesté au-dessus de 60 ans.

meuratte, meurotte, murotte, n. f.:
1. Sauce vinaigrette pour la salade (faite parfois à base de crème): "Je ne sais pas comment elle fait sa meuratte, mais elle est bonne".
2. Loc. n. f.: *Chaude meuratte*: Vinaigrette chaude, qui accompagne la salade de pissenlits: "Les pissenlits, il leur faut une chaude meurotte, avec des chons*, c'est meilleur".
3. Appareil sur les quiches et les tartes, à base d'œufs et de crème: "Ce qui fait la quiche, c'est la meuratte".
4. Pâte à beignets liquide: "J'ai déjà fait la murotte, vers six heures, je commencerai les pancoufes*".
Rem.: **3. 4.** Relevé par Z. *Cf.* **3.** *migaine.*
Etym.: Dér. du lat. *muria* "saumure".
Vitalité: *Meuratte*: **1. 2.** Attesté au-dessus de 40 ans. **3. 4.** Peu attesté au-dessus de 40 ans. *Meurotte*: **1. 2.** Attesté au-dessus de 60 ans. **3. 4.** Peu attesté au-dessus de 60 ans. *Murotte*: Peu attesté au-dessus de 40 ans.

michette, michotte, meuchatte, n. f. :
1. Petite brioche : "Quand la grand-mère venait me chercher à l'école, elle m'apportait toujours une michotte pour le goûter".
2. Petit gâteau sec : "Prenez donc une michette avec votre café".
Rem. : Relevé par Z. (*meuchate, michote*).
Etym. : Dérivé diminutif du lat. *mica* "miette" (fr. *miche*).
Vitalité : **1.** Attesté au-dessus de 60 ans, peu attesté au-dessous. **2.** Peu attesté.

michot, n. m. :
Pomme enroulée dans de la pâte et cuite au four : "Il me restait quelques pommes, j'ai fait des michots".
Rem. : Relevé par l'*ALLR* 674. *Cf. pet de moine, bolote* (annexe)*, rabote* (annexe), *roulot* (annexe).
Etym. : Dérivé m. correspondant au précédent.
Vitalité : Peu attesté au-dessus de 60 ans.

midi (entre -), loc. adv. :
Entre midi et deux heures : "Si j'ai le temps, j'irai faire mes courses entre midi".
Vitalité : Usuel.

mie, n. f. :
Miette : "Ramasse les mies du pain et donne-les aux oiseaux".
Rem. : Signalé par *Rob. 89* avec la mention "vieux" et *TLF* avec la mention "vieilli".
Vitalité : Connu au-dessus de 40 ans > attesté > inconnu.

mieux de, loc. adv. :
Plus de : "Cette maison vaut mieux de 500 000 F.".
Vitalité : Attesté.

migaine, n. f. :
Appareil à base d'œufs battus et de crème qu'on met sur les quiches ou les tartes : "Une migaine qui fond dans la bouche, ce n'est pas facile à faire".
Rem. : Relevé par Z. (*miguène*). *Cf. meuratte.* Voir aussi *tarte au m'gin.*
Etym. : Origine inconnue (*FEW*). Peut-être à rattacher au gaul. **mesigus* "petit-lait", que *FEW* rapproche du grec *misgein* "mélanger".
Vitalité : Usuel au-dessus de 60 ans > connu >> attesté.

miko, n. m. :
Chocolat glacé, esquimau : "On est allé en ville et il faisait tellement chaud qu'on s'est payé un miko".
Etym. : Il s'agit de la marque du fabricant de glaces de Saint-Dizier. Le nom s'est spécialisé dans le sens "glace portative fichée sur un bâtonnet" (voir Michel-Nancy). Même phénomène que pour le fr. pop. *frigidaire* ou *mobylette.*
Vitalité : Usuel.

mimisse, n. f. :
Amas de poussière sous les meubles : "Il y a plein de mimisses sous l'armoire".
Rem. : *Cf. minon 1, minou 1, minousse 1, moumousse, nounousse 1.*
Etym. : Dér. de la racine onomatopéique *mim-* à l'origine de noms désignant le chat (avec influence de *moumousse* ou *nounousse* pour la finale).
Vitalité : Usuel au-dessus de 20 ans.

minable (mettre qqn. -), v. tr. :
Battre qqn. au jeu ou dans une compétition sportive : "Il croyait qu'il était plus fort que moi, mais je l'ai mis minable !"

Vitalité : Connu au-dessous de 40 ans.

minette, n. f. :

Minerai de fer lorrain : "La minette a une teneur plutôt faible, mais elle a fait vivre la région pendant un moment".
Rem. : Signalé par *Rob. 89* avec la mention "rég." et *TLF* sans mention.
Vitalité : Usuel au-dessus de 20 ans.

minon, n. m. :

1. Amas de poussière sous les meubles : "Il y a plein de minons sous le lit."
2. Chaton de noisetier : "Les minons sont sortis, c'est le printemps".
Rem. : Relevé par Z. (sens 1 et 2) et l'*ALLR* 125 (sens 2). **2.** Signalé par *Rob. 89* et *TLF* avec la mention "régional (notamment Bourgogne, Dauphiné, Savoie)". *Cf.* **1.** *mimisse, minou 1, minousse 1, moumousse, nounousse 1.* **2.** *minou 2, minousse 2, moumousse, nounousse 2.*
Vitalité : Bien connu au-dessus de 60 ans, peu attesté au-dessous.

minot, n. m. :

Jeune enfant : "A qui c'est ce minot ?"
Rem. : Signalé par *Rob. 89* avec la mention "rég., fam." et *TLF* (sous *minet*) comme "variante rég.". *Cf. boube, drôle, piat, râce, ratz, spatz.*
Vitalité : Usuel au-dessus de 20 ans.

minou, minousse, n. m. :

Voir *minon.*
Rem. : *Minou* est signalé par *TLF* avec la mention "rég. (Bourgogne)", au sens "fleur mâle du saule, du coudrier, du noisetier, du noyer".
Etym. : Dér. de la racine onomatopéique *min-* à l'origine de noms désignant le chat. *Minousse* a probablement subi l'influence de *moumousse.*
Vitalité : *Minou* : Attesté. *Minousse* : Attesté au-dessus de 20 ans.

mïnsch, n. m. : [min¢]

Jeune homme de la banlieue, qui traîne en ville, zonard (péj.) : "Le dimanche après-midi, on ne voit que des mïnschs dans les rues".
Rem. : Mot du langage des jeunes. Il est relevé au féminin par Merle, avec le sens "fille".
Etym. : Merle propose : "Du vieil argot *aminche* "ami" ? Pas sûr du tout, puisque *minche* est exclusivement féminin". Plutôt que cette hypothèse, il faut probablement retenir l'allemand familier *Mensch* "femme, fille de mauvaise vie, putain". Ce nom, neutre en allemand, a pu éventuellement subir l'influence de *Mensch*, n. m., "être humain" dans son acception messine. Follmann relève *Minsch* "homme", "terme de mépris pour une femme".
Vitalité : Usuel au-dessous de 40 ans, attesté au-dessus.

mirlifiches, n. f. pl. :

Tulle, dentelle tuyautée sur la coiffe, colifichets : "Elle avait un beau bonnet avec des mirlifiches".
Rem. : Relevé par Z.
Etym. : Dér. du lat. *mirificus* "merveilleux, étonnant".
Vitalité : Attesté au-dessus de 60 ans > peu attesté > inconnu.

misse, n. f. :

Rate : "Ce chat ne mange que de la misse".
Rem. : Relevé par Z. et l'*ALLR* 305.
Etym. : Du germ. **miltia* "rate".

Vitalité : Connu au-dessus de 60 ans > peu attesté > inconnu.

mochette, n. f. : Voir *mouchatte.*

mochot, n. m. : Voir *mouchot.*

mocoïlle, n. m. :
Grumeau : “Ta pâte est pleine de mocoïlles”.
Rem. : Relevé par Z.
Etym. : Dér. de la base onomatopéique *makk-* “compresser”, avec l’influence de l’allemand *Mocke* “grumeau”.
Vitalité : Attesté au-dessus de 20 ans.

mocs, n. m. :
Moineau : “Regarde, les mocs ne sont pas sauvages, ils viennent jusqu’à nos pieds”.
Rem. : *Cf. mouchat, spatz 1.*
Etym. : Emprunt à l’allemand pop. ou fam. de même sens.
Vitalité : Peu attesté au-dessus de 20 ans.

moment, n. m. :
Dans la loc. adv. : *A un de ces moments* : A bientôt, à la prochaine fois : “Allez, je me sauve, à un de ces moments”.
Vitalité : Attesté.

mon, interjection marquant l’étonnement, l’admiration :
Mon Dieu ! : “Mon ! Qu’est-ce qu’il est beau comme ça !”
Etym. : Du lat. *munde* “proprement”.
Vitalité : Attesté.

monde, n. m. :
1. Personne, individu : “Je ne connais pas ce monde”.
2. Loc. v. : *Le monde sont..., le monde ont...* : Les gens : “Le monde sont méchants, ils n’arrêtent pas de critiquer”. “Le monde ont changé, aujourd’hui”.
Vitalité : **1.** Attesté. **2.** Peu attesté.

monder (les bêtes, - les vaches), loc. v. :
Nettoyer l’écurie : “Je monde les vaches tous les matins, ça me prend déjà une petite heure”.
Rem. : Relevé par Z. et l’*ALLR* 444.
Etym. : Du lat. *mundare* “nettoyer”.
Vitalité : Usuel au-dessus de 60 ans > bien connu > inconnu.

monsieur (faire son -), loc. v. :
Etre (ou paraître) fier, hautain : “Depuis qu’il a été aux écoles* à Paris, il fait son monsieur”.
Rem. : *TLF* signale *faire le monsieur* avec la mention “vieux”. *Cf. herr, embarras (faire son -)* (annexe).
Vitalité : Bien connu au-dessus de 60 ans, connu au-dessous.

montée d’escalier, loc. n. f. :
Escalier : “J’ai posé votre journal dans la montée d’escalier”.
Rem. : Z. relève *montaye* “marche d’un escalier”. *Rob. 89* signale *les montées* “escaliers” avec la mention “vieux”. *Cf. escaliers, degrés* (annexe).
Vitalité : Usuel.

mopette, n. f. :
Cyclomoteur ou motocyclette : “Le samedi après-midi, ils tournent sur la place avec leurs mopettes, ça fait un bruit d’enfer”.
Etym. : De l’allemand (et du patois mosellan germ.) *Moped*, de même sens.
Vitalité : Attesté.

mops, n. m. :
Effronté : "Ce gamin tire la langue à tout le monde, c'est un petit mops".
Rem. : *Rob. 89* signale *mopse* "petit dogue".
Etym. : Emprunt au patois mosellan germ. de même sens (*cf.* l'allemand *Mops* "carlin, roquet", *mopsig* "embêtant").
Vitalité : Bien connu.

moque (je t'en -), loc. v. marquant le doute ou le mépris :
Tu parles ! : "Je comptais sur lui, mais je t'en moque, il s'est sauvé en vitesse !"
Rem. : Signalé par *TLF* avec la mention "loc. pop. vieilli".
Vitalité : Attesté au-dessus de 60 ans, peu attesté au-dessous.

mors, n. m. :
Bouchée : "Il a juste voulu prendre un mors de pain et il est allé se coucher".
Rem. : Relevé par Z. (*mous*).
Etym. : Du lat. *morsus* "morsure", de *mordere* "mordre".
Vitalité : Connu au-dessus de 60 ans, peu attesté au-dessous.

Moselle (aller à -), loc. v. :
Aller se baigner dans la Moselle : "Pendant les vacances, on va à Moselle tous les jours, ça passe le temps".
Vitalité : Connu au-dessus de 60 ans > peu attesté >> inconnu.

motz, n. f. :
Saucisse de Strasbourg (servie dans les brasseries pour accompagner la bière) : "Tous les samedis, avec ses copains, il allait l'après-midi prendre une motz avec une bière".
Rem. : *Cf. knack, viennoise.*
Etym. : Du nom des propriétaires de la fabrique Motz.
Vitalité : Bien connu au-dessus de 60 ans, attesté au-dessous.

mouchat, mouchot, mochat, mochot, n. m. :
Moineau : "Il y a plein de mouchats dans le jardin, en ce moment".
Rem. : Relevé par Z. et l'*ALLR* 171. *Cf. mocs, spatz 1.*
Etym. : Dér. du lat. *muscio* "moucheron, moineau".
Vitalité : Attesté au-dessus de 40 ans.

mouchatte, mouchotte, mochette, n. f. :
Moucheron : "Il y a un nuage de mochettes devant la porte, ferme la bouche en sortant !"
Rem. : Relevé par Z. et l'*ALLR* 119.
Etym. : Formes dialectales du fr. dim. *mouchette* (lat. *musca* "mouche"). *Cf. balouatte* (annexe).
Vitalité : Connu au-dessus de 60 ans > attesté > inconnu.

mouche à miel, mouche, n. f. :
Abeille : "Attention, une mouche à miel s'est posée sur ton épaule".
Rem. : *Mouche à miel* relevé par l'*ALLR* 339. Signalé par *Rob. 89* avec la mention "archaïque ou régional" et *TLF* sans mention. *Mouche* est signalé par *Rob. 89* avec la mention "vieux".
Vitalité : *Mouche à miel* : Attesté. *Mouche* : Connu au-dessus de 60 ans.

moult, adv. :
Beaucoup, très : "T'es moult belle, allez !"

Rem.: Relevé par Z. et l'*ALLR* 163. Signalé par *Rob. 89* avec la mention "vieux ou ex. stylistique (sorti de l'usage dep. XVIe s.)" et *TLF* avec la mention "régional ou vieux et par plais.". *Cf. fin, jamais (comme -), tant qu'et plus, tout plein.*
Vitalité: Bien connu.

moumousse, n. m.:
Amas de poussière sous les meubles: "Je n'arrive pas à atteindre les moumousses sous le lit".
Rem.: *Cf. minon 1, minou 1, mimisse, minousse 1, nounousse 1.*
Etym.: Redoublement du fr. *mousse* (germ. *mosa*).
Vitalité: Connu au-dessus de 20 ans.

mousse, n. f.:
Bière: "Tu prends une mousse?"
Rem.: Peut-être plus pop. ou arg. que rég., ce mot est signalé par *Rob. 89* dans le syntagme *une petite mousse* "un verre de bière", avec la mention "fam.". Il est relevé par Colin et Caradec. *Cf. amos, lorraine, pils.*
Vitalité: Bien connu.

mouture, n. f.:
Nourriture des porcs: "On donne un seau de mouture matin et soir aux cochons".
Etym.: Hybridation du mot dialectal *pouture* (voir plus loin) attiré par le français *mouture. Cf. chaudière 3.*
Vitalité: Connu au-dessus de 20 ans.

mouvette, n. f.:
Cuiller en bois pour remuer la confiture pendant la cuisson: "Quand je lui tournais autour et que je l'empêchais de travailler, ma mère me chassait avec la mouvette".
Rem.: Signalé par *Rob. 89* avec la mention "Cuis., vieilli" et *TLF* sans mention.
Vitalité: Peu attesté au-dessus de 60 ans.

mûr, adj.:
Fatigué: "Le gamin est mûr, tu peux aller le coucher".
Rem.: Régionalisme sémantique: le mot est attesté dans les dictionnaires au sens "usé jusqu'à la dernière extrémité en parlant d'un tissu". *Cf. cuit, flapi mort, lasse, nazegeschwitz 1, schlappe 1, croumi* (annexe).
Vitalité: Attesté.

murotte, n. f.: Voir *meuratte.*

musique à bouche, loc. n. f.:
1. Mirliton: "Depuis que le gosse sait faire des musiques à bouche, on ne peut même plus parler!"
2. Harmonica: "Sa grand-mère lui a acheté une musique à bouche, il nous casse la tête depuis!"
Rem.: **2.** Signalé par *Rob. 89* et *TLF* avec la mention "régional (Canada, Savoie, Suisse romande et la Réunion)".
Vitalité: Connu au-dessus de 60 ans > peu attesté >> inconnu.

Mutte, n. f.:
Nom de la grosse cloche de la cathédrale de Metz: "La Mutte a toujours sonné pour les grandes occasions".
Rem.: Relevé par Z. : *meute*, de *mota* car elle sert "à mouvoir les gens, à les appeler pour une réunion politique ou militaire".
Etym.: Issu de *movita*, part. passé refait sur *movere* "mouvoir" (la cloche sert à *ameuter*).
Vitalité: Connu.

N

nâchon, n. :
1. Trognon de fruit : “Il mange tout dans les pommes, il ne laisse même pas le nâchon”.
2. Reste de plat : “Vous allez bien me finir ces nâchons de patates”.
3. N. m. et adj. : (Enfant) petit, maigrelet, qui manque d’appétit : “Quel nâchon, ce gamin, il ne fera jamais un homme”.
4. Personne qui trie les aliments dans son assiette, qui mange du bout des dents : “C’est un nâchon, celui-là, on ne sait pas quoi lui faire à manger, il n’aime rien”.
Rem. : Relevé par Z. (sens 3) et par l’*ALLR* 159 (sens 1). Z. note *nakion* (sens 1 et 3), *napion* (sens 3), qui n’ont pas subsisté en français régional. *Cf.* **1.** *toc 4, ragoton 2* (annexe). **4.** *friand 2, nâreux, nâpiat* (annexe).
Etym. : Dér. du lat. **nasicare* “renifler”.
Vitalité : **1. 2.** Peu attesté. **3.** Connu au-dessus de 60 ans, attesté au-dessous. **4.** Connu au-dessus de 20 ans.

nâchonner, v. i. :
Mâchonner, pignocher : “Arrête de nâchonner et mange ce que tu as dans ton assiette”.
Rem. : Z. relève *nacheu* dans ce sens. *Cf. mâchoter, nâpier* (annexe).
Etym. : Voir *nâchon.*
Vitalité : Connu au-dessus de 60 ans.

nage (à -), loc. adv. :
En nage : “Je suis à nage, il était temps que je rentre”.
Rem. : Relevé par l’*ALLR* 9. Régionalisme grammatical.
Vitalité : Attesté.

nâreux, adj. :
Délicat sur la propreté (en particulier à propos de la nourriture) : “Quel nâreux, celui-là, on ne risque pas de l’empoisonner”.
Rem. : Signalé par *TLF* (sous *néreux*) avec la mention “rég. (Champagne, Lorraine, Thiérache)”. *Cf. friand 2, nâchon 4, nâpiat* (annexe).
Vitalité : Usuel. La variante *néreux* est peu attestée.

nassgeschwitz, adj. :
Trempé de sueur : “Les mineurs remontaient du travail nassgeschwitz”.
Rem. : *Cf. trempé-mouillé.*
Etym. : Emprunté au patois mosellan germ. (*cf.* l’allemand *naß* “mouillé, trempé” et le part. passé de *schwitzen* “suer”).
Vitalité : Peu attesté au-dessus de 40 ans.

nazegeschwitz, adj. :
1. Ereinté, fourbu : “Quand je suis rentré hier soir, j’étais nazegeschwitz”.
2. Complètement cassé : “Ta montre est nazegechvitz, tu peux la jeter”.
Rem. : *Cf.* **1.** *cuit, flapi mort, lasse, mûr, schlappe 1, croumi* (annexe).
Etym. : Voir *nassgeschwitz*, avec, pour premier élément, l’argot *naze* “en mauvais état, ivre” (Colin).
Vitalité : **1.** Attesté au-dessus de 40 ans. **2.** Connu au-dessous de 40 ans, attesté au-dessus.

nème, nème donc, loc. adv. :
N'est-ce pas ? : "Tu m'apporteras ce que je t'ai demandé, nème ?" "Vous viendrez bien nous voir, nème donc ?".
Rem. : Relevé par Z. et l'*ALLR* 1215. *Cf. ainsi.*
Etym. : Emprunté au patois *n'è me*, de même sens (la négation la plus courante en patois est *ne... meu, ne... mie*).
Vitalité : **1.** Usuel au-dessus de 60 ans > bien connu > attesté > inconnu. **2.** Bien connu au-dessus de 20 ans.

néreux, adj. : Voir *nâreux*.

nerf, n. m. :
Dans la loc. v. : *Avoir les nerfs sautés* : Se faire une luxation, une entorse : "Depuis que j'ai porté des sacs de ciment, je crois bien que j'ai les nerfs sautés".
Vitalité : Peu attesté au-dessus de 40 ans.

nettoyage de Pâques (faire le -), loc. v. :
Faire le grand nettoyage (généralement de printemps, mais qui peut se faire hors saison) : "Depuis le temps que je recule le moment, il faudra bien quand même que je fasse le nettoyage de Pâques".
Rem. : *Cf. osterputz.*
Vitalité : Bien connu.

neuneu, adj. :
Un peu fou : "Ils ont un gosse qui est complètement neuneu".
Rem. : *Cf. brindezingue 3, chtarb, évaltonné, haltata, zoné 2.*
Etym. : Peut-être issu du lat. *novus* "neuf", au sens "sot, niais", avec redoublement.
Vitalité : Usuel.

niaquer, v. tr. :
Mordre : "Le chien a failli me niaquer une fois, maintenant, je me méfie".
Rem. : *Cf. coxer.*
Etym. : Formé sur l'onomatopée *nak-*.
Vitalité : Usuel au-dessus de 40 ans, attesté au-dessous.

nice, adj. et n. m. :
1. (Enfant) remuant, turbulent : "Qu'est-ce qu'il est nice, ce gamin, il ne tient pas en place".
2. Adj. : Grincheux, pénible : "Il est nice, il n'est jamais content".
3. Maladroit : "Si l'apprenti n'était pas aussi nice, j'avancerais plus dans mon travail".
4. Niais : "Il est bien gentil, mais un peu nice".
Rem. : Relevé par Z. (sens 2, 4) et l'*ALLR* 953 (sens 1) et 862 (sens 2). Signalé au sens "ignorant, simplet, niais" par *Rob. 89* avec la mention "vieux ou arch. litt." et au sens "niais" par *TLF* avec la mention "vieux ou régional". *Cf.* **1.** *haïant 3, tannant.* **3.** *ambeuche, empoïtau 2, harta* (annexe). **4.** *baoué 2, beubeu, béné, dâbo 1, fin (ne pas être bien -), fini, frais, goliot.*
Vitalité : **1.** Attesté au-dessus de 60 ans. **2.** Attesté au-dessus de 60 ans, peu attesté au-dessous. **3. 4.** Peu attesté au-dessus de 60 ans.

nonante, adj. num. :
Quatre-vingt-dix : "Avec ses nonante-quatre ans, c'est le doyen du village".
Rem. : Relevé par Z. et l'*ALLR* 1121. Signalé par *Rob. 89* avec la mention "vieux ou régional (en Belgique, en Suisse romande)" et *TLF* avec la mention "vieilli ou régional".
Vitalité : Connu.

nonon, non-non, n. m.:
Oncle: “Dimanche, on va chez le nonon Marcel”.
Rem.: Relevé par Z. et l’*ALLR* 947.
Etym.: Redoublement hypocoristique d’une forme **noncle* abrégée (*cf.* fr. *tonton*).
Vitalité: *Nonon*: Usuel. *Non-non*: Bien connu.

not(r)e, vot(r)e (+ nom de personne), adj. poss.:
Indique l’appartenance à la famille, à la communauté: “Voilà not(r)e Claudine qui rentre du marché”.
Rem.: Signalé par *Rob. 89* avec la mention “régional (rural) devant un appellatif: *not maître, note demoiselle* (Maupassant)” et *TLF* avec la mention “vieux, pop. et rég.”, mais comme marque de “respect envers un supérieur hiérarchique”. Ici, il s’agit d’une marque d’appartenance à un groupe (cercle familial ou communauté villageoise).
Vitalité: Bien connu.

nounousse, n. m.:
1. Amas de poussière sous les meubles: “Passe le balai sous la commode, il y a des nounousses”.
2. Chaton du noisetier: “Les noisetiers ont des nounousses, le printemps arrive”.
Rem.: **2.** Relevé par l’*ALLR* 125. *Cf.* **1.** *mimisse, minon 1, minou 1, minousse 1, moumousse.* **2.** *minon 2, minou 2, minousse 2, moumousse.*
Etym.: Aphérèse de *minousse*, avec redoublement (de la base onomatopéique *min-*, voir *minousse*).
Vitalité: **1.** Attesté au-dessus de 20 ans. **2.** Peu attesté au-dessus de 20 ans.

nourrice (être à -; mettre à -), loc. v.:
Etre (ou mettre) en nourrice: “J’ai été mis à nourrice dans un village à dix kilomètres de Metz”.
Vitalité: Attesté au-dessus de 20 ans.

nuit, n. f.:
1. Dans la loc. adv.: *A la nuit*: Le soir, au crépuscule: “Nous sommes revenus de Metz à la nuit”.
2. Dans la loc. adv.: *Noire nuit*: Nuit noire: “Aujourd’hui, le jour ne s’est pas levé et à quatre heures, il faisait déjà noire nuit”.
3. Dans la loc. v.: *Etre de la nuit*: Travailler dans une équipe de nuit: “Ils font les trois-huit et en ce moment, il est de la nuit”.
Rem.: **1.** Relevé par l’*ALLR* 829. **2.** Relevé par Z. (*neur nut* “à noire nuit (à nuit close)”).
Vitalité: **1.** Attesté au-dessus de 60 ans > peu attesté >> inconnu. **2.** Bien connu au-dessus de 60 ans > connu > attesté. **3.** Bien connu.

O

odeur, n. f.:
Parfum: "Il s'est mis de l'odeur, il va au bal, ce soir!"
Rem.: Signalé par *Rob. 89*, au pl., sans mention et *TLF* avec la mention "vieilli, littéraire et régional (Canada)".
Vitalité: Bien connu au-dessus de 60 ans > connu > inconnu.

œuf cuit dur, loc. n. m.:
Œuf dur: "Je lui ai donné deux œufs cuits durs et un bout de saucisson, il tiendra bien le coup jusqu'à ce soir!"
Vitalité: Usuel.

œufs (rester sur ses -), loc. v.:
Rester célibataire (en parlant d'une femme): "Sa sœur est restée sur ses œufs, ça fait qu'elle lui a servi de bâbette*".
Rem.: *Cf. fille (rester -).*
Vitalité: Attesté au-dessus de 60 ans > peu attesté > inconnu.

opération (grande -, grosse -), loc. n. f.:
Ablation des organes génitaux (utérus, ovaires): "On lui a fait la grande opération à trente-huit ans, c'est jeune".
Vitalité: Bien connu.

oreille, n. f.:
Dans la loc. v.: *Avoir les oreilles épaisses comme trois foies*: Avoir mal aux oreilles: "Il faudra que j'aille voir le docteur, j'ai les oreilles épaisses comme trois foies".
Rem.: Loc. à rapprocher probablement de l'allemand *Dickohr*, n. : "celui qui fait la sourde oreille" (de *dick* "épais" et *Ohr* "oreille").
Vitalité: Bien connu au-dessus de 60 ans.

osterhase, n. m.:
Lièvre de Pâques*: "Allez chercher dans les prés, l'osterhase ne doit pas être loin!"
Rem.: Allemand *Osterhase* "lièvre de Pâques", de *Ostern* "Pâques" et *Hase* "lièvre". Voir *lapin de Pâques.*
Vitalité: Attesté au-dessus de 20 ans.

osterputz, n. m.: [ósterputs]
Nettoyage de printemps: "J'ai commencé l'osterputz hier".
Rem.: *Cf. nettoyage de Pâques.*
Etym.: Emprunt non adapté au patois mosellan germ. et alsacien de même sens (*cf.* allemand *Ostern* "Pâques" et déverbal de *putzen* (patois mosellan germ. *butzen*) "nettoyer").
Vitalité: Connu.

ouaré, ouérèye, n. m.:
1. Farceur, chenapan, mauvais sujet: "Quel ouérèye, celui-là, on ne s'ennuie pas avec lui".
2. Excl. qui désigne une personne de manière affectueuse ou injurieuse, selon le contexte: "Sâpré* ouaré! il sait bien nous trouver quand il a besoin de nous!"
Rem.: Relevé par Z. et l'*ALLR* 222, au sens "taureau". Z. ajoute "juron très usité".
Etym.: Origine inconnue.
Vitalité: **1.** Connu au-dessus de 60 ans > attesté > inconnu. **2.** Usuel au-dessus de 60 ans > attesté > inconnu.

ouatte, ouette, adj. :
Sale : "Va-t-en, ouatte chien". "Ça fait huit jours qu'on a le ouette temps-là*". "Qu'est-ce que tu es ouette, va te débarbouiller un peu".
Rem. : Relevé par Z. (*wète*) et par l'*ALLR* 27, 988.
Etym. : Du lat. *horridus* "sale".
Vitalité : Attesté au-dessus de 60 ans > peu attesté > inconnu.

ouérèye, n. m. : Voir *ouaré*.

ouette, adj. : Voir *ouatte*.

ouille, n. f. :
Oie : "Il a acheté deux ouilles pour Noël".
Rem. : Relevé par Z. et l'*ALLR* 337. *Rob. 89* signale "*oye* « oie »" avec la mention "vieux".
Etym. : Forme dialectale du mot fr. "oie" (lat. **auca*).
Vitalité : Bien connu au-dessus de 60 ans > connu > attesté > inconnu.

ouvrier, adj. et n. :
1. N. m. : Personne qui effectue habituellement et avec habileté un travail : "C'est que son frère, c'est un rude ouvrier".
2. Adj. : Travailleur : "Il est ouvrier, si vous l'engagez, vous ne le regretterez pas".
Rem. : **1.** Signalé par *Rob. 89* avec la mention "vieux ou litt." et *TLF* sans mention. **2.** Signalé par *TLF* avec la mention "rare et littéraire".
Vitalité : **1.** Bien connu au-dessus de 60 ans, attesté au-dessous. **2.** Bien connu au-dessus de 60 ans > attesté >> inconnu.

ouvrier d'usine, n. m. :
1. Ouvrier : "Son père était ouvrier d'usine chez de Wendel".
2. En part. : Tisserand : "Ici, tous les hommes étaient ouvriers d'usine, mais maintenant, ils sont tous en retraite ou au chômage, les tissages ont fermé".
Vitalité : **1.** Bien connu. **2.** Bien connu au-dessus de 60 ans > attesté >> inconnu.

oye oye oye ! interj. :
Mon Dieu ! Oh là, là ! (sert à exprimer la compassion) : "Avec un homme comme ça, oye oye oye ! elle est bien montée !"
Rem. : *Rob. 89* et *TLF* signalent une variante, *ouillouillouille*, pour exprimer la douleur.
Vitalité : Connu.

oyotte, n. f. :
Café clair, sans goût : "Je vous ai fait de l'oyotte aujourd'hui ! J'ai changé de marque de café et je n'arrive pas à le faire bon, celui-là".
Rem. : Z. relève *owate* "produit non rectifié de la distillation". On note les variantes *loyotte, oouatte.*
Etym. : Dim. formé sur le lat. *aqua* "eau".
Vitalité : Attesté au-dessus de 20 ans.

P

pain (petit - de (la) Saint-Blaise), loc. n. m. :
Petit pain béni le jour de la Saint Blaise (3 février) à l'église Saint-Eucaire et distribué à la famille et aux amis. Il a le pouvoir de soulager les mots de gorge : "Si vous ne pouvez pas vous déplacer, je vous rapporterai des petits pains de (la) Saint-Blaise."
Vitalité : Usuel au-dessus de 60 ans > connu >> attesté.

pain percé, n. m. :
Pain en forme de couronne : "Je voudrais deux pains percés".
Vitalité : Attesté au-dessus de 20 ans.

paire (une -), loc. pr. ind. :
Quelques, plusieurs : "J'ai encore une paire de bouteilles de gris à la cave". "J'ai déjà travaillé une paire d'heures, dans ce moteur !"
Rem. : *Rob. 89* ne signale que l'usage régional de cette loc. au sens "ensemble de deux choses semblables".
Etym. : Calque de la loc. allemande *ein Paar*, de même sens.
Vitalité : Bien connu.

paire de pantalons, loc. n. f. :
Voir *pantalons.*

palette, n. f. :
Marelle (rectangle tracé sur le sol, divisé en six cases dans lesquelles on pousse une pierre plate, la *palette*, à cloche-pied) : "On jouait à la palette avec les filles".
Rem. : Z. relève *plète* "pierre plate dont les enfants se servent dans certains jeux". Régionalisme sémantique.
Vitalité : Connu au-dessus de 60 ans > attesté >> inconnu.

pancoufe, pantecoufe, n. f. :
1. Crêpe : "On faisait des pancoufes tous les vendredis soirs".
2. Petite galette de pomme de terre râpée cuite à la poêle, voir *fanecouhhe.*
Rem. : Relevé par Z. "espèce de crêpe faite dans la poêle". La forme *pancoufe* est plus usitée. *Cf.* **1.** *crêpé, vaute 1.* **2.** *araignée 1, fanecouhhe, râpé, vaute 2.*
Etym. : Adaptation phonétique du patois mosellan germ. *pannkuche* de même sens (équivalent de l'allemand *Pfannkuchen* "crêpe").
Vitalité : Connu.

pané, n. m. :
1. Loc. n. m. : *Grand pané* : Grande blouse : "On voyait les hommes aller au marché avec leurs grands panés".
2. Loc. v. : *Aller à cul pané* : Aller en (pan de) chemise : "Il ne s'en fait pas, à dix heures, il se promène encore à cul pané dans la maison !"
3. Loc. adv. : *Pané volant* : En pan de chemise : "Il reste aussi bien pané volant toute la matinée !"
Rem. : **2.** Relevé par Z. (*an cul pèné* "en chemise"). *Pané* est une variante phonétique de *panet, panais* "pan de chemise". **1.** Désigne d'abord la grande blouse bleue des Juifs, portée particulièrement à Delme.

Vitalité : **1.** Peu attesté au-dessus de 20 ans. **2.** Attesté au-dessus de 40 ans. **3.** Attesté au-dessus de 60 ans > peu attesté > inconnu.

paniche, n. f. :
Pan de chemise : “Rentre ta paniche, je sais que c’est la mode, mais ça fait débraillé”.
Rem. : Z. relève la loc. adv. *an paniche* “en chemise”.
Etym. : Dér. de *pané* (lat. *pannus* “morceau de tissu”).
Vitalité : Attesté au-dessus de 20 ans.

panière, n. f. :
Panier ou corbeille avec ou sans anses : “J’ai pris une panière pour transporter toutes ces frapouilles*”.
Rem. : Signalé par *Rob. 89* et *TLF* sans mention, au sens “grand panier à anses ; son contenu”. *Cf. charpagne 1, haberlin, mannequin 2, banse* (annexe), *baugeatte* (annexe), *carreau* (annexe), *panier Woippy* (annexe).
Vitalité : Connu au-dessus de 60 ans, peu attesté au-dessous.

pantalons, n. m. pl. :
1. Pantalon : “Il a déchiré ses pantalons, il faudra que je les reprise”.
2. Loc. n. f. : *Paire de pantalons* : Pantalon : “Je t’ai repassé une paire de pantalons que tu mettras dimanche”.
Rem. : *Rob. 89* signale : “On dit quelquefois, mais à tort, *des pantalons*”. *TLF* note : “S’emploie généralement au singulier (sauf au Canada, où il est généralement au pluriel), mais on rencontre dans les emplois vieillis : *une paire de pantalons, des pantalons*”.
Vitalité : **1.** Bien connu au-dessus de 60 ans > connu > attesté. **2.** Bien connu au-dessus de 60 ans > attesté >> inconnu.

pantomime (faire la -), loc. v. :
1. Faire la fête, se débaucher : “Ils ont fait la pantomime jusqu’à trois heures du matin, je n’ai pas pu fermer l’œil”.
2. Faire une colère : “Il a fait la pantomime pour ne pas aller au lit”.
Rem. : Le sens 2 est proche du sens péj. signalé par les dictionnaires.
Vitalité : **1.** Bien connu au-dessus de 60 ans > connu > attesté. **2.** Connu au-dessus de 40 ans.

pâpiche, n. m. :
Grand-père : “Le pâpiche est venu nous voir ce matin”.
Rem. : Relevé par Z.
Etym. : Dér. du lat. *pappus* “grand-père”.
Vitalité : Bien connu au-dessus de 60 ans, peu attesté au-dessous.

pâquis, n. m. :
Pâturage : “On est rentré par les pâquis, on a vu un lièvre”.
Rem. : Relevé par Z. au même sens et par l’*ALLR* 256 “(le) pré communal”. Signalé par *Rob. 89* avec la mention “vieux” et *TLF* avec la mention “régional (Est de la France)”.
Vitalité : Connu au-dessus de 60 ans > attesté > peu attesté.

par après, loc. adv. :
Après, ensuite : “Je le ferai par après”.
Rem. : Signalé par *TLF* avec la mention “vieux, inus. ou régional”, avec, en rem. : “Selon Grév. 1964

§ 929 (hist.), l'expression est restée courante en Belgique".
Vitalité: Attesté au-dessus de 60 ans > peu attesté > inconnu.

pardessus, n. m.:
Supplément ajouté à une quantité de marchandises, pour arriver à un poids rond: "Là, il y a 920 g. Avec le pardessu ça fera le kilo".
Rem.: Régionalisme sémantique. *Cf. trait.*
Vitalité: Attesté.

pareillement, adv.:
Vous (toi) de même: "- Au revoir et donne le bonjour à ta femme ! - Pareillement".
Rem.: Signalé sans mention dans les dictionnaires, semble être un régionalisme de fréquence.
Vitalité: Usuel.

parler, v. tr.:
1. Faire la cour: "Il paraît que le* Gérard parle à la* Martine".
2. Emploi pr.: Se fréquenter: "Le* Gérard et la* Martine se parlent depuis quelque temps".
3. Loc. v. i.: *Parler sur (qqn.)*: Critiquer, dire du mal (de qqn.): "Il n'arrête pas de parler sur moi, j'en ai assez".
Rem.: **1.** Relevé par Z. et l'*ALLR* 957. *Cf.* **1.** *causer 2, fréquenter 1, schmouse (faire du -), schmouser 2, chnâiller 2.* **3.** *ramager, ramages 2, bècher* (annexe).
Vitalité: Bien connu.

part (à nulle -), loc. adv.:
Nulle part: "Je l'ai cherché à tout partout* et je ne l'ai trouvé à nulle part".
Rem.: *Cf. endroit (à point d'-), place (à point de -).*
Vitalité: Attesté au-dessus de 20 ans.

part (à quelque-), loc. adv.:
Quelque part: "Je devais encore aller à quelque part, mais je ne sais plus où".
Vitalité: Bien connu.

part du Bon Dieu, loc. n. f.:
Part de gâteau supplémentaire, part du pauvre: "Nous sommes cinq, mais je coupe la tarte en six, c'est plus facile et ça fera la part du Bon Dieu !"
Vitalité: Connu au-dessus de 60 ans, peu attesté au-dessous.

parterre, n. m.:
Plancher, carrelage: "J'ai lavé le parterre, n'entrez pas tant que ce n'est pas sec".
Rem.: Signalé par *Rob. 89* avec la mention "fam. ou régional" et *TLF* avec la mention "populaire".
Vitalité: Bien connu.

partir, v. i.:
1. Bouillir en débordant: "Le lait est parti, je n'ai plus qu'à nettoyer la cuisinière".
2. *Partir à + infinitif*: Commencer à faire qqch.: "Quand il part à rire, on ne peut plus l'arrêter".
3. Loc. v. : *Partir à la fille*: Aller faire sa cour: "C'est samedi, il est parti à la fille".
4. Loc. v. : *Partir au train*: Prendre le train: "Le dimanche soir, il part au train".
Rem.: **2.** Signalé par *Rob. 89* avec la mention "régional" et *TLF* avec la mention "vieilli".
Vitalité: **1.** Peu attesté au-dessus de 20 ans. **2.** Attesté. **3.** Peu attesté. **4.** Connu au-dessus de 20 ans.

partout (tout -; à tout -), loc. adv. :
Partout : "Je l'ai cherché (à) tout partout, mais je ne l'ai pas trouvé".
Rem. : Relevé par Z. *Tout partout* signalé par *Rob. 89* avec la mention "populaire ou régional (Canada)" et *TLF* avec la mention "populaire ou régional".
Vitalité : Connu.

passer, v. i. :
Pourrir : "Tu aurais dû saler cette viande, ça lui aurait évité de passer".
Rem. : Variante sémantique de *passer* "perdre sa couleur, s'altérer".
Vitalité : Connu.

passette, passotte, n. f. :
1. Passoire : "Prends la passotte pour filtrer la tisane".
2. Filtre à café : "Je n'ai plus de passette, il faudra en racheter".
3. Etourdi : "Quelle passette tu fais, on ne peut pas avoir confiance en toi, tu oublies tout".
Rem. : **1.** Relevé par Z. et l'*ALLR* 429. **1.** Signalé par *TLF (passotte)* avec la mention "régional (Lorraine)". *Passette* appartient au français commun, au sens 1.
Vitalité : **1.** Connu. **2.** Usuel au-dessus de 60 ans > attesté >> inconnu. **3.** Peu attesté.

patin, n. m. :
1. Chausson, pantoufle : "Mets tes patins, tu vas tout me salir avec tes bottes".
2. Loc. n. : *Patin de gym* : Chaussure de sport, tennis ou basket : "Aujourd'hui, j'ai été en permanence pendant deux heures ce matin, j'avais oublié mes patins de gym".
Rem. : **1.** Relevé par Z. (*petin*). Régionalisme sémantique. *Cf.* **1.** *savate, baboche* (annexe).
Vitalité : **1.** Usuel. **2.** Connu.

patinette, n. f. :
Patin, morceau d'étoffe pour marcher sur les parquets : "Prenez les patinettes, je viens de cirer le parquet de la salle à manger".
Rem. : Régionalisme sémantique développé à la suite de l'emploi particulier de *patin* dans la région.
Vitalité : Usuel.

pattemouille, n. f. :
Eponge de l'ardoise : "Allez mouiller votre pattemouille et essuyez vos ardoises".
Rem. : Variante sémantique du français commun ("linge humecté pour repasser les vêtements"). *Cf. torchette.*
Vitalité : Connu au-dessus de 20 ans.

pavé, n. m. :
Carrelage, sol de la cuisine : "J'ai lavé le pavé, ne rentrez pas avant que ce soit sec".
Rem. : Relevé par l'*ALLR* 373.
Vitalité : Connu au-dessus de 60 ans > attesté > inconnu.

payant (mauvais -), loc. n. m. :
Mauvais payeur : "Il suffit de deux ou trois mauvais payants et il n'a plus qu'à fermer la boutique".
Etym. : Emploi n. du part. présent de *payer.*
Vitalité : Connu au-dessus de 60 ans > attesté >> inconnu.

pec, n. m. :
Paysan, rustre : "Qu'est-ce que c'est que ce pec ?"

Rem. : *TLF* note en rem. sous *péquenot*: *Pec*, n. m. : “rég. (Midi) fam. « niais, bêta »”.
Etym. : Il s’agit ici de l’apocope de *péquenot (péquenaud)*, signalé par les dictionnaires.
Vitalité : Connu au-dessous de 40 ans.

pelote, n. f. :
1. Boule de neige : “Ils se lancent des pelotes comme des gamins”.
2. Loc. v. : *Jouer à la pelote* : Jouer à la balle : “Dans la cour, on jouait à la pelote, il y en avait qui jonglaient avec quatre ou cinq”.
Rem. : **1.** Relevé par l’*ALLR* 49. Z. note *pelate* “balle”. **2.** Signalé par *TLF* avec la mention “vieilli”. *Cf.* **1.** *boulet.*
Vitalité : **1.** Peu attesté au-dessus de 20 ans. **2.** Connu.

pèlotte, n. f. :
Poêle (à frire) : “Tu mets tes champignons dans une pèlotte et tu laisses réduire à feu doux”.
Rem. : Relevé par Z. et l’*ALLR* 426. On note les variantes *pèlatte, poêlotte.*
Vitalité : Attesté au-dessus de 60 ans > peu attesté > inconnu.

penser, v. :
1. Dans la loc. v. : *Pensez voir* : Détrompez-vous : “Il avait promis de revenir, mais pensez voir, loin des yeux, loin du cœur !”
2. Dans la loc. v. pr. : *Se penser (en soi même)* : Réfléchir en son for intérieur : “Je me suis pensé (en moi-même) que ça leur ferait peut-être plaisir si j’allais leur rendre visite”.
Rem. : La forme pr. *se penser* est signalée par *Rob. 89* avec la mention “régional (rural) et fautif (contamination entre *penser*, v. i. et *se dire*)” et *TLF* avec la mention “populaire ou régional”.
Vitalité : **1.** Bien connu. **2.** Connu au-dessus de 40 ans > attesté > inconnu.

perruquier, n. m. :
Coiffeur : “Il faut que j’aille au* perruquier, j’ai les cheveux longs”.
Rem. : Relevé par Z. Signalé par *Rob. 89* avec la mention “vieux” et par *TLF* “par plaisanterie, dès le XIXe s.”.
Vitalité : Peu attesté au-dessus de 20 ans.

pétale, n. f. :
Pétale : “Avec leurs belles pétales rouges, les coquelicots sont superbes dans les champs de blé”.
Vitalité : Attesté.

pet de moine, loc. n. m. :
Pomme enveloppée dans de la pâte et cuite au four : “Avec le reste de pâte, j’ai pu faire quatre pets de moine”.
Rem. : *Cf. michot, bolote* (annexe), *rabote* (annexe), *roulot* (annexe). Noté sous *peditum* dans *FEW*.
Vitalité : Attesté au-dessus de 40 ans.

pète, n. m. :
Bosse, trace de coup (sur un objet) : “La voiture a un pète à l’arrière”.
Rem. : *Cf. beugne, beuille, bugne 1, gueugne* (annexe), *pec* (annexe).
Etym. : Du lat. *peditum* “pet”.
Vitalité : Attesté au-dessus de 60 ans > peu attesté > inconnu.

peu (un - si + adj.), loc. adv. dans des phrases négatives :
Un peu moins : “Il n’est pas un peu si grand que lui”. = Il est un peu moins grand que lui. “N’allez pas un peu si vite” = Allez un peu moins vite.

Vitalité: Connu au-dessus de 60 ans > attesté > peu attesté > inconnu.

peut, adj.:
1. Laid: "Elle est peute, mais bien gentille".
2. Dans la loc. n. f.: *Peute bête*, servant à désigner un enfant qui a fait une bêtise: "Tu peux avoir honte, va, peute bête".
3. Dans la loc. n. m.: *Peut homme*: Homme légendaire effrayant qui punit les enfants en les mettant dans un sac: "Oh! j'entends le peut homme, viens vite t'asseoir".
Rem.: **1.** Relevé par Z. et l'*ALLR* (p. ex. 762 "(la) main gauche": *la peute main* "la main laide", par opposition à la main droite: "la belle main"). Signalé par *TLF* (sous *pute*) avec la mention "rég. (Lorraine et Est de la France)".
Vitalité: **1.** Connu au-dessus de 20 ans. **2.** Usuel au-dessus de 60 ans > peu attesté > inconnu. **3.** Attesté au-dessus de 60 ans > peu attesté > inconnu.

piat, piot, adj. et n.:
1. Petit: "Il est piat pour son âge".
2. Enfant: "Oh! la belle piotte!" "Demain, je garde les piots de ma fille".
Rem.: Relevé par Z. et l'*ALLR* 658, sens 1 et 874, 949, 1265, sens 2. **2.** Signalé par *TLF* avec la mention "régional (Meuse)". *Cf.* **2.** *boube, drôle, minot, râce, ratz, spatz.*
Vitalité: **1.** Bien connu. **2.** Usuel.

pièce, n. f.:
Part (de gâteau): "Vous prendrez bien une pièce de tarte?"
Rem.: Relevé par l'*ALLR* 677 "(la) tarte" dans son commentaire: "A partir du Sud de Nancy, une part ou un morceau de tarte se dit une *pièce (de tarte)*". Signalé par *Rob. 89* avec la mention "vieux" et *TLF* avec la mention "vieilli".
Vitalité: Peu attesté.

pierre, n. f.:
1. Grès des Vosges, lorsqu'on parle de construction. Pour un monument funéraire, on parle de "grès des Vosges": "Ils ont une belle maison rouge en pierre".
2. Seuil (de la maison): "Je le reçois sur la pierre et je ne risque pas de le faire rentrer".
3. Loc. n. f.: *Pierre à eau, pierre d'eau*: Evier: "J'ai laissé tomber l'assiette sur la pierre à eau, elle est cassée".
4. Loc. n. f.: *Pierre à relaver*: Evier, voir 3.
5. Loc. n. f.: *Pierre à évier*: Evier, voir 3.
6. Loc. n. f.: *Pierre de taille*: Grès vosgien, voir 1.
7. Loc. n. f.: *Pierre de sable*: Grès vosgien, voir 1.
Rem.: **2.** Relevé par l'*ALLR* 360. **1.** Peut, selon certains informateurs, désigner aussi la pierre jaune de Jaumont. **3. 4. 5.** Relevé par l'*ALLR* 374. **3.** *Pierre d'eau* relevé en fr. rég. de Saint-Dié en 1772. Voir Rézeau.
Etym.: **3.** Calqué sur l'allemand *Wasserstein* de même sens (*cf.* patois de Saint-Dié (1772) *vasistène* "pierre d'eau").
Vitalité: **1.** Attesté au-dessus de 20 ans. **2.** Attesté au-dessus de 60 ans, peu attesté au-dessous. **3.** *Pierre à eau*: Connu au-dessus de 20 ans. *Pierre d'eau*: Connu au-dessus de 60 ans > attesté > peu attesté > inconnu. **4.** Attesté au-dessus de 60 ans > peu attesté

> inconnu. **5.** Connu au-dessus de 60 ans > attesté > inconnu. **6.** Attesté. **7.** Peu attesté au-dessus de 20 ans.

piguion, pinguion, n. m.:
Onglée: "Il doit faire froid, aujourd'hui, j'ai pris le piguion rien qu'en allant chercher le pain".
Rem.: Relevé par Z. (Gorze) et l'*ALLR* 52. *Cf. pinçon(s) (avoir le(s)).*
Etym.: Dér. du lat. *spinula* "petite épine".
Vitalité: Peu attesté au-dessus de 20 ans.

pils, n. f.:
Bière blonde légère (eau pure, orge et houblon): "Donnez-moi une pils".
Rem.: *Cf. amos, lorraine, mousse.*
Etym.: De l'allemand (usité en patois mosellan germ.) de même sens.
Vitalité: Connu.

pince-cul, n. m.:
Perce-oreille: "En ce moment, on est envahi par les pince-culs".
Rem.: Relevé par l'*ALLR* 190. Variante du suivant.
Vitalité: Attesté.

pince-oreille, n. m.:
Perce-oreille, voir le précédent.
Rem.: Relevé par l'*ALLR* 190.
Vitalité: Bien connu.

pinchard, pinchant, adj.:
Aigu et désagréable (en parlant d'un son, de la voix): "Elle a une voix pincharde que je ne supporte pas".
Rem.: Signalé par *TLF* avec la mention "régional".
Etym.: Dérivé de *pincher.*
Vitalité: Connu. *Pinchard* est la forme la plus usitée.

pincher, v. i.:
Crier ou chanter d'une voix aiguë: "Arrête de pincher, tu nous casses les oreilles".
Rem.: Relevé par Z.
Etym.: Formé sur un radical expressif *pink-*.
Vitalité: Connu.

pinçon (avoir le -), pinçons (avoir les -), loc. v. :
Avoir l'onglée: "J'ai le(s) pinçon(s), je ne sens plus mes doigts".
Rem.: Relevé par Z. et l'*ALLR* 52. Signalé par *TLF* dans la rubrique "Hist.: 1527 *pinsson* « onglée »". *Cf. bête aux doigts (avoir la -).*
Vitalité: Singulier: Attesté au-dessus de 60 ans > peu attesté > inconnu. Pluriel: Attesté au-dessus de 40 ans.

pinéguette, n. f.:
1. Fille délurée et capricieuse: "Sa fille, maintenant, c'est une vraie pinéguette".
2. Fille coquette: "Quelle pinéguette, elle passe son temps à se regarder dans la glace".
Rem.: Relevé par Z. au sens "petite fille délicate, chétive mais très remuante" et l'*ALLR* 874 "(la) jeune fille" dans son commentaire. Signalé par *TLF* avec la mention "régional, Nord-Est".
Vitalité: **1.** Usuel. **2.** Attesté.

piot, adj. et n. : Voir *piat.*

pique, piquette, n. f.:
Vin de maison: "Chaque ferme faisait sa pique, autrefois".
Rem.: Relevé par Z. Le mot désigne un vin simple, mais n'a pas la valeur péjorative du français commun.

(*Piquette*: “vin acide et léger de qualité médiocre” ou “vin aigrelet de basse qualité”). *Pique* est relevé par *FEW* sous **pikkare.*
Vitalité: *Pique*: Peu attesté au-dessus de 20 ans. *Piquette*: Usuel.

pique (à la - du jour), loc. adv.: Voir *Jour (à la pique du -).*

pirsch (chasser à la - (ou **au -**), **aller à la -** (ou **au -**)), loc. v. :
Mode de chasse individuelle, en se promenant: “J’ai été à la (ou “au”) pirsch ce matin, je n’ai vu que deux lièvres”.
Etym.: De l’allemand *Pirsch* “chasse (avec le fusil et à pied)”.
Vitalité: Usuel chez les chasseurs.

pirscher, v. i.:
Chasser à la pirsch*, voir ci-dessus.
Etym.: Allemand *pirschen* “chasser”.
Vitalité: Usuel chez les chasseurs.

pis, n. m.:
Trayon (de vache, de chèvre): “La Rouge a un pis qui ne donne plus”.
Vitalité: Bien connu.

pissoir, n. m.:
Urinoir public: “Ils ont supprimé le pissoir de la place”.
Rem.: Signalé par *Rob. 89* avec la mention “fam. ou rég. (Nord)” et *TLF* avec la mention “fam. ou rég. (Nord et Nord-Est)”.
Vitalité: Usuel.

place, n. f.:
1. Dans la loc. adv.: *A point de place*: Nulle part: “J’ai cherché mon ouvrage tout le matin, je l’ai trouvé à point de place”.
2. Dans la loc. adv.: *En place de*: Au lieu de, à la place de: “En place de la haie, j’ai construit un mur”.
3. Dans la loc. v. : *Ne pas avoir une bonne place*: Bouger constamment, être nerveux: “Il s’est retourné dans le lit toute la nuit, il n’avait pas une bonne place”.
Rem.: **2.** Signalé par *Rob. 89* et *TLF* avec la mention “vieux”. *Cf.* **1.** *endroit (à point d’-), part (à nulle -).*
Vitalité: **1.** Attesté au-dessus de 60 ans > peu attesté > inconnu. **2.** Connu au-dessus de 60 ans > attesté > inconnu. **3.** Attesté.

placer (se -), v. pr.:
Se marier: “A vingt-cinq ans, il serait temps qu’elle se place”.
Rem.: Relevé par l’*ALLR* 958. Régionalisme sémantique.
Vitalité: Connu.

planter, v. :
1. V. i.: S’embourber: “En voiture, j’ai planté plusieurs fois dans le chemin du bois, après des orages”.
2. Loc. v. : *Planter les haricots*: Semer les haricots: “J’ai planté mes haricots hier, c’est un peu tard, mais ils donneront toujours autant que l’année passée”.
3. Loc. v. : *Planter aux (pommes de terre)* : Planter (les pommes de terre) : “J’ai planté aux pommes de terre toute la journée, j’ai mal* les reins”.
Rem.: **3.** Pour la tournure syntaxique, voir *arracher aux, cueillir aux, conduire au, mener au. Cf.* **1.** *enhotter* (annexe).
Vitalité: **1.** Connu au-dessus de 60 ans > attesté > peu attesté. **2.** Bien connu. **3.** Connu au-dessus de 60 ans > peu attesté >> inconnu.

plateau, n. m.:
Chariot carré sans ridelles: “Quand ils ont déménagé, tous les meubles sont partis sur un plateau”.
Vitalité: Bien connu au-dessus de 60 ans > connu > attesté > inconnu.

plateau à tarte, n. m.:
Moule à tarte: “Ne prends pas ce plateau à tarte pour faire la quiche, tu n’arriveras pas à la démouler”.
Vitalité: Usuel.

platt, n. m.:
Patois germanique mosellan: “Les jeunes parlent de moins en moins le platt”.
Rem.: *Rob. 89* et *TLF* signalent *platt-deutsch.*
Etym.: Apocope du patois mosellan germ. *plattdeïtsch* (*cf.* l’allemand *plattdeutsch* “bas-allemand, dialecte de l’Allemagne du Nord”). *Cf. dialecte, hachepaille, chpountz 1.*
Vitalité: Usuel. On note la variante péjorative *bla bla platt*, peu attestée au-dessus de 40 ans.

plier, v. tr.:
Cabosser, abîmer, mettre hors d’usage: “Il a plié la voiture de son père”.
Rem.: Régionalisme sémantique. *Cf. beugner 1, beuiller, bugner.*
Vitalité: Connu.

plot, n. m.:
1. Billot: “Il faudra changer le plot, il ne va tarder à se couper en deux”.
2. Tabouret pour traire: “Va voir au fond de l’écurie*, il doit rester un plot”.
3. Estrade: “Au dernier concert, le chef d’orchestre a failli tomber de son plot”.
Rem.: Signalé par *TLF* avec la mention “régional (Franche-Comté, Bourgogne, Auvergne, Provence)” au sens 1 et “rég. (Forez, Lyonnais, Provence, Savoie)” au sens 2.
Vitalité: Attesté.

plumon, plumeau, n. m.:
Lit de plumes, édredon: “J’ai remis le plumon sur le lit, j’ai eu froid la nuit dernière”.
Rem.: Relevé par Z. et l’*ALLR* 389. *Plumeau* signalé par *Rob. 89* avec la mention “vieux” et *TLF* sans mention, avec des citations de Daudet et Barrès. *Plumon est signalé par TLF* avec la mention “rég. (Nord-Est notamment)”.
Vitalité: Usuel. La variante *plumeau* est peu attestée.

poillotte, poillatte, n. f.: Voir *pouillotte, pouillatte.*

porjon, n. m.:
1. Ciboule, ciboulette: “J’avais un plant de porjon au fond du jardin, mais il a disparu”.
2. Poireau: “J’ai planté mes porjons hier”.
3. Verrue: “Il a un porjon sur le nez”.
Rem.: Relevé aux 3 sens par Z. et par l’*ALLR* 102 (sens 2).
Etym.: Dér. du lat. **porreum* “poireau”.
Vitalité: **1.** Connu au-dessus de 60 ans > peu attesté > inconnu. **2. 3.** Peu attesté au-dessus de 20 ans.

porreau, porré, n. m., **porratte, porrotte**, n. f.:
1. Poireau: “J’ai repiqué les porreaux”.
2. Verrue: “Il a un porreau sur la joue, il devrait se le faire enlever”.

Rem.: Relevé par Z. (*porate* et *poré*) et l'*ALLR* 102 et 903. *Porreau* est signalé par *Rob. 89*: "se rencontre couramment jusqu'au XVIIe siècle, est aujourd'hui dialectal et populaire" et par *TLF* avec la mention "régional et populaire: survit dans les parlers provinciaux".
Vitalité: *Porreau*: Connu au-dessus de 40 ans. *Porré*: Peu attesté au-dessus de 40 ans. *Porratte, porrotte*: Attesté au-dessus de 60 ans.

position (être en -), loc. v. :
Etre enceinte: "Il paraît que la bru du Victor est en position?"
Rem.: A rapprocher de la loc. *Etre dans une position intéressante*, également connue, signalée par *Rob. 89* avec la mention "vieux, plais. ou rég. (Belgique)" et *TLF* sans mention. *Cf. attendre 1, comme ça (être -), embarrassée (être -)* (annexe).
Vitalité: Connu au-dessus de 40 ans.

potaye, n. f.:
Potée: "Tous les lundis, en hiver, on mange une bonne potaye".
Rem.: Forme phonétique dialectale, relevée par Z. et l'*ALLR* 691.
Vitalité: Connu au-dessus de 60 ans > attesté > inconnu.

pot de camp, loc. n. m.:
1. Récipient en métal (ou plus anciennement en grès), servant à emporter le repas sur le lieu de travail: "Donne-moi ton pot de camp, que je le lave".
2. Repas emporté sur le lieu de travail: "Il mange son pot de camp dans la barraque, il est quand même à l'abri".
Rem.: Relevé par Z. *Cf.* **1.** *beuchté 1, bock, tepin, toté, verrine.*
Vitalité: Attesté au-dessus de 60 ans > peu attesté > inconnu.

pote, poute, n. f.:
1. Lèvre: "Il a de grosses potes pendantes, comme un chien".
2. Loc. v. : *Faire la po(u)te* ou *faire les potes*: Bouder, faire la moue: "Depuis qu'il est levé, il fait la pote, on ne sait même pas pourquoi".
Rem.: **1.** Relevé par Z. *Cf.* **2.** *breutche, preutche, tougner, troutche.*
Etym.: D'un radical, peut-être préceltique, **pott-* "grosse lèvre".
Vitalité: Attesté au-dessus de 60 ans > peu attesté > inconnu.

pouce (gros -), n. m.:
Pouce, gros orteil: "J'ai mal* le gros pouce, le temps change".
Rem.: Relevé par l'*ALLR* 768.
Vitalité: Connu.

pou de bois, n. m.:
Tique: "Le chien est revenu de la chasse plein de poux de bois".
Rem.: Relevé par l'*ALLR* 1248. Le mot désigne en français commun d'autres parasites. *Cf. tique.*
Vitalité: Bien connu.

pouiller, v. tr.:
1. Gagner au jeu du *pouilleux* en se débarrassant de la mauvaise carte (valet de pique): "Ça y est, j'ai enfin réussi à le pouiller!"
2. Emploi pr.: S'épouiller: "Les poules se pouillent, c'est signe de pluie".
Rem.: **2.** Relevé par Z. **2.** Signalé par *TLF* avec la mention "vieux ou régional".
Vitalité: **1.** Peu attesté. **2.** Attesté au-dessus de 40 ans.

pouilleux, n. m.:
Jeu de cartes (mistigris): "On fait un pouilleux ?"
Etym.: Dér. du lat. *peduculus* "pou".
Vitalité: Attesté.

pouillotte, pouillatte 1, n. f.:
1. Poulette: "J'ai encore une pouillotte qui a crevé".
2. Fillette: "Elle a une jolie pouillatte et un garçon plus grand".
3. Petite salade: "J'ai éclairci mes semis, je vous donnerai mes pouillottes".
Rem.: Relevé par Z. dans les 3 sens. **1. 3.** Relevés par l'*ALLR* 316, 725 et 1260. *Cf.* **2.** *fanchette, zaubiotte 1, meusniatte* (annexe). **3.** *roupf salade 1, volante.*
Etym.: Dér. dim. du lat. **pullius* "jeune animal".
Vitalité: **1. 2.** Peu attesté au-dessus de 60 ans. **3.** Connu au-dessus de 60 ans > peu attesté > inconnu. Les variantes *poillotte, poillatte* sont attestées au-dessus de 60 ans > peu attestées > inconnues.

pouillotte, pouillatte 2, n. f.:
Nuque : "Il sort de chez le coiffeur, il a une belle pouillotte !"
Rem.: Relevé par Z.
Etym.: Dérivé dim. du lat. *podium* "hauteur".
Vitalité: Attesté au-dessus de 60 ans > peu attesté > inconnu. Les variantes *poillotte, poillatte* sont attestées au-dessus de 60 ans > peu attestées > inconnues.

pourritte, part. passé f.:
Pourrie: "Les pommes qui restent sont toutes pourrites".
Rem.: Participe passé analogique (p. ex. de *dire* > *dite*) relevé par l'*ALLR* 165.
Vitalité: Connu.

poussiotter, v. impers.:
Bruiner: "Ça poussiotte depuis ce matin".
Rem.: Le verbe est absent de l'*ALLR* 29, mais on rencontre des formes du type *"il tombe du poussa"* (= de la poussière). *Cf. brussiotter, brussotter, brusser, broussailler, broussiner, broussiller, broussiotter, brousiner, mousiner* (annexe).
Etym.: Dér. du patois messin, *poussiatte,* "poussière", relevé par Z. mais absent de l'*ALLR* 698, qui ne donne plus, en pays messin, que le fr. patoisé *poussire.* (du lat. *pulvis*).
Vitalité: Peu attesté au-dessus de 20 ans.

poutse, n. f.:
Poussière: "C'est plein de poutse, ici, il est temps que je fasse le ménage".
Rem.: Mot absent de l'*ALLR* 698.
Etym.: Déverbal de *butzen* (*cf.* allemand *putzen*) "nettoyer".
Vitalité: Peu attesté.

poutser, v. tr.:
Nettoyer, astiquer: "J'ai poutsé tout le rez-de-chaussée".
Rem.: Signalé par *Rob. 89* avec la mention "régional (Suisse) familier" et par *TLF* avec la mention "régional (Suisse, Jura) familier". *Cf. chpoutser, chrouper, torchonner.*
Etym.: Du patois mosellan germ. *butzen* (*cf.* l'allemand *putzen*) "nettoyer".
Vitalité: Attesté au-dessus de 20 ans.

poutsfrau, n. f. : [putsfraw]
Femme de ménage : “La poutsfrau ne viendra pas demain”.
Etym. : Allemand *Putzfrau* et patois mosellan germ. *Butzfrau* de même sens.
Vitalité : Connu.

pouture, n. f. :
Nourriture des porcs : “Le cochon a mangé son baquet de pouture”.
Rem. : Relevé par Z. et l’*ALLR* 297. *Rob. 89* note : “(1782) Agric. Engraissement du bétail à l’étable, principalement au moyen de farineux”. *Cf. chaudière 3, mouture.*
Vitalité : Attesté au-dessus de 60 ans > peu attesté > inconnu.

prêche, n. f. :
Chaire d’église : “La prêche ne sert plus à rien, il paraît que le curé veut l’enlever”.
Rem. : Relevé par l’*ALLR* 979. Régionalisme sémantique.
Vitalité : Connu au-dessus de 40 ans > attesté > inconnu.

préférer de, v. tr. ind. :
Préférer : “Il préfère de se promener que de rester toujours dans sa chambre”.
Rem. : Signalé par *Rob. 89* avec la mention “littéraire” et par *TLF* avec la mention “vieilli”.
Vitalité : Attesté.

près, auprès, prép. :
Chez : “J’ai acheté cela près (ou *auprès*) d’un marchand étranger”.
Rem. : Signalé par *TLF* avec la mention “vieilli ou littéraire”.
Vitalité : Bien connu au-dessus de 60 ans > connu > attesté > inconnu.

presskopf, n. m. :
Fromage de tête : “Je voudrais une tranche de presskopf”.
Etym. : Emprunt non adapté à l’alsacien (et à l’allemand) de même sens (littéralement “tête pressée”). Voir Höfler-Rézeau.
Vitalité : Bien connu.

preutche (faire la -), loc. v. : Voir *breutche (faire la -).*

profiter, v. tr. :
Grandir, grossir, se développer (en parlant d’humains, d’animaux, de végétaux) : “Le cochon a bien profité, il sera bientôt bon à tuer”.
Rem. : Signalé par *Rob. 89* avec la mention “familier ou régional” et par *TLF* avec la mention “familier” et des exemples de Genevoix et Pourrat.
Vitalité : Bien connu.

promener, v. i. :
Se promener : “Voulez-vous aller promener ?”
Rem. : Voir *baigner.* Signalé par *Rob. 89* avec la mention “vieux ou régional” et *TLF* avec la mention “vieilli”. La vitalité s’explique peut-être ici par le calque de l’allemand *spazieren*, v. i. “se promener”.
Vitalité : Bien connu.

propre (sentir bon le -), loc. v. : Voir *sentir.*

Q

quante, conj. :
Quand : "Quante je vous vois, j'éclate de rire".
Rem. : La consonne finale assourdie est prononcée devant consonne (voir *lasse, vingte*).
Vitalité : Bien connu au-dessus de 60 ans, attesté au-dessous.

quarantaine, messe de quarantaine, n. f. :
Cérémonie religieuse célébrée quarante jours après les funérailles : "Demain, c'est la quarantaine de la grand-mère".
Rem. : Signalé par *TLF* sous la forme *messe de quarantaine* avec la mention "en Lorraine".
Vitalité : Connu au-dessus de 40 ans, attesté au-dessous.

quartier (faire -), loc. v. :
1. Tomber, se renverser : "Il avait mis ses livres en piles, mais en faisant le ménage, j'ai dû y toucher et elles ont fait quartier".
2. Mourir : "Il n'a pas mis longtemps pour faire quartier".
Etym. : Dér. du lat. *quartus* "quart".
Vitalité : **1.** Peu attesté au-dessus de 20 ans. **2.** Peu attesté.

quasi, quasiment, adv. :
Presque : "Il est quasi (ou quasiment) aussi grand que lui".
Rem. : *Quasi* : Signalé par *Rob. 89* avec la mention "vieux ou régional" et *TLF* avec la mention "vieilli, familier ou régional (notamment Ouest et Centre) ou littéraire". *Quasiment* : Signalé par *Rob. 89* avec la mention "vieilli, par plaisanterie, ou régional" et *TLF* avec la mention "vieilli, familier, populaire ou régional (notamment Canada)".
Vitalité : Usuel.

quatre heures (faire -), loc. v. :
Goûter : "J'ai l'habitude de faire quatre heures".
Rem. : L'*ALLR* 839 relève *quatre heures* "goûter" (n. m.). Signalé par *Rob. 89* avec la mention "familier (langage destiné aux enfants)" et *TLF* avec la mention "familier". La loc., ici comme en Rhône-Alpes, par exemple, où elle est usuelle, n'est pas seulement réservée au langage enfantin. *Cf. marander.*
Vitalité : Connu.

que, qu'est-ce que, pr. rel ou interrogatif :
Que substitut des pronoms relatifs *qui, dont* ; *qu'est-ce que* substitut des interrogatifs *de quoi, à quoi* et de l'adverbe *pourquoi* :
1. "*C'est lui que me l'a dit*" : C'est lui qui me l'a dit.
2. "*L'outil que je me sers est cassé*" : L'outil dont je me sers est cassé.
3. "*Qu'est-ce que vous vous plaignez ?*" : De quoi vous plaignez-vous ? "*Qu'est-ce que cela sert ?*" : A quoi cela sert-il ?
4. "*Qu'est-ce que vous riez ?*" : Pourquoi riez-vous ?
Rem. : Relevé par l'*ALLR* 1170 et 1173. **2.** Signalé par *Rob. 89* avec la mention "populaire et incorrect". **4.** Signalé par *Rob. 89* avec la mention "vieilli". *TLF* note la plupart des

emplois cités ici avec la mention "pop." ("*que*, relatif "universel", se substitue à *qui, dont, auquel,* etc.").
Vitalité: **1. 2. 4.** Attesté au-dessus de 20 ans. **3.** Attesté.

quenelle de foie, loc. n. f.:
Voir *boulette de foie.*
Vitalité: Peu attesté au-dessus de 20 ans.

quenelle de moelle, loc. n. f.:
Boulettes de 2 cm de diamètre environ, que l'on consomme généralement avec du bouillon: "Ce soir, on mange des quenelles de moelle, ça changera".
Rem.: Adaptation du germanique *morkleus* (annexe) (*cf.* l'allemand *Mark* "moelle" et *Kloß* "boulette").
Vitalité: Attesté au-dessus de 40 ans > peu attesté > inconnu.

qu'est-ce que c'est du... -là?, loc. inter.:
Qu'est-ce que c'est que ce...? Quelle sorte de... est-ce?: "Qu'est-ce que c'est du gars-là?"
Rem.: Adaptation à la forme interrogative du trait régional signalé à l'article *le... ci, le... là*, emploi de l'article défini à valeur démonstrative.
Vitalité: Bien connu.

qu'est-ce que c'est pour...?, loc. inter.:
Qu'est-ce que c'est que ce...?: "Qu'est-ce que c'est pour une robe que tu as là?"
Rem.: L'*ALLR* 1117 "quel temps (fait-il?)" relève une construction analogue: *qu'est-ce qu'il fait pour du temps?* qu'il localise "à l'est d'une ligne allant de Angviller-lès-Bisping, 57 (pt. 81) à Escles, 88 (pt. 91)". Calque de la construction interrogative germ. *Was für...?*
Vitalité: Bien connu au-dessus de 60 ans > attesté >> inconnu.

quétiche, n. f.: Voir *catiche.*

quetsche, n. f.:
1. Sexe féminin: "Veux-tu te cacher? on ne montre pas sa quetsche à tout le monde!"
2. Loc. n.: *Grande quetsche*: Fille un peu niaise: "Regardez-moi cette grande quetsche, qu'est-ce qu'on va en faire?"
3. Dans la loc. v.: *C'est de la quetsche*: Cela ne vaut rien: "Tout ce qu'il a apporté, c'est de la quetsche, on ne pourra rien en tirer".
Rem.: Régionalismes sémantiques. Le sens 3 est probablement dû à la rencontre de *couatche*, sens 2 (voir ce mot). *Cf.* **1.** *quoiche.* **2.** *dondaine, gaille 2, socotte, zaubiotte 2, zonzon, chleubeuleu* (annexe).
Vitalité: **1.** Connu. **2. 3.** Usuel.

quetscher, n. m.:
Quetschier: "Les quetschers n'ont rien donné, cette année".
Rem.: Régionalisme phonétique. *Cf. quoichier.*
Vitalité: Attesté.

queue de rat, n. f.:
Petite scie égoïne: "Les branches sont tellement emmêlées dans ce prunier que j'ai dû les tailler avec une queue de rat".
Rem.: Régionalisme sémantique. La loc. désigne une lime en français commun.
Vitalité: Bien connu au-dessus de 60 ans > connu > inconnu.

queugnat, n. m.: Voir *cougnat.*

queulot, n. m. :
Dernier-né : "Lui, c'est le queulot, inutile de demander s'il est gâté !"
Rem. : Relevé par Z. (*keulat*) et l'*ALLR* 863 et 951. Variante phonétique de *culot*, relevé par les dictionnaires avec la mention "familier" ou "vieilli". *Cf. chienlit 1, culat 1.*
Vitalité : Connu au-dessus de 60 ans > peu attesté > inconnu.

queuniolle, n. f. :
Cornouille : "Les queuniolles sont acides, mais en confiture, on peut les manger".
Etym. : Dér. du lat. *cornus* "cornouiller".
Vitalité : Peu attesté au-dessus de 20 ans.

queuviâ, n. m. :
Mauvais travailleur : "C'est un queuviâ, si tu veux du travail bien fait, ne l'appelle pas".
Rem. : Relevé par Z. (*keuviad* "bredouilleur") et par l'*ALLR* 502 "mauvais laboureur". *Cf. breusiâ, broillâ 1, feugnâ, mamaillou 1, crafia* (annexe), *hâbloux* (annexe), *harta 1* (annexe).
Etym. : Dér. de *queuvier* (issu du lat. *scopiliae* "ordures, balayures, immondices").
Vitalité : Attesté au-dessus de 60 ans > peu attesté > inconnu.

queuvier, v. tr. :
Changer la litière des bêtes : "Je n'ai plus qu'à queuvier les chevaux et j'ai fini mon travail".
Rem. : Relevé par Z. et l'*ALLR* 260. *Cf. arranger les bêtes.*
Etym. : Dér. du lat *scopiliae* "ordures, balayures, immondices".
Vitalité : Peu attesté au-dessus de 20 ans.

quiboule, n. f. :
Culbute : "J'ai fait la quiboule dans les escaliers*, mais j'ai eu de la chance, je ne me suis rien cassé".
Rem. : Relevé par Z. et l'*ALLR* 879. *Cf. cul-barotte, cul-bourrée, cul-pelote, quicambole.*
Etym. : Composé de *cul* et *boule* (voir *cubo(u)ler*).
Vitalité : Peu attesté au-dessus de 40 ans.

quicaille, n. f. :
1. Tesson de faïence ou de porcelaine, poterie cassée : "J'ai fait tomber la soupière, je n'ai plus qu'à ramasser les quicailles".
2. Désordre, bric à brac : "Qu'est-ce que c'est que cette quicaille ? Tu vas me ranger tout ça".
Rem. : **1.** Relevé par Z. et l'*ALLR* 431 où il forme une aire messine. *Cf.* **2.** *brindezingue 2, câillon 2, capharnaüm 1, fouchtrâ, labouré 2, saint-frusquin 2.*
Etym. : Formé sur l'onomatopée *klikk-.*
Vitalité : **1.** Connu au-dessus de 60 ans > peu attesté > inconnu. **2.** Attesté au-dessus de 60 ans > peu attesté > inconnu.

quicambole, n. f. :
Culbute : "Quand on était gamin, on s'amusait à faire la quicambole dans les prés".
Rem. : Relevé par Z. et l'*ALLR* 879. On note la variante *cucamboule. Cf. cul-barotte, cul-bourrée, cul-pelote, quiboule.*
Etym. : Composé de *cul* et *bole, boule* (voir *quiboule, cubo(u)ler*).

Vitalité: Peu attesté au-dessus de 20 ans.

quiche, n. f.:
Tarte aux fruits: "J'ai fait une quiche aux mirabelles".
Rem.: Relevé par l'*ALLR* 677. Variante sémantique de *quiche*, signalé sans mention dans les dictionnaires (*cf.* patois germ. mosellan *Kuche* "tarte"). *Cf. galette, tarte.*
Vitalité: Attesté.

quignon, n. m.:
Entame d'un pain long: "Je donne toujours le quignon au gamin, il aime ça".
Rem.: Signalé par *Rob. 89 et TLF* au sens "gros morceau de pain comprenant généralement une bonne part de croûte". Régionalisme sémantique.
Vitalité: Bien connu.

quintal, n. m.:
Poids de 50 kg.: "Avec toute sa famille, il doit planter deux ou trois quintaux de patates pour tenir l'année".
Rem.: Considéré comme un archaïsme par les dictionnaires.
Vitalité: Connu au-dessus de 60 ans > attesté > peu attesté.

quirabelle, n. f.:
Apéritif fait à base de vin blanc et de liqueur de mirabelle: "Voulez-vous une quirabelle en apéritif?"
Etym.: Appellation formée de l'association de *kir* "apéritif fait d'un mélange de crème de cassis et de vin blanc", du nom du chanoine, maire de Dijon, et de la fin du mot *mirabelle*, dont la liqueur sert ici à aromatiser le vin blanc.
Vitalité: Attesté au-dessus de 60 ans, peu attesté au-dessous.

quitter, v. tr. et i.:
1. V. i.: Arrêter le travail: "Tous les soirs, il quitte à 7 heures"
2. V. tr.: Accorder un rabais sur un prix: "C'est un rapia, il n'a rien voulu me quitter".
3. V. tr.: Arrondir une somme au nombre rond inférieur: "Elle est gentille, la vendeuse, j'ai payé deux cents francs, elle m'a quitté six francs".
Rem.: Sens proche de celui cité par *Rob. 89* avec la mention "vieux" et *TLF* avec la mention "vieilli": "Laisser, céder qqch. à qqn.". *Cf.* **1.** *débaucher, déhotter 3.*
Vitalité: **1.** Bien connu. **2. 3.** Connu au-dessus de 60 ans > peu attesté > inconnu.

qui-va-soldat, loc. n. m.:
Conscrit: "On a un qui-va-soldat dans la famille, cette année".
Vitalité: Connu au-dessus de 20 ans.

quoiche, n. f.:
Quetsche (fruit) et voir *quetsche* ci-dessus.
Rem.: Signalé par *TLF* avec la mention "rég. Lorraine". Variante phonétique de *quetsche*, généralement considérée comme plus vulgaire.
Vitalité: Attesté au-dessus de 60 ans, peu attesté au-dessous.

quoichier, n. m.:
Quetschier: "Les quoichiers sont en fleurs, le verger est beau, comme ça".
Rem.: Variante phonétique de *quetschier. Cf. quetscher.*
Vitalité: Attesté au-dessus de 60 ans, peu attesté au-dessous.

R

raccommoder, v. tr.:
Remettre en état, arranger: "J'ai raccommodé son vélo, il tiendra un peu plus longtemps".
Rem.: Relevé par Z. Signalé par *Rob. 89* avec la mention "vieux ou régional" et *TLF* avec la mention "vieux ou vieilli".
Vitalité: Bien connu.

râce, n. f.:
Enfant: "Elle est venue avec ses râces".
Rem.: Relevé par Z. *Cf. boube, drôle, minot, piat, ratz, spatz.*
Etym.: Du lat. *ratio* au sens "génération, lignée".
Vitalité: Attesté au-dessus de 60 ans > peu attesté > inconnu.

rachever, v. tr.:
Achever: "Rachève ta soupe".
Rem.: Relevé par Z. *Rob. 89* signale un sens technique: "achever (un ouvrage, et spécialement une poterie)" avec la mention "vieux".
Vitalité: Connu.

racler, v. tr.:
Nettoyer l'étable: "Il faut compter une heure tous les jours pour racler l'écurie*".
Rem.: Relevé par Z. Régionalisme sémantique.
Vitalité: Peu attesté au-dessus de 20 ans.

raclotte, n. f.:
1. Raclette, racloir: "Ce matin, il y avait du givre sur le pare-brise et j'avais perdu la raclotte".
2. Binette: "J'ai passé un coup de raclotte dans les allées".
Rem.: Relevé par Z. (*rakiate*) et l'*ALLR* 667, 1024 (sens 1) et 111 (sens 2). *Cf.* **2.** *rasette* (annexe).
Etym.: Formé sur râcler avec le suffixe dial. *-otte.*
Vitalité: Usuel au-dessus de 60 ans > attesté > inconnu.

racoin, n. m.:
Coin, recoin: "La souris s'est cachée dans un racoin, je n'ai pas réussi à la retrouver".
Rem.: Signalé par *TLF* (sous *recoin*) avec la mention "rég." et une citation de Huysmans. *Cf. cougnat 1, queugnat 1.*
Vitalité: Usuel au-dessus de 20 ans.

racontage, n. m.:
Commérage, racontar: "C'est un faiseur de racontages".
Rem.: Signalé par *Rob. 89* avec la mention "vieux" et *TLF* avec la mention "régional, vieilli".
Vitalité: Bien connu au-dessus de 60 ans > connu > attesté.

racoquiller (se -), v. pr.:
Se recroqueviller: "La chenille se racoquille quand on la touche".
Rem.: Relevé par Z. *Cf. rencorquiller (se).*
Etym.: Dér. du lat. *conchylium* "coquillage".
Vitalité: Peu attesté au-dessus de 20 ans.

raffin, n. m. :
Filtre servant à l'affinage dans la distillation : "La deuxième distillation consiste à passer les eaux blanches* par un raffin qui permet de produire un alcool purifié".
Etym. : Formé sur le lat. *finis* "terme" en emploi adj. (Déverbal de *raffiner*)
Vitalité : Attesté au-dessus de 40 ans.

rafroidissement, n. m. :
Refroidissement : "Il est au lit depuis huit jours, il a eu un rafroidissement".
Rem. : Relevé par Z. Variante phon. de *refroidissement.*
Vitalité : Attesté au-dessus de 40 ans.

raiguiser, v. tr. :
Aiguiser : "Il faudra raiguiser ce couteau, il ne coupe plus".
Rem. : Relevé par Z (*règuyeu*) et par l'*ALLR* 523. Très souvent, en Lorraine, le préfixe *r(e)-* n'a pas de valeur itérative.
Vitalité : Attesté au-dessus de 40 ans.

rail, n. f. :
Rail : "La roue de son vélo s'est prise dans la rail du tram et il est tombé".
Rem. : Régionalisme grammatical peut-être influencé par *raille* (voir ce mot).
Vitalité : Attesté.

raille, n. f. :
1. Sillon : "Il a fait une raille pour drainer le chemin".
2. Loc. v. : *Tomber dans la raille* : Tomber de fatigue : "Ça y est, le gamin est tombé dans la raille. Ça faisait un moment qu'il n'arrivait plus à ouvrir les yeux".
Rem. : **1.** Relevé par Z. et l'*ALLR* 497.
Etym. : Du gaul. **rica* "raie, sillon".
Vitalité : Attesté au-dessus de 40 ans. La variante *rôille* est peu attestée.

raisin, n. m. :
1. Grappe de raisin : "Prenez donc un raisin, vous verrez comme ils sont sucrés cette année".
2. Loc. n. m. : *Raisins de caisse* : Raisins secs : "Elle met des raisins de caisse dans sa brioche, c'est bon".
Rem. : **1.** Le français commun ne connaît le singulier qu'en emploi partitif ou collectif. **2.** *TLF* signale "raisins de caisse ou plus cour. raisins secs".
Vitalité : **1.** Bien connu au-dessus de 60 ans, attesté au-dessous. **2.** Usuel au-dessus de 60 ans > peu attesté > inconnu.

raison, n. f. :
1. Plainte, réprimande : "Il est tout le temps en train de dire des raisons".
2. Dans la loc. v. tr. : *Chercher raison* : Chercher querelle, faire des histoires : "Il est tout le temps en train de me chercher raison, la vie n'est plus possible".
Rem. : Relevé par Z. (*rahon* "dispute, injures, dissension"). Signalé par *Rob. 89:* "vieux, au pl. : *avoir des raisons avec qqn.* : avoir une dispute" et "(déb. XXe) *chercher des raisons à qqn.* : lui chercher querelle". *TLF* le signale avec la mention "vieilli". *Cf. biscailler.*
Vitalité : **1.** Attesté au-dessus de 60 ans. **2.** Connu.

raller (s'en -), v. pr. :
S'en aller : "Allez, on s'en reva avant qu'il fasse nuit".
Rem. : Z. relève *raler*, v. i. : "retourner". On entend aussi *se ren-aller* : "Je me ren-vais chez moi".

Vitalité : Attesté au-dessus de 60 ans > peu attesté > inconnu.

ramager, v. i. :
1. Radoter en se plaignant : "Elle est tout le temps en train de ramager dans son coin, elle est lassante".
2. Médire : "Il passe son temps à ramager sur ses voisins".
Rem. : Relevé par Z. (sens 1) et l'*ALLR* 886 "bavarder" et 1220 "faire des ragots". Régionalisme sémantique : les dictionnaires consultés retiennent essentiellement l'idée contenue dans le sens 1 de *ramages. Cf.* **2.** *parler sur, ramages 2, bècher* (annexe).
Vitalité : **1.** Connu au-dessus de 40 ans > attesté > inconnu. **2.** Connu au-dessus de 60 ans.

ramages, n. m. pl. :
1. Paroles futiles, sans intérêt : "Tout ce qu'elle dit, c'est des ramages".
2. Loc. v. : *Faire des ramages* : Médire (de qqn.) : "Il vaut mieux dire ça que de faire des ramages !"
Rem. : **1.** Relevé par Z. **2.** Relevé par l'*ALLR* 1220. *TLF* signale : "par anal. au chant des oiseaux : langage dénué de sens, babil". *Cf.* **1.** *carabistouille, couatche 2, diseries, barbouillerie* (annexe). **2.** *parler sur, ramager, bècher* (annexe).
Vitalité : **1.** Usuel au-dessus de 20 ans. **2.** Attesté au-dessus de 20 ans.

ramageur, n. m. :
Rabâcheur, radoteur : "Maintenant, c'est un vieux ramageur, je ne vais même plus le voir".
Rem. : Relevé par Z. Signalé par *TLF* avec la mention "rare".
Vitalité : Connu au-dessus de 40 ans > attesté > inconnu.

ramants, n. m. pl. et adj. :
Haricots grimpants : "J'ai planté* les ramants (ou "les haricots ramants"), mais je ne sais pas s'ils vont bien sortir, avec le temps qu'on a !"
Etym. : Dérivé du fr. *ramer*, emploi n. ou adj. du part. présent.
Vitalité : Attesté.

rambon, n. m. :
Variété de pomme (rambour) : "J'ai ramassé un cageot de rambons".
Rem. : Relevé par Z. *Cf. court-pendu* (annexe), *lorraine* (annexe).
Etym. : Variante de *rambour*, variété de pomme qui tire son nom du village de Rambures, près d'Amiens.
Vitalité : Attesté au-dessus de 40 ans.

raminer, v. tr. et i. :
1. Gronder sans cesse, grommeler : "Arrête de raminer et explique-toi une bonne fois".
2. Rabâcher, ruminer une idée : "Elle est tout le temps en train de raminer toute seule, ça finit par lui taper sur le système".
3. Avoir des idées noires : "Qu'est-ce que tu ramines donc ?"
Rem. : Relevé par Z. et l'*ALLR* 1221 "grogner". *Cf.* **1.** *grôler, vilain (faire -) 2, grimouler* (annexe).
Etym. : Formé sur l'onomatopée *ramm-* exprimant la parole, la plainte.
Vitalité : Bien connu au-dessus de 40 ans > attesté > inconnu.

ramouler, v. tr. : Voir *rémouler.*

rampeaux, adv. :
A égalité de points, ex aequo : "Ils font une partie de pétanque et ils sont rampeaux, ils ne sont pas près de venir manger !"

Rem. : Follmann relève *rampo* au même sens. *Rob. 89* et *TLF* signalent la loc. v. *faire rampeau* "être à égalité de points avec l'adversaire, faire coup nul" et "p. méton. au pl. : joueurs ex aequo, au jeu de quilles".
Vitalité : Usuel au-dessus de 40 ans.

ranger (le pain), v. tr. :
Couper (le pain) : "Range le pain et apporte-le sur la table".
Etym. : Dér. du germ. **hring* "anneau".
Vitalité : Attesté au-dessus de 40 ans.

râou, roou, n. m. :
Matou : "Le râou des voisins passe son temps dans notre jardin".
Rem. : Relevé par Z. (*rau*) et l'*ALLR* 312. *Cf. chatte, katz.*
Etym. : De l'onomatopée *rau-* évoquant le cri du chat en rut.
Vitalité : Attesté.

râou (aller à la -), loc. v. i. :
Courir (les filles et les chemins) : "Il passe son temps à aller à la râou, ce n'est pas comme ça qu'il va réussir".
Rem. : *Cf. chnâiller 2, râouer 2, rôiller, trôler, trôyer.*
Etym. : Voir *râou.*
Vitalité : Attesté.

râoudi, râoudeur, n. m. :
Coureur de filles, coureur de chemins, petit voyou : "Qu'est-ce qu'elle a été se mettre avec le* râoudi-là ?"
Rem. : *Râoudi* est plus usité. *Cf. râounard.*
Etym. : Formé sur l'onomatopée *rau-* (voir *râou*).
Vitalité : Bien connu.

râouenner, râouner, v. i. :
Remuer, bouger, tripoter, ranger : "Arrête de râouenner, tu me fatigues !"
Rem. : Relevé par Z. (*rawner*). *Cf. bourriauder 2, débattre, graouiller 2, tripoter.*
Etym. : Formé sur l'onomatopée *rau-* (voir *râou*).
Vitalité : Attesté au-dessus de 60 ans > peu attesté > inconnu.

râouer, v. i. :
1. Fouiner : "Qui est-ce qui a râoué dans mon tiroir ? C'est tout dérangé".
2. Courir les filles : "Il ne pense qu'à râouer, ce n'est pas étonnant si les études marchent mal".
Rem. : Relevé par Z. et l'*ALLR* 1230. *Cf.* **2.** *chnâiller 2, râou (aller à la -), rôiller, trôler, trôyer.*
Etym. : Formé sur l'onomatopée *rau-* (voir *râou*).
Vitalité : **1.** Connu au-dessus de 60 ans. **2.** Connu au-dessus de 60 ans, peu attesté au-dessous.

raousse 1, n. f. :
Correction, fessée : "Il a pris une raousse, il ne risque pas de recommencer".
Rem. : Relevé par l'*ALLR* 869. *Cf. coïllée, rouffe, rouste, schlague 1, trifouillée, tripatouillée, trépignée* (annexe).
Etym. : Peut-être du latin **rustum* "ronce" (*cf.* le mot régional *rouste*, signalé par *Rob. 89*), avec influence de *raousse* (interj.), voir le suivant. Usité en patois mosellan germ.
Vitalité : Usuel.

raousse 2, interj. :
Dehors : "Allez, raousse ! je vous ai assez vu, allez jouer ailleurs".

Rem. : Relevé par Z. (*raws'*).
Etym. : Du patois mosellan germ. et de l'allemand fam. *raus*, issu de *heraus*, de même sens.
Vitalité : Usuel.

râpé, n. m., **râpée**, n. f. :
Beignet de pomme de terre râpée : "Quand je fais des râpé(e)s, je suis tranquille, il n'y a pas de restes !"
Rem. : Le masculin et le féminin sont également usités (43 % des informateurs l'emploient (m. et f.), 15 % le connaissent au m. contre 10 % au f.). *Cf. araignée 1, fanecouhhe, pancoufe 2, vaute 2.*
Etym. : Dérivé de *râper.*
Vitalité : Connu.

rapiche, n. m. :
Avare : "Qu'est-ce qu'il est rapiche, on ne pourra pas en tirer un sou !"
Rem. : *Cf. rapide 1.*
Etym. : Peut-être issu du lat. *rapina* "vol" (*FEW* note : Mons, *rapichener* "rapiner, découvrir, ramasser, recueillir"), ou dér. du fr. *râper.*
Vitalité : Peu attesté.

rapide, n. et adj. :
1. Avare : "Tu ne tireras pas un sou du rapide-là*".
2. Séducteur : "Méfie-toi, c'est un rapide, il sait parler aux filles, ne te laisse pas embobiner".
Rem. : *Cf. rapiche.*
Etym. : Du lat. *rapidus* "rapide".
Vitalité : **1.** Peu attesté au-dessus de 60 ans. **2.** Connu.

raquettes (jouer aux -), loc. v. :
Jouer au volant : "Sur la plage, quand on en a assez de se baigner, on joue aux raquettes".
Vitalité : Connu.

rarranger (se), v. pr. :
Se rhabiller, rectifier sa tenue : "Rarrange-toi avant de sortir".
Rem. : Pour l'emploi du préfixe, voir *raiguiser.*
Vitalité : Connu au-dessus de 60 ans > attesté > peu attesté > inconnu.

rat (bon - de bon rat), interj. :
1. Bon sang (de bon sang), juron atténué : "Mais bon rat (de bon rat), tu vas venir, oui ?"
2. *Vingt rats* : voir *vingt.*
Rem. : Voir sous *vingt. Cf. vingt bleus, vingt rats, vingt guettes.*
Vitalité : **1.** Connu.

ratcher, v. :
1. V. i. : Papoter, discuter : "Elles sont là à ratcher, en attendant, le travail ne se fait pas".
2. V. tr. : Rapporter : "Si je te le dis, tu n'iras pas le ratcher à ta mère ?"
Rem. : Relevé par l'*ALLR* 886 et 1220. *Cf.* **1.** *barbouiller, câcailler, câcatter 2, couarail 3 (faire le -), couarailler, couatcher 1, hâbler, marner 2, babler* (annexe)*, schnabeler* (annexe). **2.** *couatcher 2.*
Etym. : Emprunt au patois mosellan germ. *rätschen* de même sens.
Vitalité : **1.** Bien connu. **2.** Usuel.

ratcheur, n. et adj. :
Rapporteur : "Ne joue pas avec elle, c'est une ratcheuse". "Méfie-toi, il est ratcheur".
Rem. : *Cf. couatcheur 2.*
Etym. : Dérivé de *ratcher.*
Vitalité : Usuel.

rattirer, v. tr. :
Attirer : "Depuis qu'on a fait ce parc, ça rattire pas mal de monde dans la région".

Rem.: Pour l'emploi du préfixe, voir *raiguiser.*
Vitalité: Attesté au-dessus de 40 ans.

ratz, n. m.:
Garçonnet ou adolescent de petite taille: "Leur gamin, c'est un (petit) ratz".
Rem.: *Cf. boube, drôle 1, minot, piat, râce, spatz...*
Etym.: Emprunt non adapté au patois mosellan germ. *Ratz* "enfant terrible, fille éveillée, turbulente".
Vitalité: Usuel.

rave de juif, loc. n. f.:
Radis noir: "Cette année, j'ai encore semé un rang de raves de juif, ça donnera ce que ça donnera".
Vitalité: Peu attesté au-dessus de 20 ans.

ravoir, v. tr.:
1. Avoir: "Il va ravoir une place à l'usine, il sera content d'être un peu indépendant".
2. Avoir de nouveau (employé à d'autres modes que l'infinitif): "Il a reu un rhume, ça fait qu'il n'est pas sorti depuis trois semaines". "Sa voiture est au garage, d'après lui, il la raurait seulement dans trois semaines".
Rem.: **1.** Pour l'emploi du préfixe, voir *raiguiser.* Les dictionnaires signalent que le verbe "n'est usité qu'à l'infinitif et, par plais., fam., au futur et au conditionnel".
Vitalité: **1.** Connu au-dessus de 60 ans > peu attesté >> inconnu. **2.** Attesté au-dessus de 60 ans > peu attesté >> inconnu.

rayotte, royotte, n. f.:
1. Ruelle du lit: "La rayotte est trop étroite, je ne peux plus passer pour faire le lit".
2. Petite rigole, raie (particulièrement raie des fesses): "J'ai fait une rayotte pour que l'eau s'écoule, sinon, ça devient vite un bourbier devant la porte". "Le gamin est tout entamé dans la rayotte, il faudra que j'achète de la crème et du talc quand j'irai en ville".
Rem.: **2.** Relevé par Z. (*rayate*).
Etym.: Dér. dim. du gaul. **rica* "sillon, raie".
Vitalité: **1.** Connu au-dessus de 60 ans. **2.** Attesté au-dessus de 60 ans.

rebiffer, v. tr.:
1. Contredire: "Vous me rebiffez toujours quand je vous parle".
2. Réprimander, remettre à sa place: "Je l'ai bien rebiffé, j'espère qu'il a compris, cette fois".
3. Emploi passif: Etre rassasié, dégoûté: "Les patates, j'en ai tant mangé en pension que j'en suis rebiffé".
Rem.: Régionalisme sémantique, archaïsme du fr. *Cf.* **1.** *rebeller* (annexe). **2.** *avaler, crier 2, harpouiller, rouspéter, grises (en faire voir des -)* (annexe).
Vitalité: **1. 2.** Attesté. **3.** Peu attesté au-dessus de 20 ans.

rebouler, reboler, v. tr.:
1. Retourner: "Pour laver ce pull, il vaut mieux le rebouler, il est fragile". "Il a tout reboulé dans ma chambre, je ne retrouve plus rien".
2. Emploi pr.: Se retourner (un doigt, un ongle): "Il s'est reboulé l'index en jouant au handball, le médecin lui a mis un pansement".
3. Part. passé en emploi adj.: Emoussé: "Avec ce clou reboulé, je vais abîmer le mur, mais je n'arriverai pas à le faire tenir".

Rem.: Relevé par Z. (*reboler* "rebroussser, mettre à l'envers, river un clou, émousser") et l'*ALLR* 767 "(se) retourner (le pouce)".
Etym.: Formé sur *boule*, var. dial. de *ribouler*, noté dans les dictionnaires.
Vitalité: **1.** Peu attesté au-dessus de 20 ans. **2.** Attesté au-dessus de 60 ans > peu attesté > inconnu. **3.** Attesté au-dessus de 60 ans.

recacher, v. tr.:
1. Couvrir: "Recache ton lit avant de partir".
2. Emploi pr.: Se couvrir: "En ce moment, il faut que je me recache bien le soir, sinon, je n'arrive pas à m'endormir, j'ai trop froid".
Rem.: Formé sur *cacher.* Pour l'emploi du préfixe, voir *raiguiser.*
Vitalité: **1.** Bien connu au-dessus de 60 ans > attesté > inconnu. **2.** Bien connu au-dessus de 60 ans > connu > inconnu.

recener, recéner, v. tr.: Voir *reciner.*

rechange, n. m.:
Vêtement de rechange, voir *change.*
Etym.: Déverbal de *rechanger*.
Vitalité: Connu.

rechanger (se), v. pr.:
Changer de vêtements: "Autrefois, on se rechangeait une fois par semaine, mais maintenant, c'est tous les jours".
Rem.: Signalé par *TLF* avec la mention "populaire".
Vitalité: Bien connu au-dessus de 60 ans > connu > attesté.

rechigner, v. tr.:
Imiter, singer, répéter par dérision: "Il n'arrête pas de me rechigner, c'est énervant à la fin".
Rem.: Relevé par Z. (*rechegneu*).
Etym.: Issu, comme *chigner* du germ. **kinan* "bouder, faire la moue".
Vitalité: Connu au-dessus de 40 ans.

reciner, v. tr. et i.:
1. Réveillonner: "Après la messe* à minuit, on recinera en famille".
2. Donner à manger une double ration aux vaches ou aux chevaux à minuit, le soir de Noël: "Tous les ans, à Noël, on a gardé l'habitude de reciner les vaches".
Rem.: **1.** Relevé par Z. et l'*ALLR* 975.
Etym.: Formé sur le lat. *cenare* "dîner", avec le préfixe *re-*.
Vitalité: Attesté au-dessus de 60 ans > peu attesté > inconnu. Les variantes *recener, recéner* sont peu attestées.

réclaircir, v. tr.:
Eclaircir un semis: "J'ai réclairci les poireaux".
Rem.: Relevé par l'*ALLR* 112 "démarier (les betteraves)". *Cf. cherber, dépaissir, desserrer* (annexe).
Etym.: Pour l'utilisation du préfixe, voir *raiguiser.*
Vitalité: Connu au-dessus de 60 ans > attesté > peu attesté > inconnu.

rehausse, n. f.:
Hausse de véhicule de transport agricole (planche supplémentaire pour augmenter la charge): "Il faudra mettre une rehausse au tombereau".
Rem.: Signalé par *TLF* avec la mention "attest. région.".

Vitalité: Connu au-dessus de 60 ans > attesté > peu attesté.

reine-glaude, n. f.:
Reine-claude: "Elle m'a apporté un panier de reines-glaudes".
Rem.: Relevé par Z. Sous *reine-claude*, *TLF* signale: "On a longtemps prononcé *reine-glaude*. La prononciation normale était "affectée" (Littré) au XIXe siècle. De nos jours, *reine-glaude* ne se dit plus que dans quelques régions (Wallonie, Limousin)".
Vitalité: Attesté.

rélargir, v. tr.:
Elargir: "Si je ne rélargis pas mes souliers avant de les porter, je ne peux pas marcher avec".
Rem.: Signalé par *Rob. 89* avec la mention "rare" et *TLF* avec la mention "familier".
Vitalité: Bien connu au-dessus de 20 ans.

relavatte, n. f.: Voir *relavette.*

relaver, v. tr.:
Laver (particulièrement la vaisselle): "Les fêtes, c'est bien, mais il ne faut pas penser à tout ce qu'on a à relaver après!"
Rem.: Relevé par l'*ALLR* 693. Signalé par *Rob. 89* avec la mention "régional (Suisse)" et *TLF* avec la mention "régional de la Belgique à la Suisse romande". *Cf. assiettes (laver les -), ressuyer.*
Vitalité: Usuel au-dessus de 60 ans > bien connu > attesté > peu attesté.

relavette, n. f.:
1. Lavette: "Prends une autre relavette pour les casseroles".
2. Loc. v.: *Trouver la relavette au pot, mettre la relavette dans le pot*: N'avoir rien à manger: "Quand il est arrivé, il a trouvé la relavette au pot. C'est bien fait pour lui, il n'a qu'à pas tant traîner en rentrant du boulot". "Quand je suis revenu de vacances, je croyais que j'avais encore des provisions, mais plus rien, j'ai dû mettre la relavette dans le pot".
Rem.: Relevé par Z. *Cf.* **2.** *margoulette 2.*
Vitalité: **1.** Bien connu au-dessus de 60 ans > connu > attesté > inconnu. **2.** Connu au-dessus de 60 ans > peu attesté > inconnu. La variante *relavatte* est un peu moins usitée.

relaveur, n. m.:
Laveur, plongeur: "Il fait le relaveur au café le dimanche, ça lui fait quelques sous".
Etym.: Dérivé de *relaver.*
Vitalité: Connu au-dessus de 60 ans > attesté > peu attesté > inconnu.

relavure, n. f.:
1. Lavure, eau de vaisselle: "Il n'y a rien de perdu, la relavure est pour les cochons!"
2. Café trop clair ou soupe pas assez épaisse: "Ce n'est pas cette relavure qui va nous empêcher de dormir!"
Rem.: **1.** Relevé par Z. et l'*ALLR* 694. Signalé par *TLF* avec la mention "régional". *Cf. lavasse.*
Vitalité: **1.** Connu au-dessus de 40 ans. **2.** Connu au-dessus de 60 ans > peu attesté > inconnu.

relevailles, n. f. pl.:
1. Période après l'accouchement pendant laquelle une femme doit se reposer : "Les relevailles duraient un

moment, autrefois. Aujourd'hui, c'est à peine si elles se couchent!"
2. Fête marquant la fin de cette période de repos : "Dimanche, ils font les relevailles de la* Sandrine".
Rem. : Noté par Z. sous *relever.* Signalé par *Rob. 89* avec la mention "vieux ou régional" et *TLF* avec la mention "vieilli".
Vitalité : **1.** Bien connu au-dessus de 60 ans > connu > inconnu. **2.** Connu au-dessus de 60 ans.

relève-selle, n. m. :

1. Fête du dimanche suivant la fête patronale : "Dimanche dernier, c'était la fête, dimanche prochain, c'est le relève-selle".
2. Repas marquant les noces d'or : "Pour le relève-selle, tous les enfants, petits-enfants et arrière-petits-enfants seront là".
Rem. : Relevé par Z. (dans les 2 sens) et l'*ALLR* 973 (sens 1).
Etym. : Noté dans *FEW* sous le lat. *levare* "lever".
Vitalité : **1.** Usuel au-dessus de 40 ans. **2.** Peu attesté au-dessus de 40 ans.

relicher, relécher, v. tr. :

1. Lécher : "Le chien ne se fait pas prier pour relicher les plats!"
2. Embrasser : "Ne la reliche pas tant, laisses-en pour demain!"
3. Emploi pr. : S'embrasser : "On ne peut pas passer son temps à se relicher, laisse-moi faire mon travail!"
Rem. : Relevé par Z. (*relacheu*) dans les 3 sens et par l'*ALLR* 955 au sens 2. *Cf.* **2.** *rembrasser.*
Etym. : Voir *licher.* Pour l'emploi du préfixe, voir *raiguiser.*
Vitalité : Usuel au-dessus de 60 ans > connu >> inconnu. La variante *relécher* est un peu moins usitée.

remanier, v. tr. :

Réparer : "Le couvreur a dû remanier toute la toiture après la tempête".
Rem. : Signalé par *Rob. 89* avec le commentaire "le mot ne se dit plus guère de travaux d'ordre matériel". *TLF* signale : "emploi techn. construct. : refaire partiellement ou non un ouvrage en utilisant les matériaux de même nature".
Vitalité : Usuel au-dessus de 60 ans > connu > inconnu.

rembrasser, v. tr. et pr. :

Embrasser : "Allez, rembrassez-vous et arrêtez de vous disputer tout le temps".
Rem. : Relevé par Z. et l'*ALLR* 955. Pour l'emploi du suffixe, voir *raiguiser.*
Vitalité : Attesté au-dessus de 40 ans, peu attesté au-dessous.

remettre, v. tr. :

1. Reconnaître : "Maintenant, je vous remets bien, mais il m'a fallu un moment!"
2. Emploi pr. : Reconnaître qqn. : "Maintenant que tu me dis qui c'est, je me le remets bien".
Rem. : **1.** Signalé par *Rob. 89* avec la mention "vieilli" et *TLF* avec la mention "populaire, familier". *Cf.* **1.** *connaître.*
Vitalité : **1.** Usuel au-dessus de 60 ans > connu >> attesté. **2.** Attesté.

rémouler, ramouler, renmouler, v. tr. :

Aiguiser : "Il faut ramouler cette hache, elle ne coupe plus".
Rem. : Relevé par Z. et l'*ALLR* 523. *Rémouler* est plus usité.
Etym. : Dérivé du lat. *mola* "meule".

Vitalité : *Rémouler, ramouler* : Connu au-dessus de 60 ans > attesté > inconnu. *Renmouler* : Peu attesté au-dessus de 40 ans.

remplumes, n. f. pl. :
Plumes qui servent à garnir un oreiller : "Ton oreiller est troué, il y a des remplumes partout dans la chambre".
Rem. : *FEW* signale le mot en Moselle au sens "taie d'oreiller".
Etym. : Formé sur le lat. *pluma* "plume".
Vitalité : Attesté au-dessus de 20 ans.

rencontré (être bien (ou mal) -), loc. v. :
1. Etre bien (ou mal) marié : "Son fils a eu de la chance, il est bien rencontré, mais on ne peut pas en dire autant de sa fille...".
2. Emploi pr. : *Se rencontrer (bien ou mal)* : Se marier (bien ou mal) : "Ses enfants, ils se sont tous bien rencontrés".
Rem. : **1.** Relevé par Z.
Vitalité : **1.** Connu au-dessus de 60 ans, peu attesté au-dessous. **2.** Bien connu au-dessus de 60 ans > peu attesté >> inconnu.

rencorquiller (se), v. pr. :
Se recroqueviller : "Le hérisson s'est rencorquillé et il n'a plus bougé, le chien n'a pas pu le prendre".
Rem. : Z. relève *racoqyi, recoquieu* et *rincoquier (so)* "se renfermer, rentrer dans sa coquille (au figuré)". *Cf. racoquiller (se).*
Etym. : Dér. du lat. *conchylium* "coquillage". *FEW* signale des formes *recroquiller* (avec l'influence de *croc*). La forme messine en provient peut-être (avec métathèse), à moins que le mot ait subi l'attraction du fr. *entortiller.*
Vitalité : Attesté au-dessus de 20 ans.

renettoyer, v. tr. :
Débarrasser des bourgeons inutiles (en parlant de la vigne) : "Il est en train de renettoyer ses vignes. Repassez ce soir si vous voulez le voir".
Rem. : Relevé par Z. (*renatieu*).
Etym. : Pour l'emploi du suffixe, voir *raiguiser.*
Vitalité : Attesté au-dessus de 60 ans, peu attesté au-dessous. Plus vivant en milieu viticole.

renfler, v. tr. :
1. Gonfler, lever (en parlant d'une pâte) : "Il faut la laisser reposer deux heures pour qu'elle renfle, puis la retravailler et la laisser encore deux heures".
2. Abreuver un tonneau : "Il faut renfler ce tonneau, sinon, il va fuir".
Rem. : **1.** Signalé par *TLF* avec la mention "vieilli". *Rob. 89* donne un sens plus général : *renfler*, v. i. : "augmenter de volume", avec la mention "rare".
Vitalité : Attesté au-dessus de 60 ans > peu attesté >> inconnu.

renmouler, v. tr. : Voir *rémouler.*

renouveler, v. tr. :
Rappeler, répéter : "Je lui renouvelle tous les jours la même chose, c'est comme si je ne disais rien".
Rem. : Relevé par Z. Signalé par *Rob. 89* avec la mention "vieux".
Vitalité : Connu au-dessus de 40 ans > attesté > inconnu.

renseigner, v. tr. :
Indiquer : “Je lui ai renseigné un pâtissier, elle m’en dira des nouvelles !”
Rem. : Signalé par *Rob. 89* avec la mention “régional (Belgique)”.
Vitalité : Attesté au-dessus de 60 ans > peu attesté > inconnu.

repas de cochon, loc. n. m. :
Repas de fête lors du tuage du cochon : “Lundi, il est invité à un repas de cochon, il ne faut pas compter sur lui”.
Rem. : *Cf. fête du cochon, grillade 2.*
Vitalité : Attesté au-dessus de 60 ans, peu attesté au-dessous.

replant, n. m. :
Plant à repiquer : “Il m’a donné des replants de fraisiers”.
Rem. : Signalé par *TLF* sans mention.
Vitalité : Bien connu.

Réplo, Réplor, n. m. : Voir *Répu.*

reprenant, adj. et n. m. :
Tâtillon, (personne) qui passe son temps à faire des reproches : “Qu’est-ce qu’il est reprenant, celui-là, ce n’est pas drôle de travailler avec lui”.
Etym. : Part. présent de *reprendre* “réprimander” en emploi adj. ou n.
Vitalité : Attesté au-dessus de 60 ans > peu attesté > inconnu.

reproche, n. m. :
Renvoi digestif : “J’ai mangé du chou à midi et j’ai eu des reproches tout l’après-midi”.
Rem. : Relevé par Z. (*reprache*). Régionalisme sémantique.
Vitalité : Usuel au-dessus de 20 ans.

reprocher, v. tr. :
Provoquer des renvois digestifs, des lourdeurs d’estomac : “Les oignons que j’ai mangés me reprochent”.
En emploi impers. : “J’évite de manger des sardines, ça reproche”.
Rem. : Relevé par Z. (*repracheu*) et l’*ALLR* 1228 “roter”. Régionalisme sémantique.
Vitalité : Usuel au-dessus de 20 ans.

Répu, n. m. :
Le Républicain lorrain (quotidien régional) : “Tu as vu le faire-part de sa mort dans le Répu ?”
Rem. : Abréviation du titre, sous différentes formes : *Réplo, Réplor.* On peut noter également que la place de la République, à Metz, est couramment appelée *place de la Rèp’.*
Vitalité : Usuel. Variantes : *Réplo* : Connu au-dessus de 20 ans. *Réplor* : Attesté au-dessus de 20 ans.

répugner, v. tr. :
Eprouver du dégoût (à l’égard de qqn.) : “Si vous ne mangez pas tout, donnez-moi le reste, je ne vous répugne pas !”
Vitalité : Peu attesté.

resarci, n. m. :
Raccommodage grossier : “Ce n’est pas une reprise, ce que tu m’as fait là, c’est un resarci !”
Rem. : Relevé par Z. et l’*ALLR* 781. *Rob. 89* signale sous *resarcir* le n. technique *resarcissage* (du velours).
Vitalité : Attesté au-dessus de 60 ans > peu attesté > inconnu.

resarcir, v. tr. :
Raccommoder : “Je t’ai resarci ton pantalon, ça tiendra ce que ça tiendra”.

Rem. : Relevé par Z. et l'*ALLR* 781. Signalé par *Rob. 89* avec la mention "régional".
Vitalité : Attesté au-dessus de 60 ans > peu attesté > inconnu.

résipèle, n. m. :
Erysipèle : "Il paraît qu'il a le résipèle et que c'est contagieux".
Rem. : Relevé par Z.
Vitalité : Peu attesté au-dessus de 40 ans.

ressembler, v. tr. dir. :
1. Ressembler à (qqn.) : "Il ressemble son père".
2. Emploi pr. : Etre ressemblant : "Voilà un portrait qui se ressemble bien".
Rem. : **1.** Relevé par l'*ALLR* 1266. **1.** Signalé par *Rob. 89* avec la mention "vieux ou archaïque" et *TLF* précise "la forme transitive directe [...] est aujourd'hui régionale (Belgique et Thiérache)". *Cf.* **1.** *retirer 1, 2, tirer 3.*
Vitalité : **1.** Attesté. **2.** Connu au-dessus de 60 ans, attesté au-dessous.

ressuyer, v. tr. et i. :
1. Essuyer : "Ressuie-donc ces verres, on les rangera tout de suite, ça évitera de les casser".
2. Récurer, laver (la vaisselle) : "Je lui ai laissé les casseroles à ressuyer, c'est trop dur".
3. Sécher : "Tant que la terre n'a pas ressuyé, ce n'est pas la peine de la travailler".
4. Refroidir (en parlant du pain, de gâteaux, etc.) : "Avec ces gamins, le pain n'a pas le temps de ressuyer qu'il est déjà mangé".
Rem. : Relevé par l'*ALLR* 695 (sens 1), 533 (sens 3) et 670 (sens 4). **3.** Signalé par *Rob. 89* avec la mention "vieux ou régional" et *TLF* avec la mention "vieux" (v. tr.), sans mention (v. i.). *Cf.* **2.** *assiettes (laver les -), relaver.*
Vitalité : **1.** Bien connu. **2.** Bien connu au-dessus de 60 ans > connu > attesté. **3.** Bien connu au-dessus de 20 ans. **4.** Connu au-dessus de 60 ans.

rester, v. i. :
1. Habiter : "Où restez-vous ?"
2. Loc. v. : *Rester avec qqn.* : Vivre, habiter chez qqn. : "Il reste avec sa sœur depuis la mort de leurs parents".
3. Loc. v. : *Rester à* : Tarder à : "Je trouve qu'il reste bien à venir, ce soir".
Rem. : Signalé par *Rob. 89* avec la mention "régional, rural" (sens 1 et 2), et *TLF* avec la mention "familier" (sens 1). Voir Rézeau.
Vitalité : **1.** Connu au-dessus de 60 ans > attesté > peu attesté. **2.** Bien connu. **3.** Peu attesté au-dessus de 40 ans.

rester sur ses œufs, loc. v. : Voir *oeufs (rester sur ses -).*

retirer, v. :
1. Loc. v. : *Retirer de qqn., - après qqn.* : Ressembler à qqn. : "Je ne sais après qui (ou "de qui") il retire. Il ne retire pas après (ou "de") son père".
2. Loc. v. : *Retirer du côté de qqn.* : Ressembler à qqn. : "Il retire de plus en plus du côté de son père, celui-là".
3. Loc. v. : *Se faire retirer* : Se faire photographier : "Il est parti se faire retirer, il doit renouveler sa carte d'identité".
Rem. : Relevé par Z. *Rob. 89* note *retirer à..., - sur..* "ressembler" avec la mention "vieux". *Cf.* **1. 2.** *ressembler, tirer 3.*

Vitalité : **1. 2.** Attesté au-dessus de 60 ans > peu attesté >> inconnu. **3.** Attesté au-dessus de 40 ans.

revancher (se), v. pr. :
Se venger, prendre sa revanche : “Je n’ai pas osé me revancher tout de suite, mais ça viendra”.
Rem. : Z. signale *so revanjeu* “se défendre”. Signalé par *Rob. 89* avec la mention “vieux ou littéraire” et *TLF* avec la mention “vieilli, litt.”.
Vitalité : Connu au-dessus de 20 ans.

revenir au monde, loc. v. :
Reprendre ses esprits, sortir d’une syncope : “Il est revenu au monde assez vite, mais on a eu une sacrée frousse”.
Vitalité : Connu au-dessus de 60 ans, peu attesté au-dessous.

revoir (se -), v. pr. :
Avoir ses règles : “Il faudra bien qu’elle aille au* médecin, ça fait trois mois qu’elle ne se revoit pas”.
Rem. : *TLF* signale *revoir ses règles* avec la mention “familier, vieilli”.
Vitalité : Attesté au-dessus de 60 ans > peu attesté > inconnu.

ribote, n. f. :
Dans les loc. v. : *Faire ribote, être en ribote* : Faire la fête, manger et boire beaucoup : “Ils sont en ribote du vendredi au dimanche soir toutes les semaines”.
Rem. : *Ribote* est signalé par *Rob. 89* avec la mention “vieilli ou plais.” et *TLF* avec la mention “vieilli, populaire”. *Cf. cheuler, chiquer, daller 2, décrotter, fruchtiquer, ventrer (se), gosser* (annexe), *tôper* (annexe).
Vitalité : Attesté au-dessus de 60 ans, peu attesté au-dessous.

ric et rac, loc. adv. :
Avec une exactitude rigoureuse (en parlant d’argent, de temps) : “C’est qu’il le paye ric et rac, ce n’est pas lui qui lui donnerait un sou de trop”. “Il est arrivé ric et rac à la gare, le train allait partir”.
Rem. : Relevé par Z. *Rob. 89* ne signale (avec la mention “vieux”) que la variante *ric à rac* du fr. *ric-rac* et *TLF* note en vedette *ric-rac, ric à rac, ric et rac* et en rem. : “les formes *ric-rac* et *ric et rac* l’emportent actuellement sur la forme *ric à rac,* puis en étym. et hist. il précise que la 1ère attestation de *ric et rac* apparaît chez J.-F. Michel.
Vitalité : Usuel.

rien, adv. :
1. Dans les loc. v. : *Faire cas de rien* : Faire comme si rien n’était : “S’il te dit quelque chose, tu ne fais cas de rien”.
2. Dans la loc. v. : *Faire rien que* : Ne cesser de : “Il fait rien que se moquer de moi”.
Vitalité : Connu.

rien-qui-vaille, loc. n. m. :
Vaurien : “C’est un rien-qui-vaille, il ne faut plus qu’il le fréquente”.
Rem. : *Cf. camp-volant 2, carafouchtra, caramougna 3, frapouille 3, mamaillou 2, mandrin.*
Vitalité : Bien connu au-dessus de 60 ans, attesté au-dessous.

rigodon, n. m. :
Repas de fête (et particulièrement repas de noces) : “Ils nous ont invités pour le rigodon”.
Vitalité : Attesté au-dessus de 20 ans.

rinçotte, rinçonnotte, n. f. :
Petit quantité d'eau de vie versée dans le verre ou la tasse à café : "Encore une rinçotte de mirabelle ?"
Rem. : Relevé par Z. (*rinçote*).
Etym. : Variante phonétique du fr. *rincette* (signalé par *Rob. 89* avec la mention "rég.").
Vitalité : *Rinçotte* : Usuel au-dessus de 20 ans. *Rinçonnotte* : Attesté au-dessus de 60 ans, peu attesté au-dessous.

rire (pour de -), loc. v. :
Pour rire : "Ne te fâche pas, c'est juste pour de rire !"
Rem. : Peut-être plus populaire que régional.
Vitalité : Usuel.

rôille, n. f. : Voir *raille.*

rôille, n. m. :
Tisonnier : "Quand j'ai vu ce rat, j'ai pris le rôille et je te lui en ai foutu un coup derrière les oreilles".
Rem. : Relevé par Z. (*rauye*) et l'*ALLR* 415. *Cf. consigne, freuguion* (annexe), *feurgueuion* (annexe), *groillotte, grouillotte, pigri* (annexe).
Etym. : Du lat. *rutabulum* "râble".
Vitalité : Peu attesté au-dessus de 40 ans.

rôiller, v. i. :
Traîner, courir les filles : "Pendant les vacances, il ne fait que rôiller toute la journée".
Rem. : Relevé par Z. (*royeu* "rôder pour voler") et l'*ALLR* 1230, où il dessine une aire messine. *Cf. chnâiller 2, râou (aller à la -), râouer 2, trôler, trôyer.*
Etym. : Du lat. **roticulare* "rouler".
Vitalité : Attesté au-dessus de 40 ans.

rondelle, n. f. :
Saucisson sec fumé, souvent présenté en arc de cercle, voir *fuseau.*
Vitalité : Attesté au-dessus de 40 ans, peu attesté au-dessous.

rosée, n. f. :
1. Bruine : "Il fait juste une rosée, ça ne va même pas mouiller".
2. Forte averse : "Il vient de faire une bonne rosée, juste quand je rentrais".
Rem. : L'*ALLR* 29 "(il) bruine" relève un type *rosé, rosa*, masculin, dans les Vosges. *Cf.* **2.** *calende, châouée 2, gaouée, haouée, holée, trempée, trellée* (annexe).
Etym. : Dér. du lat. *ros* "rosée".
Vitalité : **1.** Attesté au-dessus de 20 ans. **2.** Peu attesté au-dessus de 20 ans.

rosette, n. f. :
Long saucisson droit, fait dans la dernière partie de l'intestin du porc : "Mettez-moi une douzaine de tranches de rosette".
Rem. : Signalé par *Rob. 89* "régional *Rosette de Lyon :* variété de saucisson sec de Lyon" et *TLF* "saucisson sec fabriqué dans la région lyonnaise". Ce mot, d'origine lyonnaise, est en train de perdre son caractère régional.
Vitalité : Connu.

rouater, v. tr. :
Regarder, épier : "Qu'est-ce qu'il a à me rouater comme ça, celui-là ?"
Rem. : Relevé par Z (*rewatieu*) et l'*ALLR* 737, 1231 et 1261. *Cf. câiller 1, schmirer 3, louxer* (annexe).

Etym. : Dér. du germ. **wahta* "garde".
Vitalité : Connu au-dessus de 60 ans > peu attesté > inconnu.

rouffe, n. f. :
Fessée, correction : "Il a pris une bonne rouffe en rentrant de l'école avec une punition".
Rem. : *Cf. coïllée, raousse, rouste, schlague 1, trifouillée, tripatouillée, trépignée* (annexe).
Etym. : Emprunt non adapté au patois mosellan germ. de même sens, issu du germ. *hruf* "croûte" (*cf.* l'allemand *Rüffel* "semonce, savon").
Vitalité : Peu attesté.

roupf salade, n. f. :
1. Petite salade, que l'on consomme lorsqu'on éclaircit les semis : "En ce moment, on mange la roupf salade".
2. Mâche : "On est bien content d'avoir de la roupf salade quand on n'a plus rien".
Rem. : *Cf.* **1.** *pouillatte 3, volante.* **2.** *doucette.*
Etym. : Emprunt au patois mosellan germ. *Rupf* de même sens (*cf.* l'allemand *rupfen* "tirer, arracher").
Vitalité : Peu attesté.

rouspéter, v. tr. :
Disputer : "Mon père m'a rouspété quand il a vu mes notes".
Rem. : La construction tr. semble inconnue en fr. commun. *Cf. avaler, crier 2, harpouiller, rebiffer, grises (en faire voir des -)* (annexe).
Vitalité : Usuel.

rousse, n. f. :
Gardon (petit poisson aux nageoires et aux yeux rouges) : "J'ai pris quelques goujons et des rousses, juste pour une friture".
Rem. : *TLF* signale "*rousse* : syn. usuel de rotengle".
Vitalité : Connu.

rouste, n. f. :
Correction, râclée : "J'ai donné une rouste à ce sale gosse, il ne reviendra pas traîner par ici de si tôt !"
Rem. : Signalé par *Rob. 89* avec la mention "régional (Midi)" et *TLF* avec la mention "populaire" au sens "gifle, coup de poing". *Cf. raousse, rouffe, schlague 1, trifouillée, tripatouillée, trépignée* (annexe).
Etym. : Du lat. **rustum* "ronce".
Vitalité : Bien connu.

routcher, v. i. :
Trébucher, glisser : "J'ai routché sur une plaque de verglas, je me suis cassé la jambe".
Rem. : *Cf. entraver (s').*
Etym. : Du patois mosellan germ. (et de l'allemand) *rutschen* "glisser".
Vitalité : Usuel.

roux, n. m. :
Odeur ou goût de roussi, de brûlé : "Cette viande sent le roux".
Rem. : Régionalisme sémantique. *Cf. brûle.*
Vitalité : Connu au-dessus de 60 ans > attesté > peu attesté > inconnu.

rucksack, n. m. : [rukzak]
Sac à dos : "Tous les dimanches, on part avec le rucksack dans les Vosges".
Rem. : Signalé, avec des prononciations différentes, par *Rob. 89* avec la mention "vieux (à la mode entre 1930 et 1960 environ)" et *TLF* avec la mention "sports (alpin.), rare".
Vitalité : Usuel.

ruine-boutique, loc. n. m. :
Objet cher et de peu d'usage : "Le jeu du gamin use les piles en dix minutes, il faut tout le temps en racheter de nouvelles, un vrai ruine-boutique".
Vitalité : Attesté au-dessus de 60 ans > peu attesté >> inconnu.

S

sabot de bois, loc. n. m.:
Sabot: "Autrefois, avec les sabots de bois, on glissait sur la neige, on n'avait pas besoin de skis!"
Rem.: Relevé par l'*ALLR* 1005.
Vitalité: Attesté.

sac (amasser le -), loc. v.:
Gagner beaucoup d'argent: "Elle se plaint tout le temps, mais en attendant, elle amasse le sac".
Rem.: Z. relève *'l'è l'sèc* "il a le sac" (il est riche). Variante de la loc. arg. *faire son sac.*
Vitalité: Peu attesté au-dessus de 20 ans.

saint-frusquin, n. m.:
1. Train de culture: "Il prend sa retraite dans trois ans et comme aucun de ses enfants ne veut reprendre, il va vendre le saint-frusquin".
2. Désordre: "Qu'est-ce que c'est que ce saint frusquin? Vous allez me ranger tout ça en vitesse!"
Rem.: Régionalismes sémantiques. *Cf.* **2.** *brindezingue 2, câillon 2, capharnaüm 1, fouchtrâ, labouré 2, quicaille 2.*
Vitalité: **1.** Connu au-dessus de 60 ans > attesté > inconnu. **2.** Bien connu.

saint Nicolas, n. m.:
Personnage équivalent au Père Noël, fêté le 6 décembre: "Tous les ans, autour du 6 décembre, il y a un défilé de chars. Tous les enfants vont voir saint Nicolas et attendent jouets et friandises".
Rem.: Coutume extrêmement vivante dans toute la Lorraine et bien au-delà vers l'Est.
Vitalité: Usuel.

salade cuite, loc. n. f.: Voir *cuit.*

salade mixte, loc. n. f.:
Salade composée (tomates, œufs durs, cervelas, gruyère): "Oh! je ne me suis pas cassé la tête: une salade mixte, des pommes de terre et un dessert".
Vitalité: Usuel.

sale, adj.:
1. Rempli de mauvaises herbes: "Mon jardin est sale, il va falloir désherber".
2. Dans la loc. v.: *Se faire sale*: Se salir: "Ne va pas travailler avec ces vêtements, tu vas encore te faire sale".
3. Dans la loc. v.: *Se mettre en sale*: S'habiller de vêtements déjà sales ou usagés pour faire un travail salissant: "Si tu veux nettoyer le grenier, mets-toi en sale".
Vitalité: **1.** Connu au-dessus de 20 ans. **2.** Attesté au-dessus de 60 ans > peu attesté > inconnu. **3.** Connu.

salle des pendus, loc. n. f.:
Pièce dans laquelle les mineurs se changent et laissent leurs vêtements suspendus au plafond: "Dans le musée de la mine, tout a été reconstitué, de la salle des pendus aux galeries".
Rem.: Locution absente des dictionnaires consultés.

Vitalité: Connu au-dessus de 40 ans (usuel chez les mineurs).

sanal, n. f.:
Epicerie: "Quand il a eu son accident à la mine, ils ont pris une sanal".
Rem.: Le mot est parfois masculin. *Cf. coop, coopette, consum.*
Etym.: Sigle correspondant à Société Anomyne Nancéienne d'Alimentation.
Vitalité: Bien connu au-dessus de 40 ans.

sang (remettre du -), loc. v.:
Saigner: "Dites au docteur que j'ai encore remis du sang".
Vitalité: Attesté au-dessus de 40 ans.

santé, interj.:
Réponse à un éternuement: A vos souhaits!
Rem.: Calque de l'allemand *Gesundheit*, de même sens, employé dans les mêmes conditions. Signalé dans un emploi différent ("ellipt., fam., pour trinquer") par *Rob. 89* et *TLF* avec la mention "vieilli". *Cf. bénisse.*
Vitalité: Usuel.

sâpré, adj.
Sacré: "Il a un sâpré rhume!"
Etym.: Atténuation de *sacré.*
Vitalité: Usuel.

sarrau (sortir en -), loc. v.:
Sortir sans s'habiller: "Ce matin, je suis sortie en sarrau pour aller chercher mon pain et depuis, j'éternue".
Vitalité: Attesté au-dessus de 60 ans.

saucisse, n. f.:
1. Grosse saucisse conservée dans la saumure: "A neuf heures, pendant les grands travaux, on mangeait toujours une saucisse".
2. Capuche en plastique transparent portée par les femmes pour se garantir de la pluie: "J'ai toujours une saucisse dans mon sac".
3. *Saucisse à tartiner*, loc. n. f.: Viande grasse de bœuf et de porc, finement hachée, contenue dans un boyau: "Les enfants adorent la saucisse à tartiner, mais il ne faut pas trop en manger, c'est gras".
4. *Saucisse de bière*: Saucisse fumée faite à base de porc et de bœuf: "J'ai pris une saucisse de bière, ça change un peu".
5. *Saucisse de foie*, loc. n. f.: Pâté de foie contenu dans un boyau: "Je lui ai fait un sandwich de saucisse de foie, c'est ce qu'il préfère".
6. *Saucisse de fromage*: Saucisse dans laquelle sont incorporés des dés de gruyère": "En entrée, j'ai fait un plat de charcuterie, avec toutes sortes de saucisses: saucisse de fromage, de jambon*, rosette*, etc.".
7. *Saucisse de jambon*, loc. n. f.: Saucisse dans laquelle on incorpore des morceaux de jambon grossièrement coupés: "Je voudrais dix tranches de saucisse de jambon".
8. *Saucisse de langue*, loc. n. f.: Saucisse dans laquelle on incorpore des morceaux de langue (de porc): "Celle qu'il préfère, c'est la saucisse de langue".
9. *Saucisse de ménage*, loc. n. f.: Saucisse faite à base de viande de porc et de bœuf, consommée chaude ou froide: "Mettez-moi deux saucisses de ménage".
10. *Saucisse de pommes de terre* : Saucisse faite de viande de porc et de bœuf dans laquelle on incorpore des morceaux de pommes de terre : "J'ai mis des saucisses de pommes de terre sur le barbecue pour ceux qui aiment".

11. *Saucisse de sang*, loc. n. f. : Sorte de boudin fait d'une émulsion de couenne et de sang : "Mettez-moi un morceau de saucisse de sang".
12. *Saucisse de viande*, loc. n. f. : Sorte de cervelas : "Je vais prendre une saucisse de viande pour le pique-nique".
13. *Saucisse noire*, loc. n. f. : Autre nom de la *saucisse de sang*.
14. *Saucisse rouge*, loc. n. f. : Autre nom de la *lyonerwurst**.
Rem. : **5.** Signalé par *TLF* avec la mention "régional (Est)" ; *Rob. 89* ne signale dans ce sens que *saucisse de pâté*, avec la mention "rég.". **10.** Spécialité des Vosges alsaciennes. *Cf.* **1.** *cervelas.* **2.** *banette.* **3.** *schmirwurst,* **9.** *mettwurst. Cf.* aussi *knack, motz, viennoise, lyonerwurst.*
Etym. : **4.** *Saucisse de bière* est un emprunt au patois mosellan germ. et à l'alsacien (allemand *Bierwurst*), altération de *Birnwurst* "saucisse (en forme de) poire" (voir, p. ex. *grombire, krumberknedle*), attiré par *bière*. **5.** Calque du patois mosellan germ. *Lewerwurscht.* **11.** Calque du patois mosellan germ. *Blutwurscht.* **12.** Calque du patois mosellan germ. *Fläschwurscht.*
Vitalité : **1.** Attesté au-dessus de 60 ans, peu attesté au-dessous. **2.** Bien connu au-dessus de 20 ans. **3. 4. 5. 6. 7. 8.** Usuel. **9.** Bien connu. **10. 11.** Connu. **12.** Usuel. **13.** Connu au-dessus de 20 ans. **14.** Usuel au-dessus de 20 ans.

sauerkraut, n. f. : [záwerkráwt]
Choucroute : "Le tonneau de sauerkraut est presque vide".
Rem. : Z. relève *sourcroute, surcroute, solkrout...*, formes plus proches de celle du patois mosellan germ. Voir aussi l'*ALLR* 690.
Etym. : Allemand *Sauerkraut*, de même sens (*sauer* "acide", *Kraut* "chou").
Vitalité : Connu au-dessus de 60 ans, peu attesté au-dessous.

sauersuss, n. m. : [zawerzüs]
Cornichon aigre-doux, plus gros que le cornichon ordinaire : "Je préfère les sauersuss, les autres sont trop fiers*".
Etym. : Allemand *sauer* "acide, aigre" et *süß* "doux". (L'allemand dit *süß-sauer* "aigre-doux").
Vitalité : Attesté au-dessus de 60 ans, peu attesté au-dessous.

savate, n. f. :
Mule, pantoufle : "Je laisse mes savates sur le pas de la porte".
Rem. : Signalé par *Rob. 89* au sens "chaussure ou vieille pantoufle" et *TLF* note "syn. de babouche". *Cf. patin, baboche* (annexe).
Vitalité : Usuel.

savoir, v. tr. et i. :
1. Pouvoir, avoir la possibilité de : "Je ne sais pas manger depuis qu'il m'a arraché ces deux dents".
2. Connaître : "Ma grand-mère sait des tas de recettes et elle nous en fait profiter !"
Rem. : **1.** Relevé par Z. (*sawer*). **1.** Signalé par *Rob. 89* et *TLF* avec la mention "régional (Belgique)". **2.** Signalé par *Rob. 89* avec la mention "vieux, archaïque ou régional".
Vitalité : **1.** Attesté. **2.** Bien connu.

savoir (à -), loc. adv. :
Reste à savoir (si) : "A savoir s'il va suivre les conseils qu'on lui a donnés !"
Vitalité : Bien connu.

sch- : Voir aussi **ch-**.

schlafmann, n. m. :
Personne qui occupe la même chambre qu'un autre (à l'hôpital, à l'hôtel au cours de voyages organisés, dans les déplacements sportifs, dans les refuges de randonnée, etc.) : "J'étais content de sortir de l'hôpital : j'avais un schlafmann qui passait son temps à se plaindre".
Etym. : De l'allemand *Schlaf* "sommeil, repos" et *Mann* "homme".
Vitalité : Attesté.

schlague, n. f. :
1. Fessée, correction : "Il a donné une schlague à son chien parce qu'il avait à moitié mangé le lapin qu'il rapportait".
2. Gros chargement : "Tu as réussi à en mettre une schlague, de cartons, dans ta voiture !"
Rem. : **1.** Relevé par Z., l'*ALLR* 869 et Follmann (*Schlag*). **1.** En français commun, le mot a un sens militaire ("punition dans l'armée allemande") ou un sens plus fort que celui de "correction". *Cf.* **1.** *coïllée, raousse, rouffe, rouste, trifouillée, tripatouillée, trépignée* (annexe). **2.** *affaire.*
Vitalité : **1.** Bien connu. **2.** Peu attesté.

schlamm, n. m. :
Boue : "Tu as les bottes pleines de schlamm, laisse-les dehors".
Rem. : Le mot est connu des dictionnaires comme terme techn. de l'industrie du charbon. *Cf. boulimatch, marais.*
Etym. : Allemand *Schlamm* "vase, boue".
Vitalité : Attesté au-dessus de 20 ans.

schlapchantz, adj. et n. m. :
Paresseux : "C'est un vrai schlapchantz, il peut rester des journées entières à ne rien faire".
Rem. : *Cf. taugnat 2, truand.*
Etym. : Altération du patois mosellan germ. *Schlappschwanz* "traînard" et de l'allemand pop. *Schlappschwantz* "gourde, moule, chiffe", d'où "paresseux". De *schlapp* "mou" et *Schwanz* "queue".
Vitalité : Peu attesté au-dessus de 40 ans.

schlappe 1, adj. :
Fatigué : "Je ne sais pas ce que j'ai, je suis schlappe sans raison".
Rem. : *Cf. cuit, flapi mort, lasse, mûr, nazegeschwitz, croumi* (annexe).
Etym. : Emprunt au patois mosellan germ. de même sens (*cf.* l'allemand *schlapp* "indolent, mou").
Vitalité : Bien connu au-dessus de 20 ans.

schlappe 2, n. f. :
Mule, babouche : "Mets tes schlappes dans la maison".
Rem. : Emprunté au patois mosellan germ. *Schlapp* de même sens (voir aussi le précédent). *Cf. savate.*
Vitalité : Usuel.

schlapper, v. i. :
1. Traîner les pieds en marchant : "Je l'entends schlapper dans la chambre, il ne va pas tarder à venir".
2. Sortir des pieds (en parlant de chaussures trop grandes) : "Vous n'auriez pas une pointure en dessous, celles-ci schlappent".
Rem. : **1.** Relevé par Z. (*chlaper*).
Etym. : Du patois mosellan germ. et de l'allemand *schlappen* "traîner".

Vitalité : **1.** Bien connu au-dessus de 20 ans. **2.** Attesté.

schleppe, n. m. :
Homme du peuple, mal habillé : "Qu'est-ce que c'est que ce schleppe ? On ne l'a jamais vu par ici".
Etym. : De l'allemand *schleppen* "traîner". Le patois mosellan germ. connaît *Schlapp, Schlappes* "homme sans ordre, nonchalant, négligent".
Vitalité : Peu attesté au-dessus de 60 ans > attesté > connu.

schlittage, n. m. :
Débardage du bois avec la schlitte* : "On a vu une démonstration de schlittage, c'était impressionnant".
Rem. : Signalé par *Rob. 89* avec la mention "régional ou technique".
Vitalité : Bien connu au-dessus de 20 ans.

schlitte, n. f. :
1. Traîneau servant à débarder le bois : "Une schlitte transporte des centaines de kilos".
2. Luge d'enfant : "Il a pris sa schlitte et il est parti dans le pré".
Rem. : **1.** Relevé par Z. (*chlite*). **1.** Signalé par *Rob. 89* avec la mention "régional" et *TLF* avec la mention "régional, Vosges".
Vitalité : **1.** Bien connu au-dessus de 20 ans. **2.** Bien connu.

schlitter, v. tr. et i. :
1. Débarder au moyen de la schlitte* : "Ils sont partis schlitter des sapins".
2. Faire de la luge : "Les enfants sont en train de schlitter sur le chemin du bois".
Rem. : **1.** Relevé par Z. **1.** Signalé par *Rob. 89* avec la mention "régional ou technique" et *TLF* avec la mention "rég. (Vosges) peu usuel".
Vitalité : **1.** Bien connu au-dessus de 20 ans. **2.** Bien connu.

schlitteur, n. m. :
Conducteur d'une schlitte* : "Un schlitteur doit être costaud et ne pas avoir peur".
Rem. : Signalé par *Rob. 89* avec la mention "rég. ou techn." et *TLF* (sous *schlitte*) avec la mention "rég. (Vosges)".
Vitalité : Bien connu au-dessus de 20 ans.

schlof (aller -), loc. v. :
Aller se coucher : "J'en ai assez pour aujourd'hui, je vais schlof".
Rem. : Z. relève *chlauf* "sommeil". Variante de la loc. arg. *aller au schlof*; attestée par Esnault, Colin, *Rob. 89.* Usité en patois mosellan germ.
Vitalité : Usuel au-dessus de 60 ans > connu > attesté > inconnu.

schlouc, n. m. :
Gorgée : "Allez, bois encore un schlouc avant de t'en aller".
Etym. : Emprunt au patois mosellan germ. *Schluck* de même sens (*cf.* l'allemand).
Vitalité : Usuel.

schmaquer, schmèquer, schmiquer, v. tr. et i. :
1. Sentir (bon ou mauvais) : "Qu'est-ce qui schmèque comme ça, ici ?"
2. Sentir, flairer : "Quand il a été parti, le chien a schmaqué partout où il était passé".
3. Aimer : "C'est que ce que je lui fais à manger, il schmaque !"

4. Mâcher : "Il n'arrête pas de schmaquer du chewing gum toute la journée, ça m'énerve".
Rem. : Relevé par Z. (sens 2) et l'*ALLR* 687 (sens 1). On entend également la loc. v. usuelle : "*Ça schmèque gut !* : Ça sent bon !"
Etym. : Allemand *schmecken* et patois mosellan germ. *schmacken* "goûter, sentir, avoir bon goût".
Vitalité : Usuel. La variante *schmiquer* est peu attestée.

schmirer, v. tr. et pr. :
1. Barbouiller en voulant nettoyer, étendre la saleté : "Il a mis du cambouis sur ma toile cirée, et en voulant l'essuyer, je l'ai schmirée".
2. (Se) barbouiller : "Il avait schmiré sa figure avec de la suie, on ne le reconnaissait plus". "Tu t'es chmiré les mains en bricolant sur ta moto".
3. (Se) regarder : "Il l'a schmirée pendant longtemps, jusqu'à ce qu'il ne puisse plus la voir". "Elle n'arrête pas de se schmirer".
Rem. : *Cf.* **2.** *barbouser 1, mâchurer (se), marmouser (se) 1.* **3.** *câiller 1, rouater, louxer* (annexe).
Etym. : Emprunt au patois mosellan germ. *schmeren* de même sens. (*cf.* l'allemand *schmieren* "enduire, graisser"). Le sens 3 semble plutôt une forme issue du français *mirer* avec *ch* initial dû à l'influence de *schmirer* (comme *chtrisser* est issu de *trisser* avec l'influence, pour le phonème initial, de *stritzen (chtrinser)*).
Vitalité : **1. 2.** Connu. **3.** Attesté au-dessus de 20 ans.

schmirlap, n. m. :
Petit joueur : "C'est un schmirlap, il ne risque pas de terminer millionnaire, ni clochard".
Etym. : Formé sur le patois germ. mosellan *Schmerlappen* "homme malpropre" (*cf.* l'allemand *Schmierlappen* "chiffon gras", le néerlandais *smeerlap* "cochon, salaud").
Vitalité : Peu attesté.

schmirwurst, n. f. : [¢mi:rvurst ; -vur¢t]
Voir *saucisse à tartiner.*
Etym. : Emprunt non adapté au patois mosellan germ. de même sens (*cf.* l'allemand *schmieren* "enduire, graisser" et *Wurst* "saucisse").
Vitalité : Attesté au-dessus de 20 ans.

schmouse, schmoutse, n. m. :
1. Baiser : "Viens faire un schmouse à la mamie, on s'en va".
2. Loc. v. : *Faire du schmouse* : **a)** Enjôler : "Celui-là, pour faire du schmouse, il s'y connaît. Il met tout le monde dans sa poche".
b) Faire la cour : "Il lui fait du schmouse, mais elle le connaît, il aura du mal à la convaincre !"
Rem. : *Cf.* **1.** *bec, biche, bâ* (annexe), *coco* (annexe). **2.** *causer 2, fréquenter 1, parler 1, schmouser 2, chnâiller 2.*
Etym. : Déverbal de l'allemand fam. ou pop. *schmusen* "faire des câlins" (patois mosellan germ. *Schmus* "bénéfice, profit"). La variante *schmoutse*, qui ne s'emploie qu'au sens 1, correspond au patois germ. mosellan *Schmutz* "baiser".
Vitalité : Connu.

schmouser, v. tr. :
1. Câliner : "Elle schmouse son gamin du matin au soir et elle s'étonne qu'il devienne capricieux".
2. Faire la cour, flirter : "Il ne pense qu'à schmouser, comment voulez-vous qu'il travaille correctement ?"

Rem.: *Cf.* **2.** *causer 2, fréquenter 1, parler 1, schmouse 2 (faire du -), chnâiller 2.*
Etym.: Allemand fam. ou pop. *schmusen* "faire des câlins", patois mosellan germ. *schmusen* "flairer çà et là, fouiner", *schmutzen* "embrasser".
Vitalité: Connu.

schmouseur, adj. et n. :
Câlineur, câlin: "C'est une schmouseuse, cette fille, elle fait ce qu'elle veut de son père".
Etym.: Du patois mosellan germ. *Schmuser* "fureteur, fouineur" (*cf.* l'allemand *Schmuser* "beau parleur").
Vitalité: Connu.

schnaps, n. m.:
Eau-de-vie: "Vous voulez un verre de schnaps?"
Rem.: Signalé par *Rob. 89* sans mention (avec le sens "eau-de-vie de pomme de terre, de grain, fabriquée en Allemagne") et *TLF* avec la mention "familier ou régional". *Cf. brandevin, cheule, eaux bleues, fort, liche 1* (annexe), *schnick.*
Vitalité: Usuel.

schnecke, n. m. ou f.: [¢nèk]
1. Pain aux raisins (en forme de spirale): "Le boulanger n'avait plus de croissants, j'ai pris des schneckes".
2. Cheveux roulés en macarons, sur les oreilles (coiffure à la mode dans les années 50): "Elle est jolie, comme ça, avec ses schneckes".
Rem.: **1.** Signalé d'une manière très vague par *TLF* (voir Michel-Nancy). Le mot est également attesté pour désigner l'animal (on l'a relevé très récemment dans un menu, à Metz). *Cf.* **1.** *escargot.*
Etym.: Allemand et patois mosellan germ. *Schnecke* "escargot (animal et pâtisserie enroulée en spirale)".
Vitalité: **1.** Usuel. **2.** Bien connu au-dessus de 20 ans.

schneisse, n. f.: [¢nàys]
Layon, passage de 70 cm de large, tranchée faite dans les bois: "Fais attention de ne pas marcher dans les schneisses".
Etym.: Emprunt au patois mosellan germ. *Schneis* "chemin forestier" (*cf.* allemand *Schneise* "laie, percée (dans une forêt)".
Vitalité: Usuel chez les chasseurs.

schnell-catherine, n. f.:
Diarrhée: "J'ai pris une schnell-catherine en mangeant trop de prunes".
Rem.: *Cf. chite, déclichette, trisse* (annexe).
Etym.: Emprunt non adapté au patois mosellan germ. de même sens (*Schnell Kathrin*, Follmann), de *schnell* "vite" et le prénom féminin.
Vitalité: Connu.

schnesse, schnasse, schneisse, schnisse, n. f.:
1. Figure, gueule: "Il en a une drôle de schnesse, celui-là!" "Ferme ta grande schneisse".
2. Terme d'affection pour désigner un petit enfant: "C'est ma schnisse, celle-là!"
3. Dans la loc. n. excl.: *Pauvre schnisse!*: Pauvre gosse! (excl. marquant la compassion).
Rem.: Noté par Esnault (*schness* "figure"). *Cf.* **1.** *fratz, margoulette.* **2.** *boseré, boudique, spatz.*

Etym.: Emprunt au patois mosellan germ. *Schniss* (*cf.* l'allemand *Schnauze* "gueule, museau, mufle, groin").
Vitalité: **1.** Usuel. **2. 3.** Peu attesté.

schnick, n. m.:

Eau-de-vie: "Un petit schnick, ça ne fait pas de mal".
Rem.: Relevé par Z. (*chnique*) et l'*ALLR* 643. Signalé par *Rob. 89 et TLF* avec la mention "pop., vieilli", mais avec un sens péj. "eau de vie grossière" (*Rob. 89*), ou "de qualité médiocre" (*TLF*), qui ne correspond pas ici: *schnick* est synonyme de *schnaps*. Il s'agit d'un terme générique désignant l'eau-de-vie de fruits fabriquée dans la région (mirabelle, quetsche...). Merle le signale dans Delvau, *Dictionnaire de la langue verte*, 1866. *Cf. brandevin, cheule, doux, eaux bleues, fort, liche 1* (annexe), *schnaps.*
Vitalité: Usuel au-dessus de 20 ans.

schnicker, v. i.:

Boire du *schnick*: "Pour schnicker, ça va, mais pour travailler, c'est autre chose!"
Etym.: Formé sur *schnick.*
Vitalité: Usuel au-dessus de 20 ans.

schnisse, n. f.: Voir *schnesse.*

schnoubotte, n. m.:

Snow-boot (bottillon de caoutchouc qui se porte sur des chaussons) ou bottes en caoutchouc: "Les schnoubottes, c'est pratique, on les laisse à l'entrée et on entre en patins*".
Rem.: Régionalisme phonétique.
Vitalité: Connu au-dessus de 20 ans.

schnoupfer, v. i.:

Renifler: "Arrête de schnoupfer sans arrêt, c'est énervant".
Rem.: Z. relève *chnoupe* "rhume de cerveau" et *chnoufer* "priser". *Cf. schroupfer* (annexe).
Etym.: De l'allemand *schnupfen* "priser", *Schnupfen* "rhume" (*cf.* patois mosellan germ. *schnuppen, schuffen, schnoffeln* "priser, renifler").
Vitalité: Attesté.

schoutt, n. m.:

Décharge municipale, dépôt d'ordures: "On ira porter ces vieilleries au schoutt". "Le schoutt de Magny est le plus célèbre".
Etym.: Du patois mosellan germ. de même sens, apocope de l'allemand *Schuttabladeplatz* "décharge", de *Schutt* "décombres, déblais".
Vitalité: Usuel.

schwartz, n. m.:

1. Travail au noir: "Il a beaucoup de liquide, tout ça, c'est du schwartz".
2. Loc. v.: *Travailler au schwartz, faire du schwartz*: Travailler au noir: "S'il ne fait pas de schwartz, il ne peut pas s'en sortir, avec toutes les taxes et les impôts". "Il travaille au schwartz tous les samedis pour arrondir ses fins de mois".
Rem.: Signalé par Colin, mais absent de Esnault, Merle. Il semble (malgré l'absence de mention dans les dictionnaires consultés) que l'argot emploie plus facilement l'anglais *black* que le germ. *schwartz* dans ce sens.
Etym.: Allemand *schwarz* "noir", qui connaît les mêmes emplois figurés.
Vitalité: Usuel.

seille, n. f.:
Seau: “Il y avait un chat qui miaulait sous nos fenêtres, je lui ai lancé une seille d’eau, ça l’a fait déguerpir en vitesse”.
Rem.: Relevé par Z. (*saye* “seau de bois”) et l’*ALLR* 647 “seau à traire”. Signalé par *Rob. 89* avec le sens “seau de bois” et la mention “régional” et *TLF* avec le même sens et la mention “français parlé dans les villages des vignerons. [...] Forme régionale surtout de l’Ouest et de l’Est”.
Vitalité: Attesté au-dessus de 60 ans > peu attesté > inconnu.

semouille, n. f.:
Semoule: “J’ai fait de la semouille pour son petit gamin, je ne sais pas s’il aimera”.
Rem.: Relevé par Z. *Rob. 89* note le mot (sous *semoule*) dans une citation de Huysmans et commente: “cette orthographe correspond à la prononciation ancienne, encore donnée par *Littré*”. *TLF* signale que la prononciation est vieillie.
Vitalité: Connu au-dessus de 60 ans > attesté > inconnu.

sens devant derrière, loc. adv.:
A reculons : “Il s’amusait à marcher sens devant derrière et il est tombé dans une flaque d’eau”.
Rem.: Signalé par *Rob. 89* avec la mention “surtout régional de nos jours” et *TLF* sans mention.
Vitalité: Connu au-dessus de 20 ans.

sentir bon le propre, loc. v.:
Avoir une bonne odeur: “Il sort du bain, il sent bon le propre!”
Rem.: *Rob. 89* et *TLF* signalent la loc. *sentir le propre* sans mention.
Vitalité: Bien connu.

sentir un goût, loc. v.:
Avoir une odeur: “Quand on entre ici, ça sent un goût de pomme”.
Quand *goût* n’est pas précisé, la loc. signifie “sentir mauvais”: “J’ai dû aérer, ça sent un goût, dans cette pièce”.
Rem.: Signalé par *Rob. 89* et *TLF* sans mention, mais semble ne pas appartenir aujourd’hui au fr. commun.
Vitalité: Usuel.

septante, adj. num.:
Soixante-dix: “Il ne se porte pas mal pour ses septante-huit ans”.
Rem.: Relevé par l’*ALLR* 1119. Signalé par *Rob. 89* avec la mention “vieux ou dialectal (Belgique, Suisse romande, encore vivant dans une partie de l’Est de la France, depuis la Belgique jusqu’à la Provence)” et *TLF* avec la mention “vieilli ou régional (notamment Belgique, Suisse romande, frange orientale de la France)”.
Vitalité: Attesté.

service, interj.:
A votre service, de rien, je vous en prie (réponse à des remerciements).
Vitalité: Bien connu.

siau, n. m.:
Seau: “J’ai jeté un siau d’eau sur le trottoir pour le laver”.
Rem.: Relevé par l’*ALLR* 647.
Etym.: Variante dialectale de *seau* (du latin pop. **sitellus*). *Cf. seille.*
Vitalité: Bien connu au-dessus de 60 ans > connu > attesté.

sitz, hochsitz, n. m.: [zits, hó:xzits]
Mirador: “A l’affût, je me réserve le sitz de la plaine”.

Etym.: Allemand et patois mosellan germ. *Sitz* “siège” ou aphérèse de *Hochsitz* “mirador”.
Vitalité: Usuel chez les chasseurs.

skat, n. m.:
Jeu de cartes (sorte d’écarté): “On va faire une partie de skat, vous jouez avec nous ?”
Etym.: Allemand *Skat*, de même sens.
Vitalité: Bien connu au-dessus de 60 ans, peu attesté au-dessous.

socotte, n. f.:
Femme simplette: “Sa fille est une espèce de socotte qu’elle aura du mal à caser”.
Rem.: Relevé par Z. (*socate, socote*, s. f. “vieil homme, vieille femme”) et l’*ALLR* 623 “la grosse bûche”. *Cf. dondaine, gaille 2, quetsche 2, zaubiotte 2, zonzon.*
Etym.: Dér. dim. du lat. *soccus* “socque”.
Vitalité: Attesté au-dessus de 60 ans > peu attesté > inconnu.

sœur (chère -), loc. n. f.: Voir *chère.*
soir, n. m.:
1. Dans la loc. n. f.: *A l’entrée du soir*: Au début de la soirée: “A l’entrée du soir, il faisait encore beau, et puis ça s’est couvert brusquement”.
2. Dans la loc. adv.: *Sur le soir*: Indique une approximation temporelle: Vers le soir, pendant la soirée: “Je viendrai vous voir sur le soir, quand j’aurai fini mon travail”.
Rem.: **2.** L’*ALLR* 829 “au crépuscule” relève *à l’entrée de la nuit.*
Vitalité: **1.** Peu attesté. **2.** Bien connu au-dessus de 20 ans.

soirée, n. f.:
Après-midi (temps compris entre midi et la tombée du jour): “J’ai passé la soirée chez la voisine, je suis tout juste rentrée pour préparer le souper* !”
Vitalité: Attesté au-dessus de 40 ans > peu attesté > inconnu.

soldat, n. m.:
1. Dans la loc. v.: *Aller soldat*: Faire son service militaire: “Dans deux mois, il va soldat à Mulhouse”.
2. Dans la loc. v.: *Faire soldat*: S’engager dans l’armée: “Son garçon fait soldat, il a une bonne place”.
Rem.: **1.** Relevé par Z.
Vitalité: **1.** Bien connu au-dessus de 20 ans. **2.** Peu attesté.

sonner, v. tr.:
Téléphoner: “Je l’ai sonné tout l’après-midi, il n’était pas là”.
Vitalité: Attesté.

sonner en mort, loc. v.:
Sonner le glas: “On sonne en mort, je me demande qui ça peut bien être”.
Rem.: Relevé par l’*ALLR* 930 (voir le commentaire de la carte). Z. note *seuner an jant mout* “sonner en *gent* mort” (sonner à mort).
Vitalité: Bien connu au-dessus de 40 ans. On entend aussi *sonner un mort* (peu attesté).

sons, n. m. pl.:
Son (du blé moulu): “Il ne reste plus que les sons”.
Rem.: Relevé par l’*ALLR* 998 “les sons”.
Vitalité: Connu au-dessus de 60 ans > attesté > inconnu.

sortir, v. i.:
Etre élu: “Comme personne n’ose se présenter contre lui, c’est encore lui qui va sortir la fois*-ci”.
Vitalité: Usuel.

sotré, sotrèye, adj. et n. m.:
1. N. m.: Lutin: “La mémère nous racontait des histoires de sotrés, on aimait ça!”
2. Adj.: Etourdi, tête en l’air: “Qu’est-ce qu’il est sotrèye, il ne pense à rien”.
Rem.: **1.** Relevé par Z. et l’*ALLR* 978.
Etym.: Dér. du lat. *saltare* “bondir, sauter”.
Vitalité: **1.** Attesté au-dessus de 60 ans. **2.** Attesté au-dessus de 40 ans.

souffler, v. tr.:
Eteindre la lumière (en parlant de lampe électrique): “Tu n’oublieras pas de souffler la lumière avant d’aller te coucher, l’électricité coûte cher”.
Vitalité: Attesté au-dessus de 60 ans > peu attesté > inconnu.

souillot, n. m.:
1. Sanglier: “Dimanche dernier, j’ai vu deux souillots, mais ils étaient trop loin, je n’ai pas pu les tirer”.
2. Individu sale: “Qu’est-ce que c’est du* souillot qu’il a déniché là?”
Rem.: **1.** Absent de l’*ALLR* 215. Z. note *soyad* “habillé de soie, porc (plaisanterie)”. *Cf.* **1.** *célibataire, watz.*
Etym.: Du lat. *saeta* “soie de porc”, selon *FEW*, qui suit Z., mais probablement à rattacher au lat. *solium* “baquet, eau sale” (voir *souillart* “personne malpropre”, “lieu bourbeux où se vautre le sanglier”, *souillon* “homme ou femme malpropre”, *souiller* “se vautrer dans la boue (en parlant du sanglier)”, etc.).
Vitalité: **1.** Globalement attesté au-dessus de 40 ans (bien connu des chasseurs). **2.** Peu attesté au-dessus de 60 ans.

soulier, n. m.:
1. Loc. n. m.: *Soulier de bois*: Sabot: “Les souliers de bois étaient pratiques, mais il fallait y être habitué”.
2. Loc. n. m.: *Soulier de cuir*: Chaussure: “J’ai mis mes premiers souliers de cuir pour ma communion, avant, je ne portais que des souliers de bois*”.
Rem.: Relevé par l’*ALLR* 1005 (1) et 798 (2). **2.** Signalé par *Rob. 89* sans mention. *Cf.* **1.** *sabot de bois.* **2.** *pauchons* (annexe).
Vitalité: **1.** Peu attesté. **2.** Attesté.

soûlon, n. m., **soûlonne**, n. f.:
1. Ivrogne: “Elle s’est mariée avec un soûlon qui l’a rendue malheureuse”. “Arrête de boire, tu vas finir soûlonne!”
2. Au f.: Variété de balsamine (*impatiens*): “Il a planté des soûlonnes tout le long du mur de sa maison, c’est superbe”.
Rem.: **1.** Relevé par Z. et l’*ALLR* 892. **1.** Signalé par *TLF* avec la mention “rég. (Est de la France et Suisse)”. *Cf.* **1.** *cheulard, tosseur, hausse-godat* (annexe).
Vitalité: **1.** Connu. **2.** Attesté. La variante *soûlotte* (sens 2) est peu attestée au-dessus de 20 ans.

soûlotte, n. f.: Voir *soûlonne* (sens 2).

souper 1, v. i. :
Prendre le repas du soir : "Venez souper un de ces soirs, ça nous fera plaisir".
Rem. : Relevé par Z. Signalé par *Rob. 89* avec la mention "vieux ou régional (Belgique, Canada, Suisse, etc.)" et *TLF* avec la mention "vieilli ou régional (notamment Belgique, Canada, Est)". Voir Rézeau.
Vitalité : Usuel.

souper 2, n. m. :
Repas du soir, dîner : "Pour le souper, je n'ai pas grand-chose à vous proposer".
Rem. : Relevé par l'*ALLR* 840. Voir le précédent.
Vitalité : Usuel.

soupoudrer, v. tr. :
Saupoudrer : "Soupoudre les fraises de sucre, elles sont un peu fières*".
Vitalité : Connu.

sous-linge, n. m. :
Sous-vêtements : "Il a fallu que je lui rachète tout le sous-linge, il a tellement changé qu'il ne rentre plus dedans".
Rem. : Calque de l'allemand *Unterwäsche*, de même sens.
Vitalité : Attesté.

sous-tasse, n. f. :
Soucoupe : "Je ne mets pas de sous-tasses, on ne va pas faire d'âties* entre nous !"
Rem. : Signalé par *Rob. 89* avec la mention "courant en Belgique et en Suisse" et *TLF* avec la mention "régional (surtout en Belgique et en Suisse)". Calque de l'allemand *Untertasse*, de même sens. Voir Rézeau.
Vitalité : Bien connu.

souventes fois, souvent de fois, loc. adv. :
Souvent, maintes fois : "Souventes fois (ou "souvent de fois"), il est venu nous voir, mais on ne l'a pas revu depuis un moment".
Rem. : Relevé par Z. (*sovantes fwès*). *Souventes fois* est signalé par *Rob. 89* avec la mention "vieux, régional ou par archaïsme".
Vitalité : Connu.

soyotte, n. f. :
Danse locale : "A toutes les fêtes de village, on dansait la soyotte".
Etym. : Dér. dim. du lat. *secare* "couper". Emploi métaphorique du patois *soyotte* "scie, petite scie", relevé par Z., inspiré par une figure de cette danse.
Vitalité : Usuel au-dessus de 60 ans > attesté > inconnu.

sp- : Voir aussi **chp-**.

spaetzele, n. m. pl. : [¢pè:tsle]
Sorte de pâtes : "Les spaetzele, avec le lapin, il n'y a rien de meilleur".
Rem. : Voir Höfler-Rézeau.
Etym. : Emprunt non adapté à l'alsacien de même sens (dim. de *Spatz* "moineau").
Vitalité : Usuel.

sparagus, n. m. :
Asparagus (plante ornementale) : "J'ai rentré les sparagus avant l'hiver".
Rem. : Aphérèse d'*asparagus*.
Vitalité : Peu attesté au-dessus de 40 ans.

spatz, n. m. : [¢pàts]
1. Moineau : "Les spatz font du bruit, maintenant, ça sent le printemps".

2. Enfant: "Elle est venue avec ses spatz".
3. Terme d'affection désignant un enfant: "Viens là, petit spatz!"
4. Sexe du petit garçon: "Ferme ta braillotte*, ton spatz va s'envoler!"
Rem.: **1.** Relevé par l'*ALLR* 171. *Cf.* **1.** *mocs, mouchat.* **2.** *drôle, minot, piat, râce, ratz.* **3.** *boseré, boudique, schnesse.* **4.** *trissette 2, kéne* (annexe).
Etym.: Emprunt non adapté au patois mosellan germ. et à l'allemand *Spatz* "moineau".
Vitalité: **1. 4.** Usuel. **2. 3.** Attesté.

speck, n. m.: [¢pèk]
1. Lard: "Je voudrais un morceau de speck".
2. Embonpoint, graisse: "Il a pris du speck, pendant les vacances".
Rem.: Absent de Z. et de l'*ALLR*, mais Z. relève *kameurchpèk* "endroit où l'on fume le lard" (allemand *Kammer* "chambre, pièce" et *Speck* "lard"). *Cf.* **1.** *bacon 1, lard 2.*
Etym.: Patois mosellan germ. et allemand *Speck* "lard".
Vitalité: Usuel.

spitz, n. m. pl.: [¢pits]
Bois de chevreuil commençant à pousser: "J'en ai vu un qui n'était pas vieux, on voyait tout juste ses spitz".
Etym.: Patois mosellan germ. et allemand *Spitze* "extrémité, pointe".
Vitalité: Usuel chez les chasseurs.

spritz, n. m.: [¢prits]
Sablé de Noël, cannelé, de forme allongée ou parfois ronde: "Pour Noël, je vais faire des spritz, comme tous les ans".
Rem.: *Cf. bredele, brünsli* (annexe), *burchifele* (annexe), *lekerlis* (annexe).
Etym.: Emprunt au patois mosellan germ. de même sens (*cf.* l'allemand *Spritze* "seringue"). Ces gâteaux sont confectionnés à l'aide d'une poche munie d'une douille à embout cannelé.
Vitalité: Usuel. La variante *spritzbredele* est peu attestée.

spritzbredle, n. m.: [¢pritsbré:dle]
Voir *spritz*.

spritzer, v. tr.: [¢pritsé]
Gicler: "Il m'a fait spritzer de l'eau, je suis tout mouillé".
Rem.: *Cf. chtrisser, chtrincer, trincer, trisser.*
Etym.: Patois mosellan germ. et allemand *spritzen*, de même sens.
Vitalité: Usuel.

st-: Voir aussi **cht-**.

steinhoff, n. m.: [¢tàynhóf]
Sandwich: "S'il n'est pas content de mon repas, il n'a qu'à prendre un steinhoff".
Rem.: Patronyme, enseigne d'une entreprise de restauration qui possède plusieurs points de vente à Metz.
Vitalité: Connu.

stempel, n. m.: [¢tèmpel]
Tampon: "Je suis allé à la préfecture pour qu'ils me mettent un stempel sur ma carte".
Etym.: Du patois mosellan germ. et allemand *Stempel*, de même sens.
Vitalité: Usuel.

stollen, n. m.: [¢tòlen]
Brioche épicée, fourrée de fruits confits, orange, noix, pâte d'amande, qui se fait habituellement

pour Noël: “Il faut beaucoup de fruits confits et de pâte d’amande pour que le stollen ne soit pas trop sec”.
Etym.: Allemand *(Christ)stollen* “brioche (rectangulaire)”.
Vitalité: Usuel. La variante *christs-tollen* est attestée.

streusel, n. m.: [¢tròyzel]
Gâteau à pâte levée couverte de grains de sucre et de cannelle et fourré à la crème pâtissière: “Pour le dessert, fais-nous un streusel”.
Etym.: Emprunt non adapté à l’allemand de même sens.
Vitalité: Usuel.

strudel, n. m.: [¢tru:del]
Sorte de gâteau fourré aux pommes: “Les strudels de la grand-mère, il n’y avait pas mieux”.
Etym.: Aphérèse de l’allemand *Apfelstrudel* “roulé aux pommes”.
Vitalité: Usuel.

stuck, n. et adj.: [¢tük]
1. N. m.: Morceau: “J’ai du pain, tu en veux un stuck?” “Il y a longtemps que je n’avais pas vu son fils, ça fait un sacré stuck, maintenant!”
2. Adj. épicène: Gros (en parlant d’un objet, d’un animal ou d’un être humain): “Il est stuck, ton chien, heureusement qu’il est gentil”. “Elles sont stuck, vos patates”.
Rem.: Relevé par Z. (*chtèk, chtik* “morceau”). Esnault signale “*stuc*: 1) part de butin. 2) partage. 3) morceau”.
Etym.: Emprunt au patois mosellan germ. (*cf.* l’allemand *Stück* “morceau”).
Vitalité: Usuel.

suckokuchen, n. m.: [zukóku:xen]
Sorte de tarte* au sucre (voir ce mot).
Etym.: Emprunt non adapté au patois mosellan germ. de même sens.
Vitalité: Attesté au-dessus de 40 ans.

suffisance (en -; à -), loc. adv.:
Suffisamment, assez: “Il y a eu du vin en suffisance”. “Est-ce que vous avez des haricots à suffisance? Sinon, je peux vous en donner encore”.
Rem.: Signalé par *Rob. 89* avec la mention “vieux ou littéraire” et *TLF* avec la mention “vieilli”.
Vitalité: Connu au-dessus de 60 ans > peu attesté >> inconnu.

suite (tout -), loc. adv.:
Tout de suite: “Ne bouge pas, je reviens tout suite”.
Rem.: Absent de l’*ALLR* 1203, mais attesté dans des textes dialectaux (notamment Fraimbois).
Vitalité: Connu au-dessus de 60 ans, attesté au-dessous.

sur, prép.:
Au: “Il vend des légumes sur le marché”.
Vitalité: Bien connu au-dessus de 60 ans > connu >> attesté.

sûr, adj.:
Dans la loc. adv.: *Pour sûr, pour le sûr*: Certainement: “Pour sûr, c’est elle qui le lui a demandé”. “Pour le sûr qu’il viendra, il n’y aura pas besoin d’aller le chercher!”
Rem.: *Pour sûr* signalé par *Rob. 89* avec la mention “vieux, pop. ou régional” et *TLF* avec la mention “vieilli, régional ou populaire”.

Vitalité: Bien connu au-dessus de 60 ans, connu au-dessous.

survivant, adj.:
Vivant: "Son mari est mort il y a longtemps, mais elle est survivante".
Rem.: Le mot est usité en français commun dans la loc. "conjoint survivant", apparue, semble-t-il, assez récemment.
Vitalité: Peu attesté au-dessus de 40 ans.

T

tache de groseille; **- de café**, loc. n. f.:
Nævus: “Il a une tache de groseille sur le front”. “Tous mes enfants ont une tache de café sur la cuisse, c’est la marque de fabrique!”
Vitalité: Attesté au-dessus de 40 ans, peu attesté au-dessous.

tailleuse, n. f.:
Couturière: “Pour faire les ourlets de pantalons ou les retouches, on avait une tailleuse au village, mais elle a pris sa retraite”.
Rem.: Signalé par *Rob. 89* avec la mention “vieux ou régional” et *TLF* (sous *tailleur*) avec la mention “vieux”. *Cf. couserette.*
Vitalité: Connu au-dessus de 60 ans > attesté > peu attesté.

tançon, n. m.:
Etai: “Le mur du cimetière faisait le ventre, on a mis des tançons avant qu’il tombe”.
Rem.: Relevé par Z. et l’*ALLR* 359. *Cf. crosse.*
Etym.: Dér. du lat. *stare* “être debout”.
Vitalité: Connu au-dessus de 60 ans > attesté > inconnu.

tançonner, v. tr.:
Etayer: “Il y a tellement de pommes qu’on a dû tançonner les branches”.
Rem.: Relevé par Z. et l’*ALLR* 359.
Etym.: Voir *tançon.*
Vitalité: Connu au-dessus de 60 ans > attesté > peu attesté > inconnu.

tâner (se), v. pr.:
1. Se vautrer, s’étendre: “Il se tâne sur son lit et il ne bouge pas de la journée”.
2. Part. passé en emploi adj.: vautré: “Il est tâné sur le canapé et il regarde la télé tout l’après-midi”.
Rem.: Z. relève *taner*, v. i.: “s’étendre, se coucher par terre”. *Cf. frâler* (annexe).
Etym.: Dér. du gaul. **tanno-* “chêne”.
Vitalité: Usuel.

tannant, adj.:
Ennuyeux, agaçant: “Qu’est-ce qu’il est tannant, ce gamin!”
Rem.: Signalé par *Rob. 89* avec la mention “familier” et *TLF* avec la mention “vieilli, régional (Québec)”. *Cf. haïant 3, nice 1.*
Vitalité: Connu au-dessus de 60 ans, peu attesté au-dessous.

tant, en loc.:
1. Loc. adv.: *Tant plus*: Davantage, d’autant plus: “Tu seras puni de dessert, on en aura tant plus.”
2. Loc. conj.: *Tant plus..., tant plus*: Plus..., plus: “Tant plus on lui en donne, tant plus il en veut”.
3. Loc. adv.: *Tant qu’et plus*: Beaucoup, à foison: “Cette année, on a des pommes tant qu’et plus”.
Rem.: **3.** Relevé par Z. et l’*ALLR* 163. **1.** Signalé par *Rob. 89* avec la mention “vieux”. **2.** Signalé par *Rob. 89* avec la mention “vieux ou régional”. *Cf.* **3.** *jamais (comme -), moult, tout plein.*
Vitalité: **1. 2.** Peu attesté au-dessus de 20 ans. **3.** Attesté au-dessus de 20 ans.

tape, n. f.:
Jeu consistant à se courir après et à se toucher: "On en a fait, des parties dans le jardin, on jouait à la tape, à la cachette* délivrante, on n'avait pas le temps de s'ennuyer".
Etym.: Déverbal de *taper.*
Vitalité: Attesté au-dessus de 40 ans.

taque, n. m.:
1. Plaque de fonte de la cheminée: "On avait une taque avec les armoiries de la Lorraine, datée de 1746".
2. Placard derrière la cheminée: "Dans la taque, on mettait les pots de lait pour faire monter la crème, ils étaient au chaud". On dit aussi *armoire à taque*.
Rem.: Relevé par Z. et l'*ALLR* 405 (voir aussi le commentaire de la carte pour le sens 2). **1.** Signalé par *Rob. 89* avec la mention "techn." et par *TLF*: "Dict. XIXe et XXe puis rég. Belgique".
Vitalité: **1.** Usuel au-dessus de 20 ans. **2.** Usuel au-dessus de 60 ans. *Armoire à taque* est attesté au-dessus de 60 ans.

tarie, adj.:
Qui ne donne plus de lait (en parlant d'une vache): "La noire est tarie".
Rem.: Relevé par Z. et l'*ALLR* 239. Régionalisme sémantique.
Vitalité: Attesté au-dessus de 20 ans.

tarte, n. f., en loc.:
1. *Tarte à la flamme*, loc. n. f.: Voir *flamcuche, Flamm(en)kuche.*
2. *Tarte à pomme*, loc. n. f.: Tarte aux pommes: "Je vous ai fait une tarte à pomme car je me doutais bien que vous passeriez me voir".
3. *Tarte au fromage*, loc. n. f.: Tarte sucrée faite à base de fromage blanc: "On aura une tarte au fromage, comme chaque fois qu'on va chez eux!".
4. *Tarte au m'gin, - mangin, - maugin*, loc. n. f.: Tarte au fromage blanc (voir 3): "Venez donc dimanche, on ne se cassera pas la tête pour le dîner*, une saucisse, une salade, une tarte au m'gin et ça ira bien".
5. *Tarte au sucre*, loc. n. f.: Gâteau rond à base de pâte levée largement saupoudrée de sucre: "La tarte au sucre est bonne, mais ça colle!"
6. *Tarte flambée*, loc. n. f.: Voir 1., autre nom de la *flamcuche.*
Rem.: **4. 5.** Relevé par Z. **5.** Signalé par *TLF* avec la mention "régional (Lorraine)". **1.** Voir Rézeau. *Cf.* **1. 6.** *flamcuche, galette à la flamme.* **2.** *galette, quiche.* **2. 3. 4.** *galette.* **5.** *suckokuchen.*
Etym.: **4.** *m'gin, mangin, maugin* sont probablement des variantes de *migaine*, d'origine inconnue selon *FEW*, peut-être à rattacher au gaul. **mesigus* "petit-lait" (voir *migaine*).
Vitalité: **1.** Connu au-dessus de 20 ans. **2.** Attesté au-dessus de 20 ans. **3.** Usuel. **4.** Peu attesté au-dessus de 60 ans. **5. 6.** Usuel.

taudis (vieux -), loc. n. m.:
Vieille bête, pris au sens métaphorique, insulte atténuée, le plus souvent à valeur amicale: "Elle a épousé un vieux taudis". "Quand nous allions la voir, elle nous traitait de vieux taudis".
Vitalité: Bien connu.

taugnat, taugnard, teignat, adj. et n. m.:
1. (Personne) désagréable, têtue, boudeuse et bougonne: "Quel taugnat, on n'en tirera rien".

2. Paresseux : “Avec un tel taugnat, il n’est pas aidé”.
Rem. : **1.** Relevé par Z. L’*ALLR* 502 “(le) mauvais laboureur” relève *tougnat* et la carte 890 “têtu” enregistre *tôneuy. Cf.* **1.** *cabochon, heursu, hans (tête de -), holz 1, holzkopf 1, chpountz (tête de -), ânichon 2* (annexe) et *chougnat, étrange 2, malgracieux.* **2.** *schlapchantz, truand.*
Etym. : *FEW* classe ce mot sous le latin *tornare* “tourner”, mais aussi dans les mots d’origine inconnue.
Vitalité : **1.** Connu. **2.** Bien connu au-dessus de 20 ans. La variante *tougnat* est attestée au-dessus de 20 ans.

taugnée, n. f. :
Correction : “Il lui a foutu une de ces taugnées, il a dû le sentir passer”.
Rem. : Relevé par Z. (*tougnaye*) et l’*ALLR* 869.
Etym. : Voir *taugnat.*
Vitalité : Bien connu.

taugner, v. tr.
Battre : “Il a taugné son copain et il a été puni”.
Rem. : Relevé par Z. (*tougneu*).
Etym. : Voir *taugnat.*
Vitalité : Bien connu.

tèlè, n. m. :
Poste de télévision : “Le tèlè ne marche plus”.
Rem. : Walter 98 signale *télé*, n. m. dans les Ardennes.
Vitalité : Connu au-dessus de 40 ans > attesté > inconnu.

temps, n. m. :
1. Dans la loc. prép. : *(Une heure) de temps* : Pendant (une heure) : “Il a parlé au moins deux heures de temps”.
2. Dans la loc. adv. : *Passé un temps* ou *fut un temps* : A une certaine époque : “Passé un temps, on le voyait souvent chez nous”. “Fut un temps, il venait nous voir tous les samedis”.
3. Dans la loc. adv. : *Dans le temps, dans les temps* : Autrefois : “Dans le(s) temps, on s’amusait mieux qu’aujourd’hui”.
4. Dans la loc. adv. : *Du temps-là* : A cette époque : “Du temps-là, je ne le connaissais encore pas, je ne pouvais pas savoir”.
5. Dans la loc. conj. : *Du temps que* : Pendant que : “Du temps que tu seras parti, je laverai le carrelage”.
Rem. : **1.** Signalé par *TLF* sans mention. **3.** Au s., signalé par *Rob. 89* sans mention et *TLF* avec la mention “vieilli”. **5.** Signalé par *Rob. 89* avec la mention “vieilli, archaïque”. *Cf.* **3.** *autrefois (les), aute(s) de fois (l’; les).*
Vitalité : **1.** Connu. **2.** Bien connu. **3.** Au s. : Usuel. Au pl. : Bien connu au-dessus de 60 ans > connu > attesté. **4.** Connu au-dessus de 20 ans. **5.** Bien connu.

tenir propre, loc. v. tr. :
1. Bien tenir, bien entretenir (la maison) : “Elle tient propre sa maison, il n’y a pas un grain de poussière”.
2. Bien habiller et élever ses enfants : “Elle a cinq enfants, elle n’est pas riche, mais elle les tient propres”.
Vitalité : Bien connu.

tepin, n. m. :
Pot de grès : “Les tepins servaient à conserver la crème”.
Rem. : Relevé par Z. et l’*ALLR* 428 dans une aire messine. *Rob. 89* signale *toupin* avec la mention

"rég."; *TLF* avec la mention "rég. (notamment Provence)" et en rem. *toupi* "(Limousin, Sud-Ouest)". *Cf. beuchté 1, bock, pot de camp 1, toté, verrine.*
Etym.: Du germ. **toppin* "pot".
Vitalité: Attesté au-dessus de 60 ans > peu attesté > inconnu.

terre (grasse -), loc. n. f.:
Argile: "Par ici, c'est de la grasse terre, c'est dur à travailler".
Rem.: Relevé par l'*ALLR* 58.
Vitalité: Connu au-dessus de 60 ans, peu attesté au-dessous.

tête de holz, loc. n. f.: Voir *holz.*

tête de chpountz, loc. n. f.: Voir *chpountz.*

tétrelle, n. f.:
1. Crécelle: "A partir du vendredi saint, les tétrelles remplacent les cloches".
2. Bavarde: "Quelle tétrelle, celle-là, tais-toi donc cinq minutes!"
Rem.: Relevé par Z. sous les formes *tertele, tretele* et par l'*ALLR* 967. *Cf.* **1.** *clap-clap, trétrelle, toque-marteau* (annexe). **2.** *bâbette 1, bégueule, câcatte, couariousse, couariatte* (annexe), *mille-gueule* (annexe).
Etym.: Formé sur la base onomatopéique *tar-*.
Vitalité: **1.** Connu au-dessus de 60 ans > peu attesté > inconnu. **2.** Attesté au-dessus de 60 ans > peu attesté > inconnu. La variante *trétrelle* est usuelle au-dessus de 60 ans > attestée > inconnue.

tétrelleur, tétrellou, n. m.:
Enfant qui quête avec sa crécelle: "Les tétrelleurs sont passés".
Rem.: *Cf. crécelleur.*
Etym.: Dér. de *tétrelle.*
Vitalité: Connu au-dessus de 60 ans.

tette, n. f.:
Sucette de bébé en caoutchouc: "S'il pleure, tu lui donnes sa tette, il se calme tout de suite".
Rem.: Relevé par l'*ALLR* 858. Variante sémantique du français commun. *Cf. bout 1, loutche, tossatte 3, tosse, tossotte 3, totosse.*
Vitalité: Attesté au-dessus de 60 ans, peu attesté au-dessous.

thé noir, n. m.:
Thé (par opposition à *thé* "tisane"): "Vous voulez du thé ou du thé noir?"
Rem.: Calque de l'allemand *schwarzer Tee* "thé", par opposition à *Tee* "tisane". Le français commun emploie aussi *thé* au sens général "tisane, infusion" (*cf. Rob. 89*).
Vitalité: Attesté au-dessus de 20 ans.

tickser, tiquer, v. tr. et i.:
Toucher le but, aux billes: "Il sait tickser, lui, on est sûr de perdre".
Rem.: Z. relève *tiquer* "piquer".
Etym.: *Tickser* est une adaptation du patois mosellan germ. *ticksen*, de même sens. De formation onomatopéique, *tiquer* peut être rapproché de l'allemand *ticken* "faire tic tac".
Vitalité: Usuel.

tique, n. m.:
Tique (parasite): "Mon chien a encore ramassé un tique".
Rem.: Relevé par l'*ALLR* 1248. *Cf. pou de bois.*
Vitalité: Bien connu.

tique (jouer à la -), loc. v.:
Jouer aux billes, selon des règles particulières: "On va jouer à la tique, on ne peut pas faire de trou, ici".
Rem.: *Cf. ligne, mam's, toquette* (annexe).
Vitalité: Attesté au-dessus de 60 ans, peu attesté au-dessous.

tirer, v.:
1. V. tr.: Arracher (les pommes de terre) : "Je vais commencer à tirer les patates la semaine prochaine".
2. Dans la loc. v. tr.: *Tirer les vaches*: Traire les vaches: "Il faut compter une heure tous les matins et tous les soirs pour tirer les vaches".
3. Loc. v.: *Tirer après qqn.*: Ressembler à qqn.: "Il tire après son père, ce gamin".
4. V. impers.: *Ça tire*: Il y a un courant d'air: "Ferme la porte, ça tire".
Rem.: **2.** Relevé par l'*ALLR* 644. **2.** Signalé par *Rob. 89* avec la mention "dialectal" et *TLF* avec la mention "régional ou vieilli". **3.** Signalé par *Rob. 89* avec la mention "régional (Belgique) ou vieux." **4.** Signalé par *Rob. 89* avec la mention "régional (Belgique)" et *TLF* avec la mention "régional (Belgique, Est de la France)". *Cf.* **1.** *arracher à (aux).* **3.** *ressembler, retirer 1, 2.*
Vitalité: **1.** Peu attesté au-dessus de 20 ans. **2.** Connu au-dessus de 40 ans. **3.** Attesté. **4.** Connu.

tirette, n. f.:
1. Fermeture à glissière: "La tirette de ma jupe est cassée".
2. Loc. n. : *Tirette Eclair*: Fermeture Eclair: "J'ai racheté une tirette Eclair pour la braillotte* de son pantalon".
Rem.: Signalé par *Rob. 89* avec la mention "rég. (Belgique)" et *TLF* avec la mention "rég. (notamment Belgique et Nord-Est de la France)".
Vitalité: 1. Usuel. 2. Bien connu.

toc, n. m.:
1. Souche: "La parcelle a été coupée, on ne voit plus que les tocs".
2. Grosse bûche: "Mets un toc dans la cheminée, ça durera plus longtemps".
3. Reste de plume: "Brûle le canard, il reste des tocs".
4. Trognon (de légume): "Je donne le toc du chou aux lapins".
5. Grosse bille: "Il m'a gagné tous mes tocs".
Rem.: Relevé par Z., *taque*, n. m. et f. (sens 1 à 4) et l'*ALLR* 131 (sens 1), 411, 623 (sens 2), 107 (sens 4). *Cf.* **2.** *bûche de bois.* **4.** *nâchon 1.* **5.** *baks, biscaïen 1, chique.*
Etym.: Du germ. **stok* "souche".
Vitalité: **1.** Bien connu au-dessus de 60 ans > connu > inconnu. **2.** Connu au-dessus de 40 ans. **3.** Connu au-dessus de 60 ans > attesté > inconnu. **4.** Bien connu au-dessus de 60 ans > connu > attesté > inconnu. **5.** Attesté au-dessus de 60 ans > peu attesté > inconnu.

tomate, n. f.:
Nom populaire de la fraise de Woippy (variété: madame Moutot): "Quand c'est la saison des tomates, il ne faut pas compter nous voir".
Rem.: Fraise remarquable par sa grosseur. *Cf. belle de Woippy.*
Vitalité: Attesté au-dessus de 40 ans.

tomber, v.:
1. V. tr.: Faire tomber, laisser tomber qqch.: "J'ai tombé une assiette, mais elle ne s'est pas cassée".

2. Dans la loc. impers. : *Ça tombe comme à Gravelotte* : Il pleut à verse (ou “il neige”, ou “il grêle” très fort).
Rem. : **1.** Signalé par *Rob. 89* avec la mention “vieux ou régional” et *TLF* avec la mention “vieux”. **2.** Souvenir de la très violente bataille opposant Français et Prussiens, qui s’est déroulée du 16 au 18 août 1870 près de Gravelotte, commune située à quelques kilomètres à l’ouest de Metz (voir la carte). *Cf.* **1.** *échapper.*
Vitalité : **1.** Peu attesté. **2.** Usuel.

tonnerre, n. m. :
Foudre : “Le tonnerre est tombé sur le sapin de la place”.
Rem. : Relevé par l’*ALLR* 28. Signalé par *Rob. 89* avec la mention “vieux ou littéraire” et *TLF* avec la mention “vieilli”.
Vitalité : Attesté.

tontiche, n. f. :
1. Poupée de chiffon : “Prends ta tontiche, elle traîne toujours partout”.
2. Femme laide, malpropre ou sans caractère : “Il a fini par prendre cette tontiche, par dépit, et parce qu’il avait déjà quarante ans”.
Rem. : Relevé par Z. comme hypocoristique et par l’*ALLR* 885. *Cf.* **1.** *catiche, fanchon, gueniche, guenon, chonchon* (annexe).
Etym. : Diminutif d’*Antoinette.*
Vitalité : **1.** Attesté au-dessus de 60 ans. **2.** Attesté au-dessus de 60 ans, peu attesté au-dessous.

toquée, n. f. :
1. Pied ou touffe d’une plante : “J’ai une toquée de lavande, si vous en voulez, vous pouvez en prendre”.
2. Bouquet de feuilles de persil, au bout d’une tige : “Je mets une toquée de persil dans la cocotte, juste pour donner le goût”.
3. Plant de fraisier : “J’ai remplacé mes toquées l’année dernière”.
Rem. : Relevé par Z. (*taquaye*) dans les 3 sens et par l’*ALLR* 132 (sens 1). *Cf.* **1.** *troche* (annexe).
Etym. : Dér. du germ. **stok* “souche”.
Vitalité : **1.** Bien connu. **2. 3.** Connu au-dessus de 60 ans > attesté >> inconnu.

toquer, v. i. :
1. Frapper : “Si vous allez le voir, toquez fort, il est sourd”.
2. Emploi pr. : Se heurter : “Je me suis toqué à la chaise en passant, ça fait mal”.
Rem. : Relevé par Z. et l’*ALLR* 367. Signalé par *Rob. 89* au sens “frapper légèrement, discrètement” avec la mention “dial. ou fam.” et par *TLF* avec la mention “familier”. Le sens régional est plus fort.
Vitalité : Bien connu.

torche aux marrons, loc. n. f. :
Pâtisserie composée d’une meringue recouverte de vermicelles de crème de marron : “Tous les dimanches, elle vient s’acheter sa torche aux marrons”.
Etym. : Le nom vient peut-être de la forme de la meringue.
Vitalité : Attesté.

torchette, n. f. :
1. Petit torchon pour essuyer l’ardoise : “Passe-moi ta torchette, j’ai oublié la mienne à l’école”.
2. Manique de cuisinier : “Prends le plat avec la torchette, sinon, tu vas te brûler”.

Rem.: Signalé par *Rob. 89* au sens "petit torchon" avec la mention "vieux" et *TLF* (même sens) avec la mention "fam., vieilli". *Cf.* **1.** *patemouille.* **2.** *manette.*
Vitalité: **1.** Connu au-dessus de 60 ans > attesté > inconnu. **2.** Attesté au-dessus de 60 ans.

torchon de plancher, loc. n. m.:
Serpillière: "J'ai passé le torchon de plancher sur le carrelage, ne venez pas marcher dessus".
Rem.: Signalé par *Rob. 89* "Spécialt. (Belgique): Serpillière" et *TLF* avec la mention "régional (Lorraine)". *Cf. bâche, wassingue.*
Vitalité: Usuel.

torchonner, v. tr.:
Nettoyer, frotter avec un torchon: "J'ai torchonné toute la salle à manger ce matin, j'en ai assez".
Rem.: Signalé par *Rob. 89* avec la mention "vieux ou régional" et *TLF* avec la mention "vieux". *Cf. chpoutzer, chrouper, poutser.*
Vitalité: Connu au-dessus de 60 ans, peu attesté au-dessous.

toré, n. m.:
1. Taureau: "Il a un sacré toré, le voisin, heureusement qu'il est bien attaché!".
2. Sale gosse: "Ah! les* sâprés* torés-là, ils nous en font voir!"
3. Exclamation laudative ou péjorative: "Sacré toré, il n'en fera que des pareilles!"
Rem.: Relevé par Z. (sens 1 et 3) et par l'*ALLR* 222 (sens 1).
Etym.: Forme dialectale de *taureau.*
Vitalité: **1.** Attesté au-dessus de 60 ans > peu attesté > inconnu. **2. 3.** Connu au-dessus de 40 ans, peu attesté au-dessous.

tortue, n. f.:
Pain long de 50 cm, léger, qu'on coupe en rondelles dans la soupe: "Je voudrais deux tortues".
Rem.: Relevé par Z. (sous *tortowe*).
Etym.: Du lat. *torta* "sorte de pain".
Vitalité: Connu au-dessus de 60 ans > peu attesté > inconnu.

tossatte, n. f.: Voir *tossotte.*

tosse, n. f.:
Sucette en caoutchouc de bébé: "Donne-lui sa tosse, sinon, elle ne peut pas s'endormir".
Rem.: Relevé par l'*ALLR* 858. *Cf. bout 1, loutche, tette, tossatte 3, tossotte 3, totosse.*
Etym.: Du germ. **tittia* "mamelle".
Vitalité: Connu.

tosser, v. tr. et i.:
1. Téter: "Il tosse son biberon".
2. Sucer: "Arrête de tosser ton pouce".
3. Boire à l'excès "Il a pris l'habitude de tosser au régiment".
Rem.: **1.** Relevé par Z. et l'*ALLR* 236. *Cf.* **3.** *cheuler 2, tôper* (annexe).
Etym.: Dér. du germ. **tittia* "mamelle".
Vitalité: **1. 2.** Bien connu. **3.** Connu.

tosseur, n. m.:
Ivrogne: "Quel tosseur, celui-là, il faut que sa femme aille le chercher au bistrot tous les soirs".
Rem.: *Cf. cheulard 2, soûlon 1, hausse-godat* (annexe).

Etym. : Dérivé de *tosser.*
Vitalité : Usuel.

tossotte, tossatte, n. f. :
1. Tétine : “Dévisse la tossotte, il tire tant qu’il peut et rien ne sort”.
2. Biberon : “Dès qu’il voit sa tossotte, il rit”.
3. Sucette en caoutchouc de bébé : voir *tosse.*
Rem. : Relevé par Z. (sous *tossad*) et l’*ALLR* 858. *Cf.* **2.** *bout 2.* **3.** *bout 1, loutche, tette, tosse, totosse.*
Etym. : Dérivé dim. de *tosse.*
Vitalité : Connu au-dessus de 60 ans > attesté >> inconnu. *Tossatte* est un peu moins usité.

toté, totéye, n. m. :
Petit récipient creux, bol, pot, saladier : “J’ai trouvé un petit toté pour mettre tes crayons”. “J’ai fait un toté de mousse au chocolat et ça ne va pas suffire.”
Rem. : Relevé par Z. *Cf. beuchté 1, bock, pot de camp 1, tepin, verrine.*
Etym. : Peut-être dér. du lat. *testum* “pot de terre, récipient quelconque”.
Vitalité : Usuel au-dessus de 60 ans > peu attesté >> inconnu.

totosse, n. f. :
Sucette, voir *tossotte.*
Rem. : Relevé par l’*ALLR* 858. *Cf. bout 1, loutche, tette, tosse, tossatte 3, tossotte 3.*
Etym. : Formé sur *tosse* par redoublement.
Vitalité : Connu. La variante *tutusse* est peu attestée au-dessus de 40 ans.

touche, n. f. :
Aiguille : “La touche de l’horloge est cassée”.
Rem. : Relevé par Z.
Etym. : Formé sur la base onomatopéique *tokk-.*
Vitalité : Connu au-dessus de 60 ans > attesté > inconnu.

tougnat, adj. et n. m. :
Voir *taugnat.*

tougner, v. i. :
Bouder : “Depuis ce matin, il tougne, on ne sait même pas pourquoi”.
Rem. : Relevé par Z.
Etym. : Voir *taugnat.*
Vitalité : Peu attesté au-dessus de 40 ans.

touilles, n. f. pl. :
Eteules (ce qui reste des tiges des céréales dans un champ moissonné) : “Je n’aime pas marcher dans les touilles, ça pique”.
Rem. : Relevé par Z. et l’*ALLR* 584.
Etym. : Du lat. *stipula* “chaume”.
Vitalité : Peu attesté au-dessus de 40 ans.

tourdion (le grand -), n. m. :
Danse, synonyme de *branle* de Metz* : “A la fête de la ville, les gens dansaient toujours le grand tourdion”.
Etym. : Dér. du lat. *torquere* “tourner”.
Vitalité : Connu au-dessus de 60 ans > peu attesté >> inconnu.

tournée des rubans, loc. n. f. :
1. Groupe de jeunes gens d’un village chargé de la vente de rubans au profit de la fête patronale : “A l’occasion de la fête patronale, la traditionnelle tournée des rubans, composée d’une vingtaine de jeunes, a sillonné les rues du village”.

2. Vente de rubans par les adolescents de la commune pour la fête patronale: "Cette année, la tournée des rubans a rapporté pas mal d'argent".
Vitalité: Usuel au-dessus de 20 ans.

tourner, v. i.:
1. Pommer: "Les choux sont en train de tourner".
2. Dans la loc. v. : *Tourner mal*: Végéter, en parlant de plantations: "Les plants de choux ne grandissent pas, ils tournent mal".
3. Dans la loc. v. : *Tourner en mauvais mal*: S'infecter (en parlant d'une plaie): "Je me suis coupé et je n'ai pas pu désinfecter tout de suite, si bien que ça a tourné en mauvais mal et j'ai dû aller* au médecin".
Vitalité: **1.** Attesté au-dessus de 20 ans. **2.** Attesté. **3.** Peu attesté au-dessus de 40 ans.

tourniquet, n. m.:
Dans la loc. v. : *Donner le tourniquet*: Donner le tournis: "Arrêtez de gigoter sans arrêt, vous me donnez le tourniquet".
Rem.: L'*ALLR* 923 "éblouissement" enregistre *tournicotte.* Régionalisme sémantique. *Cf. tournisse 2.*
Vitalité: Connu.

tournisse 1, adj.:
Etourdi, assommé, mal fichu: "Rien que de regarder les manèges, je suis tournisse".
Rem.: Relevé par Z. *Cf. fiâche 2, flatche, débiscaillé.*
Etym.: Dér. du lat. *tornare* "tourner".
Vitalité: Usuel.

tournisse 2, n. f.:
Vertige: "Depuis une semaine, quand je me lève, j'ai la tournisse".
Rem.: Relevé par l'*ALLR* 923 "éblouissement". *Cf. tourniquet.*
Etym.: Voir *tournisse 1.*
Vitalité: Bien connu.

tout plein, loc. adv.:
1. Plein: "Il a du vin tout plein sa cave". "Il a tout plein d'argent et il pleure tout le temps".
2. Beaucoup: "Merci tout plein".
Rem.: Relevé par Z. et l'*ALLR* 163. **2.** Signalé par *Rob. 89*, mais l'emploi est limité surtout à "*gentil, mignon,* etc., emploi hypocoristique". *Cf. jamais (comme -), moult, tant qu'et plus.*
Vitalité: Bien connu.

trait, n. m.:
Tranche de pain coupée pour arrondir le kilo: "Encore un trait et ce sera bon".
Rem.: *Cf. pardessus.*
Etym.: Du lat. *tractus* "trait".
Vitalité: Peu attesté au-dessus de 40 ans.

traiter, v. tr.:
Insulter: "Monsieur! il n'arrête pas de me traiter".
Rem.: Régionalisme grammatical, employé essentiellement par les jeunes. *Cf. appeler des noms.*
Vitalité: Attesté au-dessus de 60 ans > bien connu >> usuel.

trangner, tragner, v. i.:
S'étrangler, s'étouffer: "En mangeant une pomme, il a trangné".
Rem.: Relevé par Z. *Cf. trangnou* (annexe).
Etym.: Du lat. *strangulare* "étrangler".
Vitalité: Connu.

trempé-mouillé, loc. adj. :
Trempé (de pluie, de sueur) : "On a fait tout le chemin sous la pluie, on est arrivé trempé-mouillé". "J'ai ramassé les groseilles sous le soleil, quand j'avais fini, j'étais trempé-mouillé".
Rem. : *Cf. canardé, nassgeschwitz, fraîche* (annexe).
Vitalité : Usuel.

trempée, n. f. :
Averse courte et forte : "Dépêchez-vous de rentrer, sinon, vous allez prendre la trempée en route".
Rem. : Relevé par Z. (*trempaye*). *Cf. calende, châouée 1, gaouée, haouée, holée, rosée 2, trellée* (annexe).
Vitalité : Attesté au-dessus de 20 ans.

trempette, n. f. :
Mouillette : "Tu veux du beurre sur tes trempettes ?"
Rem. : Relevé par Z. Signalé par *Rob. 89* avec la mention "vieux ou régional" et *TLF* avec la mention "fam. vieilli". *Cf. mouillatte* (annexe).
Vitalité : Attesté.

trentaine, n. f. :
Service religieux célébré trente jours après la mort d'une personne : "Demain, c'est la trentaine de ma tante".
Rem. : *Cf. quarantaine.*
Vitalité : Usuel au-dessus de 20 ans.

trépeler, v. tr. : Voir *tripeler*.

tresse, n. f. :
Brioche tressée (individuelle ou non) : "J'ai fait une tresse pour le café-clatche*".
Rem. : Signalé par *TLF* : "Gastr. Pâtisserie faite de trois lanières de pâte entrecroisées".
Vitalité : Usuel.

trétrelle, n. f. : Voir *tétrelle*.

treuzé, trézé, trézeau, n. m., **treuzée**, n. f. :
Tas de gerbes de céréales : "On mettait toujours une gerbe sur le treuzé pour protéger de la pluie".
Rem. : Relevé par Z. et l'*ALLR* 581.
Etym. : Dér. du lat. *tredecim* "treize".
Vitalité : *Treuzé, trézé, treuzée* : Attesté au-dessus de 60 ans > peu attesté > inconnu. *Trézeau* : Attesté au-dessus de 60 ans.

tricatte, n. f. :
Jarretière : "Il n'y a plus guère que les mariées qui portent des tricattes !"
Rem. : Relevé par Z. et l'*ALLR* 785.
Etym. : Dér. du germ. **strikan* "caresser, frotter, enduire".
Vitalité : Peu attesté au-dessus de 40 ans.

trifouillée, n. f. :
Correction : "Une fois, son gamin lui a manqué de respect, elle lui a foutu* une de ces trifouillées, il doit s'en souvenir !"
Rem. : *Cf. coïllée, raousse, rouffe, rouste, schlague 1, tripatouillée, trépignée* (annexe).
Etym. : Croisement de *tripoter* et *fouiller.*
Vitalité : Connu au-dessus de 40 ans, attesté au-dessous.

trimazo, n. m. :
1. Fête des mais : "Les jeunes sont partis au trimazo".

2. Jeune fille chantant le mai : “Les trimazos sont passés”.
3. Chant, danse à l’occasion du premier mai : “On chantait le trimazo et les gens nous donnaient des œufs, des gâteaux, encore* de l’argent”.
4. Rameau posé le 1er mai sur la maison des jeunes filles : “Chacun s’arrangeait pour mettre un trimazo sur la porte de la fille qu’il aimait”.
Rem. : Relevé par Z. Le sens 3 est un peu plus vivant car, parfois, on apprend encore ces chants à l’école.
Etym. : Formé sur le lat. *maius* “mai” (mois). *Tri-* est une base fréquente dans les chants et danses (triolet, tricotets…), *z* proviendrait peut-être de l’influence du lat. *mansus* > *mé* “jardin” en patois mosellan (*cf.* le patois mosellan *mézo* “petit jardin”).
Vitalité : **1. 2. 4.** Connu au-dessus de 60 ans. **3.** Connu au-dessus de 60 ans > peu attesté > inconnu.

trincer, v. tr. :
Gicler, envoyer de l’eau avec une seringue : “Arrête de me trincer de l’eau dans la figure”.
Rem. : Relevé par Z. *Cf. chtrisser, chtrincer, spritzer, trisser.*
Etym. : Formé sur l’allemand (et le patois mosellan germ.) *stritzen* “éclabousser, vaporiser”.
Vitalité : Bien connu au-dessus de 60 ans > connu > peu attesté.

trincette, n. f. :
Seringue (jouet d’enfant confectionné avec du sureau) : “Mon frère savait bien faire les trincettes”.
Rem. : Z. note *trinsiate, trinsiote* “jet, éclaboussure”. Relevé par l’*ALLR* 1240. *Cf. trissette 1.*
Etym. : Dérivé de *trincer.*
Vitalité : Connu au-dessus de 60 ans.

tringuel, tringuelte, trinkgeld, n. m. : [trinkgèlt] pour la dernière graphie.
Pourboire : “Je lui ai donné un bon tringuel”.
Rem. : Relevé par Z. *Cf. guelte.*
Etym. : Allemand et patois mosellan germ. *Trinkgeld*, de même sens.
Vitalité : Bien connu. *trinkgeld* (même prononciation que l’allemand) est un peu moins usité. *Chtringuelt* est attesté.

tringuelle, n. f. :
Etrennes : “Ma grand-mère m’a donné ma tringuelle pour nouvel an”.
Rem. : Variante sémantique et grammaticale de *tringuel.*
Etym. : voir *tringuel.*
Vitalité : Connu.

tripatouillée, n. f. :
Correction : “Il a pris une bonne tripatouillée, je pense qu’il ne recommencera pas de sitôt !”
Rem. : *Cf. coïllée, raousse, rouffe, rouste, schlague 1, trifouillée, trépignée* (annexe).
Etym. : Du fr. *tripatouiller*, variante de *tripoter* croisé avec *pat(r)ouiller* “patauger”.
Vitalité : Usuel au-dessus de 20 ans.

tripeler, tripler, trépeler, v. tr. et i. :
1. Piétiner (l’herbe) : “Il ne faut pas tripeler l’herbe comme ça, on ne pourra plus faucher”.
2. Bouger constamment : “Arrête donc de tripeler, tu me donnes la tournisse*”.
Rem. : Relevé par Z. (sens 1) et l’*ALLR* 517, 546 (sens 1) et 233 “(la vache) danse”.

Etym. : Dér. du germ. **trippon* "bondir, sauter".
Vitalité : Connu au-dessus de 60 ans.

tripoter, v. i. :
Mélanger, remuer des choses plus ou moins propres : "Arrête de tripoter avec de la terre, tu vas être plein de boue".
Rem. : Relevé par Z. et l'*ALLR* 34 "on enfonce (dans la boue)". Régionalisme grammatical. *Cf. bourreauder 2, débattre, graouiller 2, raouenner.*
Vitalité : Connu.

trisser, v. tr. :
Eclabousser : "Quand la voiture est passée, j'étais juste à côté de la flaque d'eau. Ça n'a pas manqué, elle m'a trissé de la boue sur mon beau costume".
Rem. : Régionalisme sémantique. *Cf. chtrincer, chtrisser, trincer.*
Vitalité : Attesté.

trissette, n. f. :
1. Seringue permettant de projeter de l'eau (jeu d'enfant) : "Il a fait une trissette et il n'arrête pas de m'arroser".
2. Sexe du petit garçon : "Arrête de te tripoter la trissette pendant que je te débarbouille".
Rem. : **1.** Relevé par l'*ALLR* 1240. *Cf.* **1.** *trincette.* **2.** *spatz 4, kéne* (annexe).
Etym. : Dérivé de *trisser.*
Vitalité : **1.** Attesté au-dessus de 60 ans, peu attesté au-dessous. **2.** Peu attesté.

trogne (faire la -), loc. v. :
Bouder, prendre un air renfrogné : "Arrête de faire la trogne et dis ce qui ne va pas".
Rem. : *Rob. 89* signale *trogne* au sens "visage grotesque ou plaisant, et, spécialement, figure rubiconde d'un gros mangeur, d'un buveur". *Cf. breutche, pote, poute 2, preutche, tougner, troutche.*
Vitalité : Bien connu.

trois-pieds, n. m. :
Trépied : "On mettait la cuve de vendange sur le trois-pieds".
Rem. : Relevé par Z. Signalé par *TLF* comme "synonyme vieux de *trépied*".
Vitalité : Attesté au-dessus de 60 ans, peu attesté au-dessous.

trôler, v. i. :
1. Traîner, ne rien faire, s'occuper à des riens : "Il ne travaille plus depuis longtemps, il passe son temps à trôler".
2. Courir les filles : "Il ne fait que trôler du matin au soir".
Rem. : **1.** Relevé par Z. et l'*ALLR* 1230. **1.** Signalé par *Rob. 89* avec la mention "vieux ou régional". *Cf.* **1.** *breseuiller 1, broiller, mamailler 1, bassoter 2* (annexe), *boutiquer* (annexe). **2.** *chnâiller 2, râou (aller à la -), râouer 2, rôiller, trôyer.*
Etym. : Du lat. **tragulare* "suivre le gibier à la trace".
Vitalité : Attesté au-dessus de 60 ans, peu attesté au-dessous.

tron, n. m. :
Excrément (d'insecte) : "Ma toile cirée est pleine de trons de mouches".
Rem. : Relevé par Z. ("excréments de toutes sortes, restes, etc.") et l'*ALLR* 201 "(la) chiure (de mouche)".
Etym. : Du germ. **strunt* "matière fécale".
Vitalité : Connu au-dessus de 60 ans > attesté >> inconnu.

troutche (faire la -), loc. v. :
Bouder, faire la tête : "D'accord, tu n'as pas réussi ta compétition de natation, mais ce n'est pas une raison pour faire la troutche".
Rem. : *Cf. breutche, pote 2, poute 2, preutche, tougner, trogne.*
Etym. : De l'allemand *Trotz* "bravade, indocilité, obstination" (en allemand, *Trotzkopf* signifie "mauvaise tête").
Vitalité : Connu.

trôyer, v. i. :
Voir *trôler* (sens 1 et 2).
Rem. : Relevé par l'*ALLR* 1230. *Cf.* **1.** *breseuiller 1, broiller, mamailler 1, bassoter 2* (annexe), *boutiquer* (annexe). **2.** *chnâiller 2, râou (aller à la -), râouer 2, rôiller.*
Etym. : Dér. du lat. *torculum* "pressoir".
Vitalité : Connu au-dessus de 40 ans > attesté > inconnu.

truand, adj. et n. m. :
Paresseux : "Ah, quel truand, celui-là, s'il peut faire faire le travail par les autres, il ne s'en prive pas !"
Rem. : Relevé par Z. (*trouwand*) et l'*ALLR* 893. Régionalisme sémantique. *Cf. schlapchantz, taugnat 2.*
Vitalité : Attesté au-dessus de 40 ans.

tue-chien, n. m. :
1. Repas marquant la fin de gros travaux : "Pour le tue-chien, on a invité les voisins qui nous ont aidés".
2. Par ext. : Repas champêtre, pique-nique : "Tous les ans, on fait un tue-chien avec la famille, au mois d'août".
Rem. : Relevé par Z.
Vitalité : **1.** Attesté au-dessus de 60 ans. **2.** Peu attesté au-dessus de 60 ans.

tue-cochon, n. m. :
Repas servi lors du tuage du cochon (soupe faite avec l'eau qui a servi à cuire les boudins, boudin, cochonaille) : "Vous resterez bien là pour le tue-cochon, quand même".
Rem. : *Cf. fête du cochon, grillade 2.*
Vitalité : Attesté au-dessus de 20 ans.

tuer le chien, loc. v. :
1. Terminer de gros travaux agricoles : "Ça y est, la moisson est finie, on a tué le chien hier".
2. Faire une fête à l'occasion de la fin de gros travaux : "On va inviter ceux qui nous ont aidés pour tuer le chien".
Rem. : Relevé par Z.
Vitalité : Peu attesté au-dessus de 60 ans.

tutusse, n. f. : Voir *totosse.*

typique, adv. :
Exactement, tout à fait : "C'est typique lui, ça !"
Rem. : Emploi adv. de l'adj. du fr. commun, favorisé par une forme régionale de l'est, phonétiquement proche : *tout pique*, de même sens (relevée par *FEW* sous **pikkare*).
Vitalité : Attesté au-dessus de 60 ans, peu attesté au-dessous.

U

Ugène, Ugénie, n. propre:
Eugène, Eugénie:
"C'est notre* Ugène qui rentre du travail".
Rem.: Régionalisme phonétique qui affecte d'autres mots à même phonème vocalique initial.
Vitalité: Usuel au-dessus de 60 ans > attesté > inconnu.

usoir, n. m.:
Espace situé entre la route et les maisons, dans le village lorrain traditionnel: "Aujourd'hui, les gens ont racheté les usoirs et les ont transformés en jardins".
Etym.: Du lat. *usuarius* "usufruitier".
Vitalité: Bien connu au-dessus de 60 ans > attesté > inconnu.

V

vadrouiller, v. i. :
Patauger dans l'eau, dans la boue : "Ne vadrouille pas dans ces flaques d'eau, tu vas être tout sale".
Etym. : Sous *vadrouiller*, *Rob. 89* note en rubrique étym. : "peut-être doublet de *gadrouiller* "patauger". On relève dans *FEW* : *gadrouiller* "patauger dans la boue", issu du germ. *drollen* "déféquer". Peut-être *vadrouiller* est-il né d'une hybridation avec *varouiller* "barboter, marcher salement dans la boue", issu du germ. **war* "eau, boue liquide".
Vitalité : Attesté au-dessus de 20 ans.

vaute, n. f. :
1. Crêpe : "Toutes les semaines, on avait des vautes".
2. Crêpe épaisse ou galette de farine ou de pomme de terre : "C'est bourratif, les vautes".
3. Clafoutis : "Quand c'était la saison, ma mère nous faisait une vaute aux cerises".
Rem. : **1.** Relevé par Z. et l'*ALLR* 680. *Cf. araignée 1, crêpé, fanecouhhe, pancoufe 2, râpé.*
Etym. : Dérivé du latin *vultum*, part. passé de *volvere* "tourner".
Vitalité : **1.** Attesté au-dessus de 60 ans. **2. 3.** Peu attesté au-dessus de 60 ans. La variante *voute* est peu attestée.

vayotte, n. f. :
Vache : "La vayotte a vêlé cette nuit".
Rem. : Relevé par Z. au sens "génisse". *Cf. bérègne.*
Etym. : Dim. f. formé sur *vitellus* "veau".
Vitalité : Peu attesté.

veau (faire -), loc. v. :
Vêler : "La vache va sûrement faire veau cette nuit".
Rem. : Relevé par l'*ALLR* 234. Régionalisme grammatical.
Vitalité : Bien connu au-dessus de 60 ans > connu > attesté > peu attesté.

vèche, n. f. :
Vache, dans l'interjection : *Oh, la vèche !* marquant la surprise, l'admiration : "Oh, la vèche ! cette fois, il a fait fort, il ne risque plus d'être rattrapé par les autres".
Rem. : Forme dialectale du fr. *vache*, conservée dans cette interj., peut-être pour introduire une sorte d'atténuation.
Vitalité : Peu attesté au-dessus de 40 ans.

venir, v. :
1. V. i. : Devenir : "Il vient grand, maintenant !" "Il fait pas bon venir vieux". "C'est qu'il vient savant, depuis qu'il va aux écoles*".
2. Loc. v. : *Venir avec* : Accompagner (qqn.) : "Je vais au cinéma, tu viens avec ?"
3. Loc. v. : *S'en venir* : Venir : "Le voilà qui s'en vient avec son chien".
4. Loc. v. : *Venir au monde* : Naître : "J'ai un nouveau petit fils ! Il est venu au monde samedi dernier".
Rem. : **1.** Relevé par l'*ALLR* 861 "(il a) bien grandi". **2.** Calque du v. allemand *mitkommen*, à particule séparable (*Kommst du mit ?*) **3.** Signalé par *Rob.*

89 avec la mention "vieux ou régional" et *TLF* avec la mention "vieilli ou rég.". **4.** Signalé sans mention par les dictionnaires, mais n'appartient pas, semble-t-il, au fr. commun. *Cf.* **1.** *chèvre (faire venir -).* **3.** *devenir 1.*
Vitalité : **1.** Connu au-dessus de 60 ans > peu attesté >> inconnu. **2.** Usuel. **3.** Connu au-dessus de 60 ans, attesté au-dessous. **4.** Usuel.

ventrer (se), v. pr. :
Se goinfrer : "Il s'est ventré au mariage de sa cousine !"
Rem. : Formé sur *ventre. Cf. cheuler, chiquer, daller 2, décrotter, fruchtiquer, ribote, gosser* (annexe), *tôper* (annexe).
Vitalité : Attesté.

vermine, n. f. :
1. Mauvaises herbes dans les jardins : "Mon jardin est infesté par la vermine. J'ai désherbé".
2. Animaux nuisibles au jardin (insectes, rats, taupes, etc.) : "La vermine a mangé mes carottes, il faut que je mette des pièges".
Rem. : Régionalisme sémantique, le mot désignant essentiellement les insectes parasites en fr. commun.
Vitalité : Connu.

verrine, n. f. :
Pot à confiture ou pour les conserves : "Prend une verrine de confiture de brimbelles* dans le placard". "On a fait trente verrines de haricots, je commence à en avoir assez".
Rem. : Signalé par *TLF* avec la mention "rég. (Franche-Comté, Lorraine)". Voir Litaize. *Cf. beuchté 1, bock, pot de camp 1, tepin, toté.*
Vitalité : Bien connu au-dessus de 20 ans.

veux-tu, excl. :
Ne fais pas cela, arrête (s'adresse à une personne qui fait qqch. qu'elle ne doit pas faire) : "Veux-tu ! lâche ce livre tout de suite et rends-le à ton frère".
Rem. : Signalé par *TLF* sans mention.
Vitalité : Bien connu.

viennoise, n. f. :
Saucisse de Strasbourg, voir *knack, motz.*
Rem. : *Rob. 89* signale *saucisse de Vienne,* sans précision.
Vitalité : Usuel.

vilain (faire -) :
1. Faire mauvais temps : "Ça fait huit jours qu'il fait vilain, on commence à en avoir assez".
2. Grogner, montrer son mécontentement : "Depuis qu'il est revenu ici, il fait vilain".
Rem. : **1.** Signalé par *TLF* avec une citation des Goncourt. *Cf.* **2.** *grôler, raminer 1, grimouler* (annexe).
Vitalité : Bien connu.

village, n. m. :
Hameau, écart d'une commune : "Il habite un village à 5 km de l'école communale et quand il était petit, il faisait le chemin à pied".
Rem. : Régionalisme sémantique en relation avec *bourg* (voir ce mot). Voir Rézeau.
Vitalité : Connu.

vingt bleus, vingt guettes, vingt rats (de vingt rats), interj. :
Juron atténué : "Vingt bleus qu'elle est belle !" "Vingt guettes ! il va bien finir par partir !" "Vingt rats (de vingt rats) est-ce que tu vas obéir ?"

Rem.: Z. relève *vingt bleus*. *Rob. 89* et *TLF* signalent *bleu*: "altération par euphémisme de Dieu" avec la mention "vieilli". *Rat* possède en fr. commun de nombreux sens péj. et entre dans la composition d'injures.
Etym.: *Guettes* est peut-être une altération du germ. *Gott* "dieu".
Vitalité: *Vingt bleus*: Bien connu. *Vingt guettes*: Attesté. *Vingt rats*: Usuel au-dessus de 20 ans.

vingte, adj. num.:
Vingt: "Nous étions vingte de la commune à partir, il n'y en a qu'un qui est revenu".
Rem.: Relevé par l'*ALLR* 1114. Exemple du maintien de la consonne finale, que les gens extérieurs à la Lorraine remarquent immédiatement (*cf. lasse, quante*).
Vitalité: Connu au-dessus de 20 ans.

vioule, n. f.:
Tout instrument bruyant (radio, machine, orgue de barbarie...): "Arrête ta vioule, tu nous assommes".
Rem.: Relevé par Z. : "se dit de tous les instruments de musique qui se jouent à l'aide d'une manivelle".
Etym.: De la base *vi-* (*cf. vielle, viole, violon*). *FEW* enregistre *vioule* "tout instrument de musique".
Vitalité: Connu au-dessus de 20 ans.

vis à vis, loc. prép.:
Envers: "Il s'est mal comporté vis à vis vous".
Rem.: Signalé par *Rob. 89*, en rem.: "En français du Canada, *vis-à-vis* se construit (comme en anglais où ce gallicisme est usuel) sans préposition. [...] Cet emploi est considéré comme fautif en France". *TLF* le signale avec la mention "vieilli, pop. régional (Canada)".
Vitalité: Connu.

voilette, n. f.:
Toilette, crépine servant à entourer certains morceaux de viande: "Je vous mets de la voilette autour de votre foie?"
Etym.: Emploi particulier du fr. *voilette* "petit voile pour les femmes" (dér. du lat. *velum* "voile, rideau"), attiré par *toilette* "crépine".
Vitalité: Connu au-dessus de 20 ans.

voir, adv.:
Employé avec un impératif, pour le renforcer: "Apporte-moi voir ton cahier de maths, que je voie ce que tu as fait". "Arrête voir cinq minutes de parler, tu me soûles!"
Rem.: Relevé par Z. Régionalisme de fréquence signalé par *Rob. 89* avec la mention "fam." et *TLF* avec la mention "fam. ou pop.".
Vitalité: Usuel.

voisiner avec, loc. v. i.:
Visiter, fréquenter ses voisins: "On voisine bien avec ceux de gauche, mais à droite, on se dit tout juste bonjour".
Rem.: Signalé par *Rob. 89* avec la mention "vieilli, régional ou littéraire" et *TLF* avec la mention "vieilli, littéraire".
Vitalité: Peu attesté.

volante, n. f.:
Petite salade: "La volante a mal supporté le froid, je crois bien qu'elle ne donnera rien".
Rem.: *Cf. pouillatte 3, pouillotte 3, roupf salade 1.*

Etym. : Emploi n. du part. présent au féminin de *voler* (lat. *volare*).
Vitalité : Bien connu au-dessus de 60 ans > peu attesté >> inconnu.

volette, n. f. :
1. Disque de vannerie pour déposer les tartes chaudes : "Mets la volette sur la fenêtre, la tarte refroidira plus vite".
2. Claie pour égoutter les boudins et faire sécher les pruneaux :
"Les volettes sont pleines de pruneaux".
Rem. : *Rob. 89* signale : "Techn. ou régional : **1.** Anciennement : petite claie où l'on épluchait la laine. **2.** Claie, éclisse, servant à égoutter les fromages".
Etym. : Dér. du lat. *volare* "voler".
Vitalité : **1.** Usuel au-dessus de 60 ans > attesté >> peu attesté. **2.** Connu au-dessus de 60 ans, peu attesté au-dessous.

vosgepatte, n. m. :
Vosgien (péj.) : "Encore un vosgepatte qui traîne sur la route, il fait un bouchon à lui tout seul".
Etym. : Formation plaisante composée de *Vosges* + *patte*.
Vitalité : Connu au-dessus de 60 ans > attesté >> inconnu.

votre + nom de personne, adj. poss. : Voir *notre*.

vouloir (+ infinitif), v. :
Employé au lieu d'*aller* comme auxiliaire d'aspect pour exprimer un futur proche et probable : "Il ne veut plus venir ce soir". "On dirait qu'il veut pleuvoir".
Rem. : Signalé par *Rob. 89* avec la mention "régional" et *TLF* avec la mention "vieilli ou régional".
Vitalité : Connu.

voute, n. f. : Voir *vaute*.

vrai (en -), loc. adv. :
Vraiment : "A force de faire le malade, il a fini par être malade en vrai".
Rem. : Signalé par *Rob. 89* avec la mention "vieux ou régional" et *TLF* sans mention.
Vitalité : Connu.

vroutcher, v. i. :
Déraper : "Elle a vroutché sur une plaque de verglas et elle s'est cassé la jambe".
Etym. : Formé à partir de l'allemand (usité en patois mosellan germ.) *rutschen* "glisser". Le *v* initial semble avoir une valeur onomatopéique.
Vitalité : Attesté.

W

wassingue, n. f. :
Serpillière : “J’ai donné un coup de wassingue dans le couloir, ne passez pas par là tant que ce n’est pas sec”.
Rem. : Signalé par *Rob. 89* avec la mention “régional (Nord de la France)” et *TLF* avec la mention “régional (Nord)”, le mot n’est pas d’origine lorraine, mais s’étend bien au-delà des limites du Nord (Voir Rézeau et Walter 88). *Cf. bâche, torchon de plancher.*
Vitalité : Connu au-dessus de 60 ans.

watz, n. m. :
Sanglier : “A l’affût, il y a un watz qui est passé à quinze mètres, mais je n’ai pas pu le tirer”.
Rem. : *Cf. célibataire, souillot 1.*
Etym. : Du patois mosellan germ. *Watz* “sanglier mâle, verrat”.
Vitalité : Usuel chez les chasseurs.

weg, geh weg, interj. : [vèk ; gévèk]
Va-t-en ! : “Allez weg ! Tu vois bien que tu gênes !” “Geh weg ! je te dis, je vais te rouler dessus”.
Etym. : Emprunt au patois germ. mosellan *weg, eweg* de même sens (*cf.* allemand *weg*, adv. “loin, parti, ôté”, *geh weg* : *geh* est l’impératif de *gehen* “aller, partir”).
Vitalité : Usuel.

winstub, n. f. : [vin¢tu : b]
Débit de vin, bar à vin : “Il y a une petite winstub au coin de la rue, il y est toute la journée”.
Rem. : On connaît aussi à Metz la *Bierstub* “bar à bière”, formé de la même manière.
Etym. : Emprunt non adapté à l’alsacien (et au patois mosellan germ.) de même sens (*Win* “vin” et *Stub* “pièce”, correspondant à l’allemand *Weinstube*, voir Rézeau).
Vitalité : Connu.

Y

y, pr. ou adv. :
Y, dans les loc. v. : *Je m'en vas-y, je m'en y va* : J'y vais
Rem. : L'ordre des pronoms est peut-être ici plus populaire que régional. La forme verbale est populaire ou rurale.
Vitalité : Attesté.

yeux bandés (jouer aux -), loc. v. :
Jouer à colin-maillard : "Qu'est-ce qu'on a rigolé quand on jouait aux yeux bandés !"
Vitalité : Attesté au-dessus de 40 ans, peu attesté au-dessous.

yo, interj. :
Oh ! (marquant la surprise) : "Yo, il a acheté sa nouvelle voiture !"
Etym. : Emprunt à l'alsacien de même sens.
Vitalité : Bien connu.

Z

zaubiotte, zaubette, n. f. :
1. Petite fille assez vive : “Quelle zaubiotte, celle-là, elle va bientôt commander, ici !”
2. Idiote : “C’est une zaubiotte, elle n’a rien dans la tête”.
Rem. : **2.** Relevé par Z. Pour *zaubette*, Z. note “Elisabeth (terme familier)”. *Cf.* **1.** *fanchette, pouillotte 2, meusniatte* (annexe). **2.** *dondaine, gaille 2, quetsche 2, socotte, zonzon.*
Etym. : Diminutif d’*Elisabeth.*
Vitalité : **1.** Bien connu. **2.** Peu attesté. La variante *zaubette* est connue au-dessus de 40 ans, peu attestée au-dessous.

zoguer, zoquer, v. tr. :
1. Assommer : “Je l’ai zogué avec un bâton”.
2. Tuer : “Je croyais que je l’avais zogué, ce rat, mais dès que je suis arrivé, il a filé”.
Rem. : Z. relève *zoker* “heurter, frapper”, comme l’*ALLR* 237 “(le veau) « bourre »”.
Etym. : Issu d’une base onomatopéique *sok-* évoquant un coup, un choc.
Vitalité : *Zoguer* : Peu attesté au-dessus de 40 ans. *Zoquer* : Peu attesté au sens 1.

zoné, adj. :
1. Ivre : “Il rentre zoné tous les dimanches soirs”.
2. Fou : “Il est zoné, celui-là, c’est pas possible”.
Rem. : Merle relève *zoner* : “traîner, errer (physiquement, psychiquement ou psychologiquement)”. *Cf.* **1.** *chtrak, mort-s-ivre* (annexe). **2.** *brindezingue 3, chtarb, évaltonné, haltata, neuneu.*
Etym. : Probablement issu de l’onomatopée *son-* évoquant le bourdonnement.
Vitalité : **1.** Attesté. **2.** Attesté au-dessus de 60 ans, peu attesté au-dessous.

zonzon, n. f. :
Femme un peu simplette : “C’est une zonzon, mais elle est très serviable”.
Rem. : Les dictionnaires mentionnent *zonzon*, n. m., au sens “bourdonnement”. Régionalisme grammatical et sémantique. *Cf. dondaine, gaille 2, quetsche 2, socotte, zaubiotte 2.*
Vitalité : Connu.

zou, interjection :
Vite : “Allez zou, au lit !”
Rem. : Relevé par *Rob. 89* avec la mention “régional (Sud de la France)” et *TLF* avec la mention “fam. (surtout Sud de la France)”.
Etym. : D’origine inconnue (*FEW*) ou onomatopéique (*Rob. 89*).
Vitalité : Bien connu.

ANNEXE

Ont été rassemblés dans cette partie les mots les moins vivants, en voie de disparition rapide, connus ou employés par moins de 15 % des personnes interrogées.

accouvisser (s'), v. pr. : s'accroupir.

accripoter (s'), v. pr. : s'accroupir.

ahoyer, v. tr. : habiller.

aître, n. m. : 1. cimetière. 2. fortin médiéval.

ânichon, n. m. : 1. ânon. 2. enfant têtu, qui ne veut rien apprendre.

apoloche, n. f. : fable, histoire.

aquéduc, n. m. : tuyau de drainage enterré en travers d'un chemin, d'une entrée de pré.

ardenne, n. f. : vent du nord-ouest.

asthme, adj. : asthmatique.

avision, n. f. : idée, fantaisie.

avortement, n. m. : brucellose.

bâ, n. m. : baiser.

babler, v. i. : bavarder.

baboche, bamboche, n. f. : pantoufle.

bâcher, v. tr. : passer la serpillière.

balouatte, n. f. : 1. charançon. 2. moucheron.

ban brisé, n. m. : jour où commence la vendange.

ban-ouâ, n. m. : garde champêtre.

banse, n. f. : corbeille ou panier à deux anses.

baoue d'eau, n. f. : flaque d'eau.

baquesser, boquesser, v. i. : boiter.

barbouillerie, n. f. : sottise, ineptie.

bassoter, v. i. : 1. massacrer un ouvrage. 2. s'occuper à des riens.

baugeatte, n. f. : corbeille ou panier à deux anses.

bècher, v. tr. et i. : 1. donner des coups de bec. 2. médire.

berdouiller, v. tr. : bredouiller.

berlafe, n. f. : gifle.

beurâ, adj. et n. m. : bélier.

beuté, baté, n. m. : petit lit d'enfant, glissé sous le lit des parents pendant le jour.

blanc manger, loc. n. m. : œufs à la neige.

blaude, n. f. : blouse.

bleuette, n. f. : bleuet, fleur.

bloce, n. f. : prune.

blouque, n. f. : boucle.

bodieu, n. m. : coffin.

bohnengriedel, bohnenkraut, n. m. : sarriette.

bolote, n. f. : pomme enroulée dans de la pâte et cuite au four.

bonbonne, n. f. : gobelet d'argent.

bondon, n. m. : 1. verge d'un animal. 2. nombril. 3. morceau de lard autour du nombril qui servait à graisser les scies.

boquè, -esse, adj. : boiteux.

boqueiller, v. i. : boiter.

boquillon, n. et adj. : boiteux.

borner, v. tr. : fixer (un plant) dans le sol (en tassant la terre autour).

boscot, adj. : boiteux.

bosè, n. m. : bouse.

bosotte, n. f. : crasse, saleté.

bouaille, n. f. : lessive.

bouillot, n. m. : ébullition de courte durée.

bouler 1, v. i. : s'effondrer.

bouler 2, v. tr : battre (l'eau) au moyen d'une perche.

bouquin, n. m. : chevreau.

bourguignette, n. f. : chevalet pour scier.

bourrée de feu, n. f. : flambée.

boutiquer, v. i. : bricoler, s'occuper à un petit travail.

boyatte, n. f. : bouillotte.

bracot, n. m. : gros bâton, gourdin.

brasseur, n. m. : voiturier de la brasserie.

brelotte, n. f. : cloche du beffroi, beffroi.

breuler, v. i. : beugler (en parlant du taureau).

bringue (mettre en -), loc. v. : casser, démantibuler, déchirer (en parlant de meubles, d'habits).

brisée, n. f. : trace dans la neige, passage fait dans la neige.

brûlée, n. f. : sorte de tarte.

brünsli, n. m. : biscuit de Noël, variété de bredele*.

buée, n. f. : lessive.

burchifele, n. m. : biscuit de Noël.

cabossé, n. m. : petit tas de foin ou de regain fait contre la pluie.

cache, coche, n. f. : truie.

caine, n. f. : petite fille.

câleux, n. m. pl. : terme du jeu de bille.

cambouler, 1. v. i. : s'effondrer. 2. v. tr. : renverser.

campousser, campouster, v. tr. : 1. pousser devant soi une troupe de bêtes (volailles, bovins, etc.). 2. chasser. 3. emploi pr. : se bousculer.

câqueler, v. i. : glousser (en parlant d'une poule).

carreau, n. m. : petit panier à ouvrage carré de la ménagère.

cassis, n. m. : ruisseau, fossé, caniveau.

cayatte, adj. : roux.

chambrette, n. f. : pièce du grenier qui sert de réserve pour les fruits ou autres provisions.

chaoutrer, v. tr. : châtrer.

chapeau (haut -), n. m. : chapeau haut de forme.

chassure, n. f. : mèche de fouet.

chauyotte (soupe à la -), n. f. : soupe faite avec l'eau de cuisson des nouilles et du lait.

chiche, adj. : ridé.

chleubeuleu, cheubeuleu, n. f. : grande fille dégingandée.

choffier, v. i : souffler.

chonchon, n. f. : poupée de chiffon.

clousser, v. i. : glousser.

cochon de saint Antoine, loc. n. m. : cloporte.

coco, n. m. : baiser.

cocotte, n. f. : pomme de pin.

codâquer, v. i. : glousser.

cofâille, n. f. : 1. cosse de pois. 2. coquille (d'œuf, de noix).

cofiotte, n. f. : cosse de pois, coquille (œuf, noix).

coquelle, n. f. : cocotte en fonte.

cornatte, n. f. : 1. bonnet de femme avec nœud. 2. gâteau de carême comportant de petites cornes.

corporé, adj. : bâti (en parlant d'un être humain).

couariatte, n. f. : bavarde.

coue, n. f. : pierre à aiguiser.

court-pendu, n. m. : variété de pomme rouge à queue courte.

coûtance, n. f. : dépense.

couvé, couvot, covat, n. m. : chaufferette.

couvi, couvisse, adj. : gâté pour avoir été couvé ou gardé trop longtemps (en parlant d'un œuf).

crafia, n. m. : mauvais travailleur.

crailler les yeux, loc. v. : écarquiller les yeux.

cramail, n. m. : crémaillère.

craoué, n. m. : terrain, champ.

crape, n. f. : mangeoire.

crapi, adj. : flétri, ridé, ratatiné (pommes, visage).

credo (dire son -), loc. v. : ronronner (en parlant du chat).

creuquate, n. f. petite cruche en faïence.

creuquegnon, n. m. : petite cruche qu'on emportait pour boire dans les champs.

cripotons (à -) loc. adv. : accroupi, à croupetons.

crochu, n. m. : rapineur, maraudeur.

croumi, adj. : fatigué.

croupsons (à -), creupsons (à -), loc. adv. : accroupi.

cueiller, v. tr. : cueillir.

cuir, n. m. : mauvais cheval ou mauvaise bête.

cuite (pain de -), loc. n. m. : pain de ménage.

cuvelle, n. f. : cuvette.

dâdée, n. f. : moquerie, ragots.

débiteur, n. m. : scieur, propriétaire d'une scierie.

décesser, v. i. : cesser, arrêter.

déchasser, v. tr. : chasser.

défendre, v. tr. : fendre.

défrandeuillé, défrandouillé, adj. : déguenillé, dépenaillé.

défrapouillé, adj. : déguenillé.

degrés, n. f. pl. : escalier.

demander le (+ nom d'animal mâle), loc. v. : être en chaleur.

déparler, v. i. : 1. cesser de parler. 2. divaguer, parler à tort et à travers.

desserrer, v. tr. : éclaircir un semis.

devant, prép. : avant.

digone, n. f. : couenne.

droit, n. m. : adret, versant exposé au soleil.

ébreuver, v. tr. : mouiller tonneaux, cuves et hottes pour les rendre étanches.

égoutter, régoutter, v. tr. : traire à fond.

embarras (faire son -), loc. v. : faire l'important.

embarrassée (être -), loc. v. : être enceinte.

enferlicoter (s'), v. pr. : s'emmêler.

enhotter, v. tr.: 1. embourber. 2. part. passé en emploi adj.: a) embourbé. b) embarrassé.

estomacs, n. m. pl.: poitrine féminine

faigne, n. f.: terrain humide, marécageux.

Failly (petit -), n. m.: fromage de chèvre.

fenasse, n. f.: 1. mélange de graines servant à l'ensemencement des prés. 2. fleur de foin. 3. sainfoin.

fer à choucroute, loc. n. m.: sorte de râpe à chou pour faire la choucroute.

feuche, adj.: sec.

feune, n. f.: fourche.

filoche, adj.: éfiloché, lâche.

fin (faire la -), loc. v. : détruire, abîmer.

fiouse, n. f.: 1. quiche lorraine. 2. tourte au fromage blanc.

flamme (être à la -), loc. v. : être cuit au four de boulanger.

fleurs de cimetière, n. f. pl.: taches de vieillesse sur la peau.

foncer, v. tr.: enfoncer.

fouillant, n. m.: 1. taupe. 2. taupinière.

fraîche, adj. f.: (vache) en lactation, après vêlage.

fraîche, adj. trempé.

frâler, v. t.: 1. casser, briser. 2. ébouler. 3. emploi pr.: se vautrer.

fressure (avoir une bonne -), loc. v. : avoir une bonne constitution. *N'avoir point de fressure*: être faible.

freuguion, feurgueuion, n. m.: râcloir, tisonnier.

frottée maigre, n. f.: tranche de pain frottée d'ail trempée dans l'eau salée.

frottée, frottée grasse, n. f.: tartine de lard garnie d'échalote finement coupée.

gamay, n. m.: petit vin sans saveur.

garenne, n. f.: mauvaise terre.

gâteau lorrain, loc. n. m.: gâteau fait à base de jaunes d'œufs, sucre, lait, beurre, farine, levure chimique et blancs en neige.

gossant, adj.: bourratif.

gosser, v. : 1. v. tr.: gaver. 2. emploi pr.: se gaver.

grapillonner, v. i.: fourrager.

gras temps, n. m.: mardi gras.

gratton, n. m.: capitule de la bardane.

gribouiller, v. tr.: tisonner.

grigner, v. tr.: 1. grincer. 2. biffer.

grignolet, n. m.: vin gris de la Moselle.

grilloter, v. i.: griller, frire.

grimouler, v. i.: grommeler, rouspéter.

grises (en faire voir des -), loc. v. : disputer (qqn.).

gueugne, n. f.: bosse.

guéyin, n. m.: fromage sec.

hâbloux, n. m.: mauvais ouvrier.

hâler, v. i.: tourner (en parlant de la viande).

handler, v. tr.: balayer.

harta, n. m.: 1. homme maladroit. 2. mauvais cultivateur. 3. mauvais payeur.

hartare, n. m.: tâcheron.

hatte, n. f.: hotte de femme.

hausse-godat, n. m. : ivrogne.

hotte à sapin, n. f. : hotte de vendangeur.

houé, n. m. : pioche, houe.

javelle de paille, loc. n. f. : brin de paille.

jocu, n. m. : perchoir (des poules).

kéne, n. f. : sexe masculin.

kèner, v. i. : faire l'amour.

kneton, n. m : capitule de la bardane.

knixe, n. f. : petite révérence.

kranz (brioche -), n. f., **kranzkuchen**, n. m. : brioche tressée ou en forme de couronne.

kratz, adj. : mort.

lacé, n. m. : lait.

lekerlis, n. m. pl. : biscuit de Noël.

liche 1, n. f. : boisson alcoolisée.

liche 2, n. f. : tranche de pain pour tremper la soupe.

lirette, n. f. : liqueur particulière aux villages de vignoble.

lorraine, n. f. : variété de pomme.

loue, n. f. : foire aux domestiques.

lousticou, lusticou, n. m. : loustic.

louxer, v. tr. : regarder.

manque, n. f. : maille rompue, défaut, accroc à un bas, à un ouvrage d'aiguille.

mars (faire le -), loc. v. : faire les semailles de printemps.

maton, n. m. : 1. lait caillé. 2. au pluriel : lait caillé mélangé avec des pommes de terre cuites à l'eau.

mêler, v. i. : changer de couleur, commencer à mûrir.

mercredi mâchuré, n. m. : mercredi des Cendres.

meusniatte, meusniotte, n. f. : 1. musaraigne. 2. petite fille curieuse.

mignot, n. et adj. : délicat, qui s'écoute sur sa santé, pleureur.

mignotise, n. f. : petit œillet.

mille-gueule, n. f. : bavarde.

morkleus, n. m. : quenelle de moelle*.

mort-s-ivre, adj. : ivre-mort.

mouillatte, moillatte, n. f. : 1. mouillette. 2. tranche de pain grillé trempé par les femmes dans le vin nouveau le jour de la vendange.

mousiner, v. impers. : bruiner.

mûnier, n. m. : meunier.

nâpiat, n. et adj. : (enfant) qui rechigne sur la nourriture.

nâpier, nâquier, v. tr. et i. : mâchonner.

neige (faire la -), loc. v. : être turbulent (en parlant d'un enfant).

neige du coucou, loc. n. f. : dernière neige.

nonotte, n. f. : épingle.

nouette, n. f. : petit nœud pour assembler deux objets, deux morceaux.

œil d'égu(i)esse, n. m. : cor au pied, œil de perdrix.

orage (faire l'-), loc. v. : 1. prendre la mouche (en parlant des bovins). 2. être turbulent (en parlant d'un enfant).

orage, n. m. : nuage.

oriquette, n. f. : gâteau triangulaire.

oublier (s'), v. pr. : ne pas se réveiller à temps.

paisseau, n. m. : échalas.

panier Woippy, loc. n. m. : panier à lamelles de bois.

parpaing, n. m. : pierre plate sur le lit d'une rivière.

pâtureau, n. m. : 1. petit berger. 2. personne qui parle grossièrement.

pauchons, paussons, n. m. pl. : chaussures.

paume, n. f. : épi de céréale.

peau de renard (faire une -), loc. v. : vomir.

pec, n. m. : 1. trace de coup sur la vaisselle ou tout objet en terre. 2. bosse sur la carrosserie d'une voiture.

peigne de loup, loc. n. m. : capitule de la bardane.

pesette, n. f. : petite balance faite par les enfants.

pet de prêtre, loc. n. m. : meringue.

pidoule, n. f. : toupie.

pigri, n. m. : tisonnier.

pistolet, n. m. : petit pain fendu.

pluie (faire la -), loc. v. : être turbulent (en parlant d'un enfant).

poche, n. f., **pochon**, n. m. : louche.

polonais, n. m. : cèpe de Bordeaux.

porte-balle, n. m. : portefaix.

poussates, n. f. pl. : épaisse bouillie faite de farine de gruau et de lait, servie au petit-déjeuner.

praticien, n. m. : juriste.

près pris (être -), loc. v. : être embarrassé, à court d'argent.

primevère, n. m. : primevère.

quart, n. m. : coin.

quatraine, n. f. : quantité de quatre objets de même nature.

quatre-sous, n. m. pl. : poitrine féminine.

queumrosse, n. f. : écumoire.

quiche, n. f. : flammèche, étincelle.

quichotter, v. i. : faire de la pâtisserie.

rabote, n. f. : pomme enroulée dans la pâte et cuite au four.

race (petite -, grosse -), n. f. : crus mosellans.

ragoton, n. m. : petit fruit, déchet, reste.

raimer, v. tr. : aimer.

ramolatte, n. f. : pierre à aiguiser.

rancuneur, rancuneux, adj. : rancunier.

râounard, n. et adj. : (celui) qui remue sans cesse, s'active à faire de petites besognes.

rasette, n. f. : binette.

rat, n. m., **rate**, n. f. : souris.

râyer, v. tr. : 1. écarquiller (les yeux). 2. lancer des regards furieux.

rebeller, v. tr. : contredire, désobéir.

règne, n. m. : épidémie, épizootie.

relever (les tuyaux), loc. v. tr. : faire une fouille pour réparer une conduite.

relever (la vigne), v. tr. : lier les nouvelles pousses de vigne aux échalas.

relouge, n. m. : horloge.

rempiétrer, v. tr. : refaire le pied d'un bas.

rendant-service, loc. adj. : serviable.

résépir, v. tr. : sécher, cuire trop longtemps, se racornir.

réserve, n. f. : garde-pain (coffre ou tiroir).

retoquer, v. tr. : recaler.

retourne (à la -), loc. adj. : cassé (en parlant d'un membre).

rêver doux, loc. v. : faire de beaux rêves.

rifle, riflette, n. f. : peigne à myrtilles.

roin, n. m. : ornière.

roncin, n. m. : cheval.

roulot, n. m. : pomme enveloppée dans de la pâte et cuite au four.

royatte, n. f. : ruelle.

sainte-mitouche, n. f. : personne hypocrite.

santif, adj. : bon pour la santé.

savoir (beau -), loc. n. m. : politesse.

schiffala, schiffelle, n. m. : épaule de porc.

schnabeler, v. i. : bavarder.

schnitz, n. m. : couteau.

schroupfer, v. i. : renifler, se moucher.

schwipse, n. f. : dans la loc. v. : *Avoir une schwipse* : être un peu ivre.

serment, n. m. : sarment.

signure, n. f. : signature.

sinsignotte, n. f. : becfigue (oiseau).

table (haute -), n. f. : table des plus âgés (dans un repas de mariage).

tailleur d'habit, n. m. : tailleur.

temps (faire le -), loc. v. : être turbulent (en parlant d'un enfant).

teufniard, adj. et n. : (celui) qui choisit dans son assiette.

tieuper, v. tr. : cracher.

tôper, v. i. : manger et boire à l'excès.

topique, n. m. : procès-verbal.

toque-marteau, n. m. : crécelle.

toquette (jouer à la -), loc. v. : jouer aux billes selon un schéma particulier.

tôt-fait, n. m. : morceau de pâte sur lequel on dispose des fruits ou fruit enrobé dans un morceau de pâte.

traire, v. i. : 1. donner du lait. 2. être facile à traire.

trangniou, adj. et n. : gourmand.

traverser, v. tr. : transvaser, soutirer.

trayatte, n. f. : 1. épuisette de pêcheur. 2. filet métallique immergé pour conserver vivantes les prises, à la pêche.

trellée, n. f. : averse.

treller, v. impers. : tomber abondamment (en parlant de pluie, de fruits qu'on récolte en secouant l'arbre).

trépignée, n. f. : correction, raclée.

trisse, n. f. : diarrhée.

troche, n. f. : touffe d'herbe.

trochée, n. f. : bouquet de plusieurs fruits au bout d'une même tige.

trôleur, n. m. : personne qui va et vient sans cesse.

trôleuse, n. f. : femme qui traîne dans les rues.

trou-borgne, n. m. : lieu où l'on conserve les pommes de terre.

venquion, n. m. : volet.

ventrier, n. m. : tablier.

ventrin, n. m. : petit tablier.

véret de beson, ouéret de beson, interj. ou juron laudatif ou péjoratif, suivant le contexte.

versaine, n. f. : jachère.

veusse, n. f. : mauvaise tête.

vider les vaches, loc. v. : nettoyer l'étable.

ville (à la -), loc. adv. : à la maison.

vin de goutte, loc. n. m. : vin de bonne qualité soutiré après la première fermentation.

vin de mirabelle, loc. n. m. : vin additionné de jus de mirabelles qu'on laisse fermenter.

voir (+ infinitif), loc. v. : voir suffisamment pour.

vouivre, n. m. et f. : serpent légendaire.

vronder, v. i. : bourdonner.

OUVRAGES CITÉS

AURICOSTE DE LAZARQUE, E., *La cuisine messine*, Metz, 1867.

BONNIER, H., *Les noms des fleurs*, Librairie générale de l'enseignement, Paris, 1944. (Bonnier)

BRONDEX, A., MAURY, D., *Chan Heurlin ou les fiançailles de Fanchon*, Metz, Serpenoise, 1996.

CARADEC, F., *Dictionnaire du français argotique et populaire*, Paris, Larousse, 1988. (Caradec)

CELLARD, J., REY, A., *Dictionnaire du français non conventionnel*, Paris, Hachette, 1980. (Cellard-Rey)

CHEPFER, G., *Textes et chansons*, présentés par J.-M. Bonnet et J. Lanher, Nancy, Metz, P.U.N., Serpenoise, 1983.

CHRIST, G., *Arabismen im argot*, Francfort, Berne, New York, Paris, Peter Lang, 1991. (Christ)

COLIN, J.-P., *et al., Dictionnaire de l'argot*, Paris, Larousse, 1990. (Colin)

DAUZAT, A. DUBOIS, J., MITTERAND, H., *Nouveau dictionnaire étymologique et historique*, Paris, Larousse, [1964], 1979. (DDM)

DUBOIS DE LAUNAY, Abbé H., *Remarques sur la langue française à l'usage de la jeunesse de Lorraine*, Paris, 1775.

Encyclopédie illustrée de la Lorraine, collection publiée sous la direction de R. Taveneaux, Vol. 4, *La vie traditionnelle,* sous la direction de J. Lanher, Nancy-Metz, P.U.N., Serpenoise, 1989.

ESNAULT, G., *Dictionnaire historique des argots français*, Paris, Larousse, 1965. (Esnault)

La famille ridicule, comédie messine en vers patois, (imprimée pour la première fois en 1720, à Berlin) éditée par L. Zéliqzon, Verlag der Gesellschaft, Metz, 1916.

FOLLMANN, M. F., *Wörterbuch der deutsch-lothringischen Mundarten,* Leipzig, Verlag von Quelle-Meyer, 1909. (Follmann)

HÖFLER, M., RÉZEAU, P., *L'Art culinaire*, Matériaux pour l'étude des régionalismes du français, 11, Paris, Klincksieck, 1997. (Höfler-Rézeau)

LANHER, J., LITAIZE, A., *Dictionnaire du français régional de Lorraine*, Paris, Bonneton, 1990.

LANHER, J., LITAIZE, A., RICHARD, J., *Atlas linguistique et ethnographique de la Lorraine romane*, Paris, C.N.R.S., 1979-1988, 4 vol. (*ALLR*)

LITAIZE, A., "Brimbelle et verrine, marques régionales du français de Lorraine", *in Lorraine vivante, Hommage à Jean Lahner*, Nancy, P.U.N., 1993. (Litaize)

Les contes de Fraimbois, publiés par J. Lanher, Nancy, P.U.N., Serpenoise, 1983. (Fraimbois)

MARTIN, F., *Le parler de chez nous, en Lorraine*, Essey-lès-Nancy, Imp. Christmann, 1995.

MERLE, P., *Le dico de l'argot fin de siècle*, Paris, Seuil, 1996. (Merle)

MICHEL, C., "Etude de la vitalité de quelques régionalismes du français parlé dans la région de Nancy, effectuée dans deux classes des lycées H. Loritz (Nancy) et A. Varoquaux (Tomblaine)", *in Mélanges sur les variétés du français de France, d'hier et d'aujourd'hui* (I), Matériaux pour l'étude des régionalismes du français, 8, Paris, Klincksieck, 1995. (Michel-Nancy)

MICHEL, J.-F., *Dictionnaire des expressions vicieuses usitées dans un grand nombre de départements, et notamment dans la ci-devant Province de Lorraine*, Paris-Nancy, Bontoux, 1807. (J.-F. Michel)

MUNIER, F., *Recueil des locutions vicieuses les plus répandues,* Metz, 1812.

- *Recueil des locutions vicieuses avec les corrections et les notes grammaticales*, Metz, 1829, 1832 (il s'agit de deux nouvelles éditions augmentées du recueil précédent, dont le titre a été modifié).

NOLL, V., *Die fremdsprachlichen Elemente im französischen Argot,* Francfort, Berne, New York, Paris, Peter Lang, 1991. (Noll)

REY, A. (sous la direction de), *Dictionnaire historique de la langue française*, Paris, Le Robert, 1992, 2 vol. (Rey)

RÉZEAU, P. (sous la direction de), *Variétés géographiques du français de France aujourd'hui, approche lexicographique*, Champs linguistiques, Paris-Bruxelles, Duculot, 1999. (Rézeau)

ROBERT, P., *Dictionnaire alphabétique et analogique de la langue française*, Paris, Le Robert, 1989, 9 vol. (*Rob. 89*)

ROUSSELOT, F., *A l'ombre du mirabellier, couarails et chroniques lorraines*, Nancy, Rigot et Cie, 1930.

SIMMER, A., *L'origine de la frontière linguistique en Lorraine : la fin des mythes ?* Alain Simmer, Knutange, Fensch-Vallée, 1995.

TAVERDET, G., *Les patois de Saône-et-Loire, Vocabulaire de la Bourgogne du sud*, Dijon, A.B.D.O., 1981. (Taverdet)

THIS, C., *Die deutsche-französische Sprachgrenze in Lothringen*, Strasbourg, 1887.

TOUSSAINT, M., *La frontière linguistique en Lorraine*, Paris, 1955.

*Trésor de la langue française, Dictionnaire de la langue française du XIX*e *et du XX*e *siècle*, Paris, Gallimard, 1971-1994, 16 vol. (*TLF*)

TUAILLON, G., *Les régionalismes du français parlé à Vourey, village dauphinois*, Matériaux pour l'étude des régionalismes du français, 1, Paris, Klincksieck, 1983.

WALTER, H., *Le français dans tous les sens*, Paris, R. Laffont, 1988. (Walter 88)

- *Le français d'ici, de là, de là-bas*, Paris, J.-C. Lattès, 1998. (Walter 98)

WARTBURG, W. von, *Französisches Etymologisches Wörterbuch*, Bonn-Leipzig-Bâle, depuis 1922. (*FEW*)

WESTPHALEN, R. de, *Petit dictionnaire des traditions populaires messines*, Metz, 1934.

ZÉLIQZON, L., *Dictionnaire des patois romans de la Moselle*, Strasbourg-Paris-Londres, 1924. (Z.)

- "Expressions appartenant au français populaire messin", *ASML* 39, 1930, pp. 143-154.

Achevé d'imprimer sur les presses
de l'Imprimerie Fort-Moselle

Dépôt légal n° 01040021 - 2e trimestre 2001